Cynnwys / *Content*

Uned	Teitl	Nod/ *Aim*	Cynnwys/*Content*
7	Ydy hi'n gweithio?	Gofyn ac ateb cwestiynau am bobl a phethau eraill/ *Asking and answering questions about other people and things*	Siân yw hi Ydy hi'n dda? Ydy/Nac ydy Ydyn nhw'n dda? Ydyn/Nac ydyn Dyw e ddim yn dda 'Dyn nhw ddim yn dda Pwy/beth/faint yw e?
8	Adolygu ac ymestyn –	Siarad ar y ffôn Adolygu ac ymarfer ymadroddion ffôn/ *Revision and useful phrases for the telephone*	Gaf i? Cei/Na chei, Cewch/Na chewch Dw i'n gweithio yn y coleg / Dw i'n gweithio mewn coleg
9	Prynon ni fara	Dweud beth wnaethoch chi a phobl eraill yn y gorffennol/ *Saying what you and others did in the past*	Gwnaeth e/hi, Gwnaethon ni/nhw Prynaist ti, Prynodd e/hi, Prynon ni, Prynoch chi, Prynon nhw
10	Es i i'r dre	Dweud ble aethoch chi a phobl eraill/ *Saying where you and others went*	Es i Est ti Aeth e/hi Aethon ni Aethoch chi Aethon nhw Es i ddim Y tymhorau/*The seasons*
11	Ces i dost i frecwast	Dweud beth gawsoch chi a phobl eraill/ *Saying what you and others had or received*	Ces i/Ges i Cest ti/Gest ti Cafodd Sam/Gaeth Sam Cawson ni/Gaethon ni Cawsoch chi/ Gaethoch chi Cawson nhw/ Gaethon nhw Gest ti? Ches i ddim
12	Mae car gyda fi	Dweud beth sy gyda chi a phobl eraill/ *Saying what you and others have and own*	Mae car gyda fi/ti/fe/hi/ni/chi/nhw Oes car gyda ti? Does dim car gyda fi

Uned	Teitl	Nod/ *Aim*	Cynnwys/*Content*
13	Roedd hi'n braf	Disgrifio pethau yn y gorffennol/ *Describing things in the past*	Roedd hi'n braf Oedd hi'n braf? Oedd/Nac oedd Doedd hi ddim yn braf Roedd pen tost gyda fi Roedd annwyd arna i
14	Ble ro'ch chi'n byw ac yn gweithio?	Siarad am bethau ro'ch chi'n arfer eu gwneud/ *Talking about things you used to do*	Ro'n i/Ro't ti/Ro'n ni/ Ro'ch chi/Ro'n nhw Y Treiglad Trwynol/ *Nasal Mutation*
15	Adolygu ac Ymestyn – Siarad wyneb yn wyneb	Adolygu ac ymarfer ymadroddion ar gyfer siarad wyneb yn wyneb/ *Revision and useful phrases for face-to-face meetings*	Dw i wedi arall Y misoedd/ *The months*
16	Rhifau, Amser ac Arian	Siarad am amser ac arian/ *Talking about time and money*	Faint o'r gloch yw hi? Y cloc Faint yw...? Arian
17	Bydd hi'n braf yfory	Siarad am ddigwyddiadau yn y dyfodol/ *Talking about events in the future*	Bydd e/hi Fydd e/hi...? Bydd/Na fydd Fydd e/hi ddim Bydda i
18	Bydda i'n mynd	Siarad am gynlluniau yn y dyfodol/ *Talking about plans in the future*	Byddwn ni Byddan nhw Fyddi di? Bydda/Na fydda Fyddwch chi? Byddwn/Na fyddwn
19	Fy	Siarad am eich eiddo chi a'ch perthnasau chi/ *Talking about your possessions and your relatives*	fy nhad i fy nrws i fy nghar i fy ngwin i fy mhen i fy mrawd i
20	Dy/Eich	Gofyn cwestiynau am eiddo a pherthnasau pobl eraill/ *Asking questions about other people's possessions and relatives*	eich tocyn chi dy docyn di

Rhestri Defnyddiol / *Useful Vocabulary Lists*

Dyddiau'r Wythnos/*Days of the Week*

dydd Sul	*Sunday*
dydd Llun	*Monday*
dydd Mawrth	*Tuesday*
dydd Mercher	*Wednesday*
dydd Iau	*Thursday*
dydd Gwener	*Friday*
dydd Sadwrn	*Saturday*

Misoedd/*Months*

mis Ionawr	*January*
mis Chwefror	*February*
mis Mawrth	*March*
mis Ebrill	*April*
mis Mai	*May*
mis Mehefin	*June*
mis Gorffennaf	*July*
mis Awst	*August*
mis Medi	*September*
mis Hydref	*October*
mis Tachwedd	*November*
mis Rhagfyr	*December*

Lliwiau/*Colours*

brown	*brown*
coch	*red*
du	*black*
glas	*blue*
gwyn	*white*
gwyrdd	*green*
llwyd	*grey*
melyn	*yellow*
oren	*orange*
pinc	*pink*
porffor	*purple*

Uned 1 (un) Helô, sut dych chi?

Nod: Dechrau sgwrs / *Starting a conversation*
(Ceri dw i, Pwy dych chi?, Sut dych chi?, Sut wyt ti?, Ble dych chi'n byw?)

Geirfa

- enwau benywaidd / *feminine nouns*
- enwau gwrywaidd / *masculine nouns*
- berfau / *verbs*
- ansoddeiriau / *adjectives*
- arall / *other*

Abertawe	*Swansea*	**paned**	*cuppa*
nos	*night*	**problem(au)**	*problem(s)*
noswaith	*evening*	**rhaglen(ni)**	*programme(s)*
		uned(au)	*unit(s)*
bore(au)	*morning(s)*	enw(au)	*name(s)*
car (ceir)	*car(s)*	heddlu	*police*
croeso	*welcome*	prynhawn(iau)	*afternoon(s)*
dosbarth(iadau)	*class(es)*	rhif(au)	*number(s)*
byw	*to live*	**gwylio**	*to watch*
darllen	*to read*	**gyrru**	*to drive*
dysgu	*to learn, to teach*	**stopio**	*to stop*
da	*good*	pinc	*pink*
ofnadwy	*terrible*	wedi blino	*tired*
a	*and*	**i**	*to; for*
ble?	*where?*	**iawn**	*ok, very*
chi	*you*	**nawr**	*now*
diolch	*thanks*	**ond**	*but*
dyna pam	*that's why*	**pawb**	*everybody*
eto	*again*	**pwy?**	*who?*
fi	*me*	**sut?**	*how?*
gyda	*with*	**ti**	*you*
heddiw	*today*	**yma**	*here*
hwyl!	*bye!*	**yn**	*in*

Geiriau pwysig i fi

....

✕ ....

✕ ....

✕ ....

✕ ....

Cymraeg Dosbarth – Pawb! Eto!

▼

"

 **Siôn dw i.** —— *I'm Siôn.*

 **Mari dw i.** —— *I'm Mari.*

 Siân dw i. —— *I'm Siân.*

 **Twm dw i.** —— *I'm Twm.*

Pwy dych chi?————————*Who are you?*

Sut dych chi?————————— *How are you?*
Iawn.————————— *OK.*
Da iawn, diolch.————————— *Very well, thanks.*
Ofnadwy.————————— *Terrible.*
Wedi blino.————————— *Tired.*

Sgwrs 1

A: Helô, <u>Eryl</u> dw i. Pwy dych chi?

B: Bore da, <u>Ceri</u> dw i. Sut dych chi?

A: <u>Da iawn</u>, diolch. Sut dych chi?

B: Iawn, diolch.

A: Hwyl, <u>Ceri</u>!

B: Hwyl.

▼

Ynganu – Yr Wyddor

Aa

A - cat/hard	Ng - long	Ph - physics
B - bat	H - hard	R - race
C - cat	I - ink/tree	Rh - as in Y Rhyl Rhiwbeina
Ch - loch	J - jam	
D - dog	L - lounge	S - seven
Dd - the	Ll - Llanelli (Place tongue behind teeth and blow)	T - tavern
E - egg/air	M - mam	Th - three
F - valley	N - no	U - tin/been
Ff - friend	O - orange/roar	W - water/look
G - garden	P - paper	Y - bin / been/ 'uh' as in Pontypridd

Un llythyren (*one letter*) yw

Ch	Dd	Ff	Ng	Ll	Ph	Rh	Th

Rhifau

dim (0)	pedwar (4)	wyth (8)
un (1)	pump (5)	naw (9)
dau (2)	chwech (6)	deg (10)
tri (3)	saith (7)	

Pwyslais! *Stress!*

professional ————————————— **proffesiYNol**
novelist ————————————— **noFELydd**

The emphasis in Welsh is almost always on the last but one syllable.

Siôn	A	Siân
Huw	2	Mair
Marc	3	Gwen
Gareth	4	**Mar**ged
Carwyn	5	**Rhi**an
Rhodri	6	**Beth**an
Dylan	7	**Glen**ys
Geraint	8	**Ffi**on
Gwilym	9	**Mar**i
Rhidian	10	Rhi**ann**on
Arfon	Jac	El**eri**
Llyw**el**yn	Brenhines	Mer**er**id
Mer**ed**ydd	Brenin	Myf**an**wy

Ymarfer! *Practice!*

mân	man	twr	tŵr
cân	carn	dal	dall
marc	march	dallu	dathlu
ci	si	beth	bedd
gwên	Gwen	nodi	noddi
tôn	ton	ofer	offer
dur	dŵr	y garreg	y garej

Sgwrs 2

A: O na, yr heddlu! (Stopio'r car)
B: Hello, hello, hello.
A: Cymraeg, plîs.
B: O, helô, helô, helô.
A: Prynhawn da, cwnstabl.
B: Prynhawn da. Pwy dych chi?
A: Ceri Llwyd dw i.
B: Ceri Llwyd, y gitarydd?

A: Ie, sut ...
B: Y gitarydd gyda band Y Pandas Pinc?
A: Ie.
B: Y Pandas Pinc. Waw...
A: Problem gyda'r car, cwnstabl?
B: Na, na, dim problem. Hwyl, Ceri.
A: Hwyl.
B: Wel, wel, Ceri Llwyd, Y Pandas Pinc, waw ...

Bore da (am)    **Prynhawn da (pm)**

Noswaith dda    **Nos da**

Sut wyt ti?

A: Bore da, Ceri.

B: Helô, Eryl. Sut wyt ti?

A: Da iawn, diolch, sut wyt ti?

B: Iawn.

CHI = *formal & plural*
TI = *one person you know well, a child, a pet*

Ble dych chi'n byw?	*Where do you live?*	**Llanelli.**
Ble rwyt ti'n byw?	*Where do you live?*	**Abertawe.**

Aber   Llan   Caer   Pont

Dw i'n gyrru *Fiesta.*	I drive a Fiesta.
Dw i'n gwylio *Strictly.*	I watch Strictly.
Dw i'n darllen y *Western Mail.*	I read the Western Mail.
Dw i'n dysgu Cymraeg.	I'm learning Welsh.

Sgwrs 3

A: Bore da. Sut dych chi?

B: Iawn, ond wedi blino heddiw.

A: Ble dych chi'n byw nawr?

B: Abertawe.

A: Abertawe? A dych chi'n dysgu Cymraeg yma!

B: Dyna pam dw i wedi blino. Dw i'n gyrru yma.

A: Paned?

B: Ie, plîs.

Help llaw *(Top Tips)*

1. *Welsh pronunciation is generally quite consistent.*

   There are 7 vowels –
   a e i o u w y
   Y has 2 sounds, see Ynys, Aberystwyth. *This will be explained soon.*

   A, I, O + Y are also useful words! (meaning and, to, from, the)

   *S also has 2 sounds – normally a hiss (*stopio*) but combined with i is a sh sound (e.g.* Siân*).*

2. *The stress on a Welsh word is almost always on the last syllable but one.*

3. **Iawn** *– You will see in the vocabulary that* 'iawn' *can mean both 'OK' and 'very'. On its own, it means 'OK':* Sut dych chi? Iawn.

   However, when used after an adjective its meaning is 'very': da iawn *(very good).*

4. **Ti + Chi** *are similar to Tu + Vous in French (and many other languages).* Ti *is always singular and* Chi *can be either formal singular or plural.*

5. *The word for 'and' is* **a**, *but it becomes* **ac** *before a vowel.* Aled **a** Siân / Siân **ac** Aled

Uned 2 (dau) – Wyt ti'n lico/hoffi coffi?

Nod: Siarad am bethau 'dyn ni'n hoffi a gweithgareddau pob dydd/
Talking about likes and everyday activities (dw i, 'dyn ni, wyt ti, dych chi)

- enwau benywaidd / *feminine nouns*
- enwau gwrywaidd / *masculine nouns*
- berfau / *verbs*
- ansoddeiriau / *adjectives*
- arall / *other*

Geirfa

cacen(nau)	*cake(s)*	**teisen(nau)**	*cake(s)*
pêl (peli)	*ball(s)*	**wythnos(au)**	*week(s)*

bwyd	*food*	hoci	*hockey*
caws	*cheese*	llaeth	*milk*
cerdyn (cardiau)	*card(s)*	papur(au)	*paper(s)*
cig(oedd)	*meat(s)*	papur newydd	*newspaper*
coffi(s)	*coffee(s)*	pêl-droed	*football*
criced	*cricket*	radio	*radio*
dillad	*clothes*	siocled(i)	*chocolate(s)*
dydd(iau)	*day(s)*	siwgr	*sugar*
golff	*golf*	teledu	*television*
gwin	*wine*	tennis	*tennis*
		tiwtor(iaid)	*tutor(s)*
		tost	*toast*

bod	*to be*	**hoffi**	*to like*
bwyta	*to eat*	**lico**	*to like*
canu	*to sing*	**mynd**	*to go*
chwarae	*to play*	**prynu**	*to buy*
dawnsio	*to dance*	**siopa**	*to shop*
gweithio	*to work*	**smwddio**	*to iron*
gweld	*to see*	**yfed**	*to drink*
gwneud	*to do, to make*	**ymddeol**	*to retire*

bendigedig	*fantastic*	neis	*nice*
coch	*red*	newydd	*new*
gwyn	*white*	siŵr	*sure*

ar	*on*	**mynd am dro**	*to go for a walk*
beth?	*what?*	**pryd?**	*when?*
chwaith	*either*	**wrth gwrs**	*of course*
dim	*not; nothing; zero*	**ych a fi**	*yuck*
hefyd	*also*	**yfory**	*tomorrow*
heno	*tonight*		

Geiriau pwysig i fi

X ....   X ....

X ....   X ....

Lico/Hoffi

,,

Dw i'n lico/hoffi coffi. ——————— *I like coffee.*
Dw i'n lico/hoffi siocled. ——————— *I like chocolate.*
Dw i'n lico/hoffi pitsa. ——————— *I like pizza.*
Dw i'n lico/hoffi llaeth. ——————— *I like milk.*

Wyt ti'n lico/hoffi coffi? ——————— *Do you like coffee?*
Wyt ti'n lico/hoffi siwgr? ——————— *Do you like sugar?*
Wyt ti'n lico/hoffi cyrri? ——————— *Do you like curry?*
Wyt ti'n lico/hoffi pasta? ——————— *Do you like pasta?*

Ydw. ✔ **Nac ydw.** ✗

Dw i ddim yn lico/hoffi caws. ——— *I don't like cheese.*
Dw i ddim yn lico/hoffi siocled. ——— *I don't like chocolate.*
Dw i ddim yn lico/hoffi cyrri. ——— *I don't like curry.*
Dw i ddim yn lico/hoffi pasta. ——— *I don't like pasta.*

Enw	caws	cacen	pêl-droed	canu
Chi				
Tiwtor				

Gyda'ch partner, llenwch y bylchau. *With your partner, fill in the gaps.*

A: Wyt ti'n hoffi gwin gwyn?

B: ✔ ....

A: Dw i ddim. Wyt ti'n hoffi gwin coch?

B: ✗ ....

A: Dw i ddim yn hoffi gwin coch chwaith! Ond dw i'n hoffi coffi!

B: A fi. Dw i'n hoffi coffi hefyd.

*****

A: Wyt ti'n lico rygbi?

B: ✔ ....

A: Dw i ddim. Wyt ti'n lico criced?

B: ✗ ....

A: Dw i ddim yn lico criced chwaith! Ond dw i'n lico pêl-droed.

B: A fi. Dw i'n lico pêl-droed hefyd.

Sgwrs 1

Ceri: Noswaith dda, Eryl. Sut wyt ti?
Eryl: Da iawn, diolch. A sut wyt ti?
Ceri: Wedi blino.
Eryl: Wyt ti'n mynd i'r dosbarth salsa yfory?
Ceri: Ydw, wrth gwrs! Dw i'n lico'r dosbarth salsa.
Eryl: Da iawn! Hwyl, Ceri.
Ceri: Nos da.

Beth dych chi'n hoffi/lico? ——————— *What do you like?*
Beth dych chi ddim yn hoffi/lico? ———— *What don't you like?*
Beth wyt ti'n hoffi/lico ar y teledu? ———— *What do you like on television?*
Beth wyt ti'n hoffi/lico ar y radio? ——— *What do you like on the radio?*

Dw i'n hoffi pasta ond dw i ddim yn hoffi pitsa.
Dw i'n hoffi ioga ond dw i ddim yn hoffi dawnsio.

Beth dych chi **ddim** yn hoffi?

siopa	dawnsio	canu
gweithio	smwddio	darllen

Ynganu – **llafariaid hir**/*long vowels*

Gyda'r tiwtor, wedyn gyda'ch partner, dwedwch:

da/de/di/do/du/dw/dy
pa/te/ci/to/plu/nhw/fy

Ymarfer!/*Practice!*

campus	mud	union	archangel	call
cell	murmur	Arthur	blinder	dawn
offer	barn	march	her	person
toll	pump	bore	draw	torch

'Dyn ni'n dysgu Cymraeg. ———— *We are learning Welsh.*
'Dyn ni'n gweithio. ———— *We are working.*
'Dyn ni'n chwarae tennis. ———— *We play tennis.*
'Dyn ni'n prynu bwyd yn Tesbury's. — *We buy food in Tesbury's.*

Dych chi'n dysgu Cymraeg? ———— *Are you learning Welsh?*
Dych chi'n darllen papur newydd? — *Do you read a newspaper?*
Dych chi'n gwylio *Emmerdale*? ——— *Do you watch Emmerdale?*
Dych chi'n bwyta cig? ———— *Do you eat meat?*

Ydyn. ✔ Nac ydyn. ✗

'Dyn ni ddim yn gwylio *Emmerdale*. — *We don't watch Emmerdale.*
'Dyn ni ddim yn bwyta cig. ———— *We don't eat meat.*
'Dyn ni ddim yn hoffi/lico criced. — *We don't like cricket.*
'Dyn ni ddim yn yfed gwin. ———— *We don't drink wine.*

Ble dych chi'n siopa? ———— *Where do you shop?*
Ble dych chi'n prynu bwyd? ———— *Where do you buy food?*
Ble dych chi'n prynu dillad? ———— *Where do you buy clothes?*
Ble dych chi'n prynu petrol? ———— *Where do you buy petrol?*

Holiadur siopa/*Shopping questionnaire*

Gofynnwch i 4 person ble maen nhw'n prynu bwyd, dillad, petrol.
Ask four class members where they buy bwyd, dillad, petrol.

Enw	bwyd	dillad	petrol

Dyddiau'r wythnos/*Days of the week*

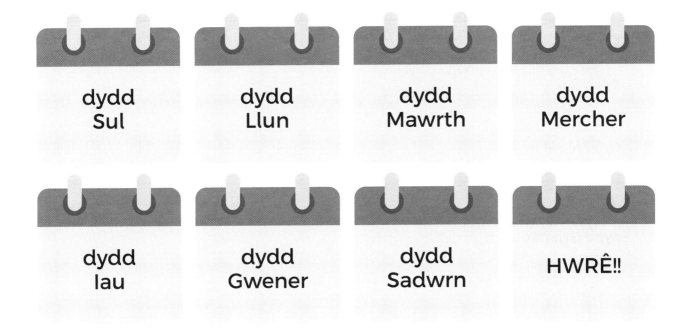

dydd Sul

dydd Llun

dydd Mawrth

dydd Mercher

dydd Iau

dydd Gwener

dydd Sadwrn

HWRÊ!!

Pryd dych chi'n……?

(Dewiswch un gweithgaredd ar gyfer pob dydd. *Choose one activity for each day.)*

chwarae tennis/hoci/golff/cardiau/pêl-droed/rygbi/criced?

siopa?

mynd am dro?

dysgu Cymraeg/ioga/pilates?

	Llun	Mawrth	Mercher	Iau	Gwener	Sadwrn	Sul
Chi							

	Llun	Mawrth	Mercher	Iau	Gwener	Sadwrn	Sul
Partner							

Beth dych chi'n wneud?

Dewiswch un gweithgaredd ar gyfer pob dydd./*Choose one activity for each day.*

	Chi		
dydd Sul			
dydd Llun			
dydd Mawrth			
dydd Mercher			
dydd Iau			
dydd Gwener			
dydd Sadwrn			

Sgwrs 2

A: Bore da.

B: Hmff.

A: Sut dych chi heddiw?

B: Ofnadwy. Dw i ddim yn lico dydd Llun.

A: Coffi?

B: Ych a fi. Dw i ddim yn lico coffi.

A: Te?

B: Iawn.

A: Llaeth?

B: Ych a fi. Dw i ddim yn lico llaeth. Reit, ble dw i'n gweithio?

A: Gweithio? Ym, dw i ddim yn siŵr. Pwy dych chi, plîs?

B: Williams, y bòs newydd.

A: O? Neis iawn.... Croeso, Mr Williams.

B: Dr Williams.

A: Croeso, Dr Williams.

....

A: (wrtho/wrthi ei hun / *to him/herself*) Ych a fi, dw i ddim yn lico'r bòs newydd.

Robin Radio

a) Atebwch / *Answer:*

Gyda phwy mae Robin yn siarad?
Who is Robin speaking to?

....

....

....

Pa adeg o'r diwrnod yw hi?
What time of day is it?

....

....

....

Ble mae Robin yn byw?
Where does Robin live?

....

....

b) Gwrandewch am / *Listen out for:*

Pwy sy'n siarad? — *Who is speaking?*
byd bach ———— *small world*
wedi ymddeol —— *retired*

c) Cyfieithwch / *Translate:*

How are you today?

....

Where do you live?

....

I don't work.

....

....

Help llaw

1. The verb **bod** (to be) is very important in Welsh. Here it is used to make present tense patterns. **Dw i + yn + verb (also Rwyt ti, 'Dyn ni, Dych chi).** In this unit we have been looking at present tense sentences, e.g.

Dw i'n hoffi	I like
Dw i'n mynd	I go/I am going
Dw i'n darllen	I read/I am reading
Dw i'n gweithio	I work/I am working

2. **Dw i'n hoffi** – I like – is also said as **Dw i'n lico/licio** in many areas of Wales. Both are fine, use the one you like (ask your tutor!)

3. **Ydw / Nac ydw** is the 1st person answer (present tense) when questions start with **Wyt ti** or **Dych chi…**You are literally saying I am / I do or I am not / I don't. The plural is **Ydyn / Nac ydyn.**

4. You may come across the form **Rydw i. Dw i** is a shortened form used in speech.

5. Here are the forms of the verb **bod** in Uned 2:

Cadarnhaol/ *Affirmative*	Negyddol/ *Negative*	Cwestiwn/ *Question*	
Dw i	**Dw i ddim**	**Wyt ti?**	**Ydw/Nac ydw**
Rwyt ti	**Dwyt ti ddim**	**Dych chi?**	**Ydyn/Nac ydyn**
'Dyn ni	**'Dyn ni ddim**		
Dych chi	**Dych chi ddim**		

6. **Beth dych chi'n wneud?**
    You will notice that **gwneud** (to do, to make) has become **wneud**. Giving a full explanation here would not be meaningful and therefore just learn it as a really useful question.

Uned 3 (tri) Dych chi eisiau paned?

Nod: Mynegi dymuniad / *Expressing a desire*
(Dw i eisiau, Mae Aled eisiau)

- enwau benywaidd / *feminine nouns*
- enwau gwrywaidd / *masculine nouns*
- berfau / *verbs*
- ansoddeiriau / *adjectives*
- arall / *other*

Geirfa

diod(ydd) — *drink(s)*
iâ — *ice*

blodyn (blodau) — *flower(s)*
caffi(s) — *café(s)*
dŵr — *water*
ffôn (ffonau) — *phone(s)*
finegr — *vinegar*
gwaith — *work*
halen — *salt*

cael — *to have*
clywed — *to hear*
deall — *to understand*

arall — *other, else*
dyma — *here is, this is*

swydd(i) — *job(s)*
punt (punnoedd) – *pound(s) (money)*

hufen iâ — *ice cream*
pysgodyn (pysgod) – *fish(es)*
rhywbeth — *something*
sglodion — *chips*
te — *tea*
tŷ (tai) — *house(s)*

eisiau — *to want*
nofio — *to swim*

rhywbeth arall — *something else*
os gwelwch chi'n dda — *please*

> **Cymraeg Dosbarth** –
> Dw i ddim yn deall.
> Pawb yn deall?

Geiriau pwysig i fi

× ....
× ....
× ....
× ....

Dw i eisiau paned. —————————— *I want a cuppa.*
Dw i eisiau te. —————————————— *I want tea.*
Dw i eisiau car newydd. ——————— *I want a new car.*
Dw i eisiau swydd newydd. ———— *I want a new job.*

Wyt ti eisiau diod? ———————————— *Do you want a drink?*
Wyt ti eisiau paned? ———————————— *Do you want a cuppa?*
Wyt ti eisiau llaeth? —————————— *Do you want milk?*
Wyt ti eisiau siwgr? ——————————— *Do you want sugar?*

Ydw. ✔   Nac ydw. ✗

Dw i ddim eisiau coffi. ——————— *I don't want coffee.*
Dw i ddim eisiau te gwyrdd. ——— *I don't want green tea.*
Dw i ddim eisiau tŷ newydd. ——— *I don't want a new house.*
Dw i ddim eisiau ffôn newydd. —— *I don't want a new phone.*

Amser Paned – Gofynnwch i'r dosbarth:

Enw	coffi	te	llaeth	siwgr
Chi				
Tiwtor				

Sgwrs 1

A: Noswaith dda. Beth dych chi eisiau?
B: Pysgodyn a sglodion, os gwelwch chi'n dda.
A: Dych chi eisiau finegr?
B: Ydw, plîs.
A: Dych chi eisiau halen?
B: Dim diolch.
A: Dych chi eisiau rhywbeth arall?
B: Potel o lemonêd, os gwelwch chi'n dda.
A: Dyma chi. Pum punt, os gwelwch chi'n dda.
B: Dyma chi.
A: Diolch.

Yn y caffi...

A: Beth dych chi eisiau?

B:

A: Dych chi eisiau ?

B: [✗]

A: Dych chi eisiau ?

B: [ ] Dw i eisiau siwgr.

A: Dych chi eisiau rhywbeth arall?

B: [✗]

A: Dyma chi. Punt, os gwelwch chi'n dda.

B: Dyma chi.

A: Diolch.

A: Beth dych chi eisiau?

B:

A: Dych chi eisiau ?

B: [ ]

A: Dych chi eisiau  ?

B: [✗] Dw i ddim eisiau siwgr.

A: Dych chi eisiau rhywbeth arall?

B: [✗]

A: Dyma chi. Punt, os gwelwch chi'n dda.

B: Dyma chi.

A: Diolch.

Beth dych chi eisiau wneud nawr?	*What do you want to do now?*
Beth dych chi eisiau wneud heddiw?	*What do you want to do today?*
Beth dych chi eisiau wneud heno?	*What do you want to do tonight?*
Beth dych chi eisiau wneud yfory?	*What do you want to do tomorrow?*

'Dyn ni eisiau dawnsio heno.	*We want to dance tonight.*
'Dyn ni eisiau canu carioci heno.	*We want to sing karaoke tonight.*
'Dyn ni eisiau smwddio heno.	*We want to iron tonight.*
'Dyn ni eisiau gwneud y gwaith cartre heno.	*We want to do the homework tonight.*

Dych chi eisiau dawnsio heno?	*Do you want to dance tonight?*
Dych chi eisiau canu carioci heno?	*Do you want to sing karaoke tonight?*
Dych chi eisiau smwddio heno?	*Do you want to iron tonight?*
Dych chi eisiau gwneud y gwaith cartre heno?	*Do you want to do the homework tonight?*

Ydyn. ✔   **Nac ydyn.** ✗

Sgwrs 2

A: Dych chi eisiau paned?

B: Mm, diolch yn fawr. Coffi, plîs.

A: Dych chi eisiau llaeth a siwgr?

B: Ydw, llaeth a chwech siwgr.

A: Dyma chi. Dych chi eisiau cacen?

B: Dim diolch. Dw i'n slimo.

Mae Siân eisiau diod.	*Siân wants a drink.*
Mae Siân eisiau te.	*Siân wants tea.*
Mae Siân eisiau hufen iâ.	*Siân wants ice cream.*
Mae Siân eisiau dŵr.	*Siân wants water.*

Ynganu

cof	ffynnu	synnu	dysgu	hynny
nain	trai	crai	sain	taid

Lliwiau

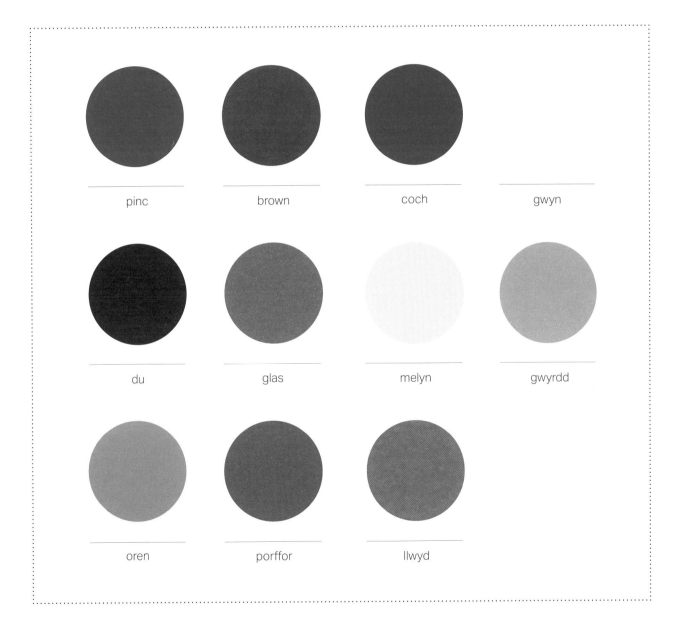

pinc	brown	coch	gwyn
du	glas	melyn	gwyrdd
oren	porffor	llwyd	

Blodau

Robin Radio

a) Atebwch / *Answer:*
Pwy sy'n ffonio Robin?

....

Sut mae Haf?

....

Beth yw gwaith Haf? *What is Haf's job?*

....

b) Gwrandewch am / *Listen out for:*
Mae'n braf. ——————— *It's nice weather.*
ysbyty ——————— *hospital*
Diolch am ffonio. —— *Thanks for phoning.*

c) Cyfieithwch / *Translate:*
I'm Haf. How are you? ....

Where do you work? ....

Help llaw

1. *When using* **eisiau** *– to want – never use* **yn***.*

2. *The third person singular of* **bod** *(to be) is introduced in* Uned 3*. To speak of a third person, we use* **Mae** *at the beginning of the sentence:*

Mae Aled eisiau diod. / **Mae** Aled yn hoffi te.
Mae Aled yn dysgu Cymraeg.

So far, you have learned.

Dw i	*I am*	'Dyn ni	*We are*
Rwyt ti	*You are*	Dych chi	*You are*
Mae Aled	*Aled is*		

3. *Notice*:
  pum punt = *a singular noun following a number.*

Uned 4 (pedwar) – Mynd a dod

Nod: Trafod o ble dych chi'n dod a ble dych chi'n mynd/*Discussing where you come from and where you are going* (Dw i'n dod o, dw i'n mynd i)

Geirfa

Caerdydd	Cardiff	**Lloegr**	England
Cymru	Wales	**Llundain**	London
gêm (gemau)	game(s), match(es)	**siop(au)**	shop(s)
gwlad (gwledydd)	country (countries)	**tref(i)**	town(s)
gwyliau	holiday(s)	**tudalen(nau)**	page(s)
Iwerddon	Ireland	**theatr(au)**	theatre(s)
		Yr Alban	Scotland

beic(iau)	bike(s)	Nadolig	Christmas
byd	world	penwythnos(au)	weekend(s)
dyn(ion)	man (men)	sinema (sinemâu)	cinema(s)
gwely(au)	bed(s)	tîm (timau)	team(s)

aros	to stay, to wait	**dweud**	to say, to tell
cerdded	to walk	**hedfan**	to fly
cofio	to remember	**helpu**	to help
dod	to come	**nabod**	to know, to recognise

aml	often	gwreiddiol	original
bach	small		

a dweud y gwir	to tell the truth	**pan**	when
adre	(towards) home	**pob**	every
dros	over	**pob lwc**	good luck
dyna	there is	**weithiau**	sometimes
gan	by, from (a person)	**wir**	indeed
neu	or	**yno**	there

Geiriau pwysig i fi

....
×   ×
....

×   ×
....

> **Cymraeg Dosbarth** –
> Gyda'ch partner.
> Partner newydd.
> Gwela i chi yr wythnos nesa!

Dw i'n dod o Abertawe. —————— *I come from Swansea.*
Dw i'n dod o Harlech. —————— *I come from Harlech.*
'Dyn ni'n dod o'r Bala. —————— *We come from Bala.*
'Dyn ni'n dod o'r Fenni. —————— *We come from Abergavenny.*

O ble rwyt ti'n dod? —————— *Where do you come from?*
O ble dych chi'n dod? —————— *Where do you come from?*

ABERYSTWYTH	ABERDEEN
EGLWYSBACH	EGLWYSWRW
FFWRNAIS	FFRAINC
HARLECH	HWLFFORDD
AWSTRALIA	IWERDDON
RWMANIA	RWSIA
SYRIA	SBAEN
WAUNFAWR	WRECSAM
YSTRADGYNLAIS	Y BARRI

Y Treiglad Meddal – *Soft Mutation*

Ar ôl o mae 9 llythyren *(9 letters)* **yn newid. Gweler Help llaw**
(*see* **Help llaw**).

t	d	ll
c	g	rh
p	b	m

Dw i'n dod o **D**alybont, o **D**reffynnon, o **D**reorci, o **D**yddewi	T > D
Dw i'n dod o **G**aerdydd, o **G**eredigion, o **G**aergybi, o **G**ymru	C > G
Dw i'n dod o **B**enarth, o **B**wllheli, o **B**restatyn, o **B**ontypridd	P > B
Dw i'n dod o **Dd**olgellau, o **Dd**owlais, o **Dd**eganwy, o **Dd**inbych	D > **Dd**
Dw i'n dod o _Lynebwy, o _Wynedd, o _Lynceiriog, o _Went	G > _
Dw i'n dod o **F**angor, o **F**ethesda, o **F**rynmawr, o **F**edwas	B > F
Dw i'n dod o **R**ydaman, o **R**uthun, o **R**isga, o **R**osneigr	Rh > R
Dw i'n dod o **L**angrannog, o **L**anelli, o **L**angollen, o **L**oegr	Ll > L
Dw i'n dod o **F**achynlleth, o **F**erthyr, o **F**aesteg, o **F**eifod	M > F

O ble dych chi'n dod yn wreiddiol?

Cymru —————	*Wales*
Iwerddon —————	*Ireland*
Yr Alban —————	*Scotland*
Lloegr —————	*England*

Mae Gareth yn dod o Gymru. ———— *Gareth comes from Wales.*
Mae Lisa yn dod o Loegr. ———— *Lisa comes from England.*
Mae Iona yn dod o Iwerddon. ———— *Iona comes from Ireland.*
Mae Andrew yn dod o'r Alban. ———— *Andrew comes from Scotland.*
O ble mae Carmen yn dod? ———— *Where does Carmen come from?*

Enw	C	Ll	A	I	Gwlad arall

Dyma gerdd *(poem)* gan Cyril Jones (*Dysgu trwy lenyddiaeth*, CBAC)

I gofio'r treiglad meddal:
Mae Ceri o Gaerdydd,
Mae Tom yn dod o Dalybont
A Pam o Bontypridd.

Mae Gwyn yn dod o Wynedd,
Mae Dai o Ddinas Brân,
Mae Bob yn dod o Fangor,
A dyna hanner cân.

Mae Mari'n dod o Fargam,
A Llew o Lan–y–bri,
Mae Rhys yn dod o Ryd–y–waun,
Ac wedyn, dyna ni!

Ble dych chi'n mynd?

Dw i'n mynd i Gaerdydd. —————— *I'm going to Cardiff.*
Dw i'n mynd i Fangor. —————— *I'm going to Bangor.*
Dw i'n mynd i Landudno. —————— *I'm going to Llandudno.*
Dw i'n mynd i Bontypridd. —————— *I'm going to Pontypridd.*

Dw i'n mynd i'r sinema. —————— *I'm going to the cinema.*
Dw i'n mynd i'r gêm. —————— *I'm going to the game.*
Dw i'n mynd i'r siop. —————— *I'm going to the shop.*
Dw i'n mynd i'r theatr. —————— *I'm going to the theatre.*

'Dyn ni'n mynd i'r gwaith. —————— *We're going to work.*
'Dyn ni'n mynd i'r dosbarth. —————— *We're going to class.*
'Dyn ni'n mynd i'r gwely. —————— *We're going to bed.*
'Dyn ni'n mynd i'r dre. —————— *We're going to town.*

Ble rwyt ti'n mynd yfory? —————— *Where are you going tomorrow?*
Ble rwyt ti'n mynd dydd Sul? —————— *Where are you going on Sunday?*
Ble dych chi'n mynd nos yfory? —————— *Where are you going tomorrow night?*
Ble dych chi'n mynd nos Sul? —————— *Where are you going Sunday night?*

Dych chi'n cofio?

dydd Sul	dydd Mercher	dydd Sadwrn
dydd Llun	dydd Iau	
dydd Mawrth	dydd Gwener	

Ond...

nos Sul	nos Fercher	nos Sadwrn –
nos Lun	nos Iau	Hwrê!!
nos Fawrth	nos _Wener	

Dewiswch un lle ac un dull o deithio ar gyfer pob dydd./*Choose one place and one way of getting there for each day.*

Chi	nos Lun	nos Fawrth	nos Fercher	nos Iau	nos Wener	nos Sadwrn	nos Sul
Ble?							
Sut?							
Partner:	nos Lun	nos Fawrth	nos Fercher	nos Iau	nos Wener	nos Sadwrn	nos Sul
Ble?							
Sut?							

BLE? – i'r sinema, i'r theatr, i'r dre, i'r gêm, i'r dosbarth, i'r caffi, i'r siop.
SUT? – yn y car, ar y bws, ar y beic, ar y trên, **neu** Dw i'n cerdded.

Beth dych chi'n mynd i wneud?

Dw i'n mynd i siopa. —————— *I'm going shopping.*
Dw i'n mynd i nofio. —————— *I'm going swimming.*
Dw i'n mynd i chwarae golff. ——— *I'm going to play golf.*
Dw i'n mynd i helpu ffrind. ——— *I'm going to help a friend.*

Dw i'n mynd i ddarllen llyfr. ——— *I'm going to read a book.*
Dw i'n mynd i gael bath. ——— *I'm going to have a bath.*
Dw i'n mynd i fwyta cinio. ——— *I'm going to eat lunch.*
Dw i'n mynd i weld ffilm. ——— *I'm going to see a film.*

Gêm dis

1 - heno   **2** - bore yfory   **3** - nos yfory
4 - dydd Sul   **5** - nos Sul   **6** - yr wythnos nesa

Ynganu – llythrennau dwbl

Aberystwyth   **Beddgelert**   **Clydach**
Dinbych   **Dolgellau**   **Hwlffordd**
Llandudno   **Llanelli**   **Llanfihangel**
Llangollen   **Machynlleth**   **Pwllheli**
Treffynnon   **Tyddewi**   **Y Rhyl**

> Edrychwch yn ôl ar yr wyddor ar dudalen 10.
> *Look back at the alphabet on page 10.*

Sgwrs 1

Ceri: O ble rwyt ti'n dod yn wreiddiol?
Chris: Dw i'n dod o America.
Ceri: Ble yn America?
Chris: Dw i'n dod o Los Angeles.
Ceri: Wel, wel, dw i'n lico Los Angeles. Dw i'n mynd yno ar wyliau bob haf.
Chris Wyt ti'n nabod Ioan Ifans o Gaerdydd?

Ceri: Ydw, wir! Dw i'n aros gyda Ioan weithiau.
Chris: Wel, wel, dw i'n mynd i wylio pêl-fasged gyda Ioan yn aml.
Ceri: Byd bach!

Sgwrs 2

Mae Gareth a Mari'n cael sgwrs.

A: Beth wyt ti'n wneud y penwythnos 'ma?

B: Dw i'n mynd i Lundain ar y trên bore dydd Gwener.

A: Pryd?

B: Pump o'r gloch y bore. Dw i'n mynd i Stockholm yn y prynhawn.

A: O ble rwyt ti'n hedfan?

B: O Heathrow. Dw i'n mynd i weld tîm pêl-droed Cymru yn chwarae yn Sweden nos Wener.

A: Ble rwyt ti'n aros?

B: Dw i ddim yn aros. Dw i'n mynd ar y fferi i Riga dros nos. Dw i'n mynd i barti yn Riga nos Sadwrn.

A: Pryd rwyt ti'n dod adre?

B: Nos Sul. Wel, tri o'r gloch y bore, bore dydd Llun, a dweud y gwir.

A: Wyt ti'n gweithio dydd Llun?

B: Ydw, dw i'n mynd i Gaerdydd gyda'r bòs. 'Dyn ni'n mynd ar y trên o Fangor!

A: Pob lwc!

Llenwch y bylchau/*Fill in the gaps:*

Mae Mari'n mynd i .... **ar y trên bore dydd Gwener.**

Mae Mari'n mynd i Stockholm yn y prynhawn o ....

Mae Mari'n mynd ar y fferi i .... **dros nos.**

Mae Mari'n mynd i .... **yn Riga nos Sadwrn.**

Mae Mari'n mynd i Gaerdydd ar y .... **bore Llun.**

Robin Radio

a) Atebwch / *Answer:*

1. Gyda phwy mae Robin yn siarad? *Who is Robin talking to?*

....

2. Ble mae hi'n byw? *Where does she live?*

....

3. Pam mae hi'n mynd i Melbourne? *Why is she going to Melbourne?*

....

b) Gwrandewch am / *Listen out for:*

dros y Nadolig ——————— *over Christmas*
Dych chi'n mynd yn ôl? —— *Do you go back?*
siwrne dda ————————— *good journey*

c) Cyfieithwch / *Translate:*

I come from Australia. ....

I'm going to Melbourne. ....

Help llaw

1. Y Treiglad Meddal / *The Soft Mutation*

You may have noticed that some words change their first letter in Welsh sometimes. These are called mutations and are meant to make it easier to link words together.

Once you start listening out for them you will see that they are quite common for various reasons – but don't worry too much about them, they don't change the meaning and people will understand you even if you forget.

After the words **o** *(from) and* **i** *(to) there is a change called the soft mutation –* **treiglad meddal.**

Only 9 letters change – the majority stay the same.

t > d	**d > dd**	**m > f**
c > g	**g > /**	**rh > r**
p > b	**b > f**	**ll > l**

2. Dw i'n mynd i'r *= I'm going to the...blocks the mutation unless it's a* **singular** *feminine noun!* **Dw i'n mynd i'r dosbarth, i'r caffi, i'r tŷ bwyta, i'r dafarn, i'r dre** *(feminine nouns!).*

3. I'r *means 'to the' but look at the following phrases:*

mynd i'r dosbarth	*to go to class*
mynd i'r gwaith	*to go to work*
mynd i'r ysgol	*to go to school*
mynd i'r dre	*to go to town*

In English, we omit 'the' when referring to a specific place we attend regularly.

4. Dw i'n mynd i *... can mean both "I'm going to..." a place and "I'm going to...." do something.*

5. Yn Sgwrs 2, dych chi'n gweld 'Dw i'n mynd i barti':

Dw i'n mynd **i b**arti. ———————	*I am going* **to a** *party.*
Dw i'n mynd **i'r** parti. ———————	*I am going to the party.*
Dw i'n mynd **i g**affi. ———————	*I am going* **to a** *café.*
Dw i'n mynd **i'r** caffi. ———————	*I am going to the café.*
Dw i'n mynd **i** siop. ———————	*I am going* **to a** *shop.*
Dw i'n mynd **i'r** siop. ———————	*I am going to the shop.*

Uned 5 (pump) – Beth wnest ti ddoe?

Nod: Dweud beth wnaethoch chi/_Saying what you made and did_
(Gwnes i, Beth wnest ti?, Beth wnaethoch chi? Coginiais i)

Geirfa

eglwys(i)	church(es)	**swyddfa bost**	a post office
lolfa	lounge	**tafarn(au)**	pub(s)
llyfrgell(oedd)	library (libraries)	**ysgol(ion)**	school(s); ladder(s)

amser	time	llyfr(au)	book(s)
banc(iau)	bank(s)	parc(iau)	park(s)
brecwast(au)	breakfast(s)	rygbi	rugby
cartref(i)	a home (homes)	stamp(iau)	stamp(s)
clwb (clybiau)	club(s)	swper	supper
llestr(i)	dish(es)	ysbyty (ysbytai)	hospital(s)

coginio	to cook	**golchi**	to wash
edrych ar	to look at	**ymlacio**	to relax
garddio	to garden	**ymolchi**	to wash (oneself)

diwetha	last (previous)

ddoe	yesterday	**neithiwr**	last night
gyda'r nos	in the evening	**wedyn**	afterwards

Geiriau pwysig i fi

....
✗ ✗
....
✗ ✗
....

◢

> **Cymraeg Dosbarth** –
> Mae'n ddrwg gyda fi.
> Dim problem.
> Tudalen 41.

Gwneud

Gwnes i swper ddoe. ———————— *I made supper yesterday.*
Gwnes i de ddoe. ———————— *I made tea yesterday.*
Gwnes i ginio ddoe. ———————— *I made dinner yesterday.*
Gwnes i frecwast ddoe. ———————— *I made breakfast yesterday.*

Beth wnest ti ddoe? ———————— *What did you do yesterday?*
Beth wnest ti neithiwr? ———————— *What did you do last night?*
Beth wnaethoch chi ddoe? ———————— *What did you do yesterday?*
Beth wnaethoch chi neithiwr? ——— *What did you do last night?*

8.15am	gwneud paned	1.30pm	gwneud cacen
8.30am	gwneud brecwast	2.00pm	gwneud bara
11.00am	gwneud coffi	3.30pm	gwneud te
12.30pm	gwneud cinio	7.00pm	gwneud swper

Wnest ti swper ddoe? _____ *Did you make supper yesterday?*
Wnest ti de ddoe? _____ *Did you make tea yesterday?*
Wnest ti ginio ddoe? _____ *Did you make dinner yesterday?*
Wnest ti frecwast ddoe? _____ *Did you make breakfast yesterday?*

Do. ✔ Naddo. ✗

Berfau rheolaidd/Regular verbs

golchi	golch**ais** i	coginio	cogini**ais** i
ymolchi	ymolch**ais** i	ymlacio	ymlaci**ais** i
edrych	edrych**ais** i		

Gyrrais i ddoe.	*I drove yesterday.*
Ymolchais i ddoe.	*I washed yesterday.*
Canais i ddoe.	*I sang yesterday.*
Bwytais i ddoe.	*I ate yesterday.*

Bwytais i siocled ddoe.	*I ate chocolate yesterday.*
Bwytais i sglodion ddoe.	*I ate chips yesterday.*
Bwytais i gig ddoe.	*I ate meat yesterday.*
Bwytais i gaws ddoe.	*I ate cheese yesterday.*

Coginiais i bysgod ddoe.	*I cooked fish yesterday.*
Gwyliais i *Pobol y Cwm* ddoe.	*I watched Pobol y Cwm yesterday.*
Gweithiais i yn y tŷ ddoe.	*I worked in the house yesterday.*
Ymlaciais i yn y tŷ ddoe.	*I relaxed in the house yesterday.*

Darllenais i lyfr neithiwr.	*I read a book last night.*
Chwaraeais i gyda'r plant neithiwr.	*I played with the children last night.*
Edrychais i ar y teledu neithiwr.	*I watched television last night.*
Arhosais i yn y tŷ neithiwr.	*I stayed in the house last night.*

Holiadur

Enw	ddoe	neithiwr	dydd Sadwrn

Sgwrs

A: Beth wnaethoch chi ddoe?

B: Arhosais i yn y tŷ.

A: Beth wnaethoch chi yn y tŷ, 'te?

B: Golchais i'r car yn y bore, garddiais i yn y prynhawn ac wedyn darllenais i'r papur.

A: A beth wnaethoch chi gyda'r nos?

B: Edrychais i ar y teledu yn y lolfa.

A: Wnaethoch chi swper?

B: Naddo. Gyrrais i i'r siop i brynu têcawê!

Ynganu - Y

trydan	gwyn	tywydd	ysbyty
pymtheg	plentyn	ynys	gwely
gyrru	menyn	mynydd	gwesty

Robin Radio

a) Alwen dych chi. *(You are Alwen.)* **Atebwch y cwestiynau:**

Beth wnaethoch chi ddoe? ....

Dych chi'n lico'r gwaith?   ....

Beth dych chi eisiau wneud? ....

b) Gwrandewch am:

Wnes i ddim byd. _____ *I didn't do anything.*
Es i i'r gwaith. _____ *I went to work.*
Pam rwyt ti'n ffonio? _____ *Why are you phoning?*

c) Cyfieithwch:

What did you do? ....

I stayed at home. ....

I'm not sure. ....

Help llaw

1. *In this unit, you have been introduced to some concise past tense verbs so that you can have a chat about your weekends and so on at the beginning of class. This work will be introduced fully in units 9-11, but for the time being, concentrate on the following rules.*

*You have to add the ending -***ais** *to the stem of a verb to speak about yourself in the past. Here are some basic rules for finding the stem:*

drop the final vowel sound	golchi > golchais i
drop the final vowel sound where there is an **io** *at the end*	ymlacio > ymlaciais i
add the ending to the verb itself	edrych > edrychais i
Note that **aros** *is a little different*	aros > arhosais i

2. Gwneud *is an irregular verb. For the time being, learn the following forms:*

Cadarnhaol/*Affirmative*		**Cwestiwn/***Question*	
Gwnes i	*I did*	Wnes i?	*Did I?*
Gwnest ti	*You did*	Wnest ti?	*Did you?*
Gwnaethoch chi	*You did*	Wnaethoch chi?	*Did you?*

3. *The answer to questions in the past tense is always* **Do** *or* **Naddo**.
Wnest ti swper ddoe?   Do/Naddo.

4. *You will hear two different ways of the concise past being expressed.*

Coginiais i.	Gwnes i goginio.
Gyrrais i.	Gwnes i yrru.
Darllenais i.	Gwnes i ddarllen.

Uned 6 (chwech) – Sut mae'r tywydd?

Nod: Siarad am y tywydd a phobl eraill/*Talking about the weather and other people*
(mae e, mae hi, maen nhw)

Geirfa

awyren(nau)	*plane(s)*	**gwraig (gwragedd)**	*wife (wives)*
barn	*opinion*	**neuadd(au)**	*hall(s)*
cân (caneuon)	*song(s)*		

bws (bysiau)	*bus(es)*	llawr	*floor*
cant (cannoedd)	*hundred(s)*	lle(oedd)	*place(s)*
cyfarfod(ydd)	*meeting(s)*	teulu(oedd)	*family (families)*
eira	*snow*	traeth(au)	*beach(es)*
glaw	*rain*	trên (trenau)	*train(s)*
gŵr (gwŷr)	*husband(s)*	tywydd	*weather*
hanner	*half*		

bwrw eira	*to snow*	**gallu**	*to be able to*
bwrw glaw	*to rain*	**gorfod**	*to have to*
cau	*to close*	**gorffen**	*to finish*
cwrdd (â)	*to meet*	**gwybod**	*to know*
dechrau	*to start*	**rhedeg**	*to run*
gadael	*to leave*	**torri i lawr**	*to break down*

braf	*fine*	oer	*cold*
cymylog	*cloudy*	poeth	*hot*
diflas	*boring, miserable*	prysur	*busy*
gwlyb	*wet*	pwysig	*important*
gwyntog	*windy*	stormus	*stormy*
hapus	*happy*	swnllyd	*noisy*
hyfryd	*nice, pleasant*	sych	*dry*
mawr	*big*	twym	*warm*

pam?	*why?*	**tua**	*about*
rhywle	*somewhere*		

Geiriau pwysig i fi

✗ ....   ✗ ....

Cymraeg Dosbarth
Sut mae dweud ......?
Ysgrifennwch yn y *chat*.

Mae hi'n braf.	*It's fine.*
Mae hi'n oer.	*It's cold.*
Mae hi'n stormus.	*It's stormy.*
Mae hi'n sych.	*It's dry.*
Mae hi'n wyntog.	*It's windy.*
Mae hi'n wlyb.	*It's wet.*
Mae hi'n gymylog.	*It's cloudy.*
Mae hi'n dwym.	*It's hot.*
Mae hi'n bwrw glaw.	*It's raining.*
Mae hi'n bwrw eira.	*It's snowing.*
Sut mae'r tywydd heddiw?	*How is the weather today?*

Dechrau

    Diwedd

Ymarfer

A: Bore da. Mae hi'n <u>braf</u> heddiw. (gwyntog, twym, stormus, gwlyb)

B: Ydy, mae hi'n braf iawn. Dw i'n mynd i'r <u>parc.</u> (sinema, tafarn, llyfrgell, traeth)

A: Hyfryd, hwyl!

(*ydy= yes, it is.)

Mae hi/Mae e/Maen nhw

Mae Sam yn nofio.	*Sam is swimming.*
Mae hi'n nofio.	*She is swimming.*
Mae hi'n gyrru.	*She is driving.*
Mae e'n canu.	*He is singing.*
Mae e'n dawnsio.	*He is dancing.*
Maen nhw'n coginio.	*They are cooking.*
Maen nhw'n rhedeg.	*They are running.*
Mae Sam yn gallu nofio.	*Sam can swim.*
Mae hi'n gallu nofio.	*She can swim.*
Mae hi'n gallu gyrru.	*She can drive.*
Mae e'n gallu canu.	*He can sing.*
Mae e'n gallu dawnsio.	*He can dance.*
Maen nhw'n gallu coginio.	*They can cook.*
Maen nhw'n gallu rhedeg.	*They can run.*
Mae Sam yn gallu nofio'n dda.	*Sam can swim well.*
Mae hi'n gallu nofio'n dda.	*She can swim well.*
Mae hi'n gallu gyrru'n dda.	*She can drive well.*
Mae e'n gallu canu'n dda.	*He can sing well.*
Mae e'n gallu dawnsio'n dda.	*He can dance well.*
Maen nhw'n gallu coginio'n dda.	*They can cook well.*
Maen nhw'n gallu rhedeg yn dda.	*They can can run well.*

Dyma John / Dyma Tom

Dyma .... Mae e'n dod o ....

Mae e'n hoffi .... Mae e'n gallu .... 'n dda.

Mae e'n mynd i .... i .... bob penwythnos.

Mae hi'n gorfod siopa yfory.	*She must shop tomorrow.*
Mae hi'n gorfod gweithio yfory.	*She must work tomorrow.*
Mae e'n gorfod gweithio yfory.	*He must work tomorrow.*
Mae e'n gorfod smwddio yfory.	*He must iron tomorrow.*
Maen nhw'n gorfod smwddio yfory.	*They must iron tomorrow.*
Maen nhw'n gorfod coginio yfory.	*They must cook tomorrow.*

Barn

Wyt ti'n hoffi bocsio?

Ydw, mae e'n grêt.
Mae e'n iawn.
Nac ydw, mae e'n ofnadwy.

Wyt ti'n lico'r ffilm?

Ydw, mae hi'n fendigedig.
Mae hi'n iawn.
Nac ydw, mae hi'n ddiflas.

Wyt ti'n hoffi'r grŵp?

Ydw, maen nhw'n fendigedig.
Maen nhw'n iawn.
Nac ydw, maen nhw'n swnllyd.

	😃	🙂	🙁
criced			
golff			
ffilm:			
ffilm:			
grŵp:			
grŵp:			

Sut mae'r dosbarth?   *How is the class?*
Ble mae'r dosbarth?   *Where is the class?*
Pryd mae'r dosbarth?   *When is the class?*

Cysylltwch y cwestiwn â'r ateb cywir/
Match the question to the correct answer

Sut mae'r bòs?   Wyth o'r gloch.
Ble mae'r bòs?   Mae hi'n brysur.
Pryd mae'r bòs yn mynd adre?   Yn y swyddfa.

Sut mae'r gŵr?   Mae e yn y car.
Ble mae'r gŵr?   Nawr.
Pryd mae'r gŵr yn mynd adre?   Mae e'n hapus.

Sut mae'r plant?   Tri o'r gloch.
Ble mae'r plant?   Maen nhw'n iawn.
Pryd mae'r plant yn mynd adre?   Yn yr ysgol.

Ynganu

Deuseiniaid – 2 lafariad
Diphthongs – 2 vowels together

ai	Dai, Mair, gair, gwaith, Owain
ae	pennaeth, gwasanaeth
au	dau, cau, dechrau
aw	naw, mawr, llawr, awr, caws, cawl, glaw, pawb
ei	beic, peint, eira, gweithio
eu	neu, neuadd, dweud
ew	blew, llew, tew

Dau lew tew heb ddim blew.
Mae pawb yn y cae yn chwarae.
Dau gawr mawr ar y llawr.
Mae'r Neuadd Fawr wedi cau.
Mae Dai wedi mynd ar y beic i gael peint o seidr yn y Llew Aur.

Sgwrs 1

A: Noswaith dda, sut wyt ti heno?
B: Ofnadwy.
A: Mae hi'n wlyb heno.
B: Mae hi'n ofnadwy.
A: Sut mae'r teulu?
B: Ofnadwy.
A: Sut mae'r gwaith?
B: Ofnadwy.
A: Sut mae'r dosbarth Cymraeg yn mynd?
B: Bendigedig.

Sgwrs 2

Eryl: Pryd mae'r cyfarfod pwysig?

Ceri: Heno.

Eryl: Iawn. Ble mae e?

Ceri: Yn Neuadd y Dre.

Eryl: Pryd mae e'n dechrau?

Ceri: Chwech o'r gloch.

Eryl: Pryd mae e'n gorffen?

Ceri: Dw i ddim yn gwybod. Tua naw o'r gloch?

Eryl: Wyt ti'n mynd?

Ceri: Ydw, wrth gwrs. Ond dw i'n gadael am saith o'r gloch.

Eryl: Pam?

Ceri: Mae'r dosbarth Cymraeg yn cwrdd yn y clwb golff.

Eryl: Wel, wel, dw i'n dod i'r clwb golff hefyd, 'te!

Rhifau mwy na 10 (Numbers greater than 10)

Degau (tens) **ac unedau** (units)			
Un deg + un	= 11	Chwe deg + chwech	= 66
Dau ddeg + dau	= 22	Saith deg + saith	= 77
Tri deg + tri	= 33	Wyth deg + wyth	= 88
Pedwar deg + pedwar	= 44	Naw deg + naw	= 99
Pum deg + pump	= 55	Cant	= 100

Robin Radio

a) Atebwch:

Sut mae'r tywydd yn Aberafon? ....

Beth mae Ann eisiau wneud y prynhawn yma? ....

Beth mae Ann yn mynd i wneud y prynhawn yma? ....

b) Gwrandewch am:

drwy'r wythnos ——————————— *throughout the week*

ers chwech o'r gloch ——————————— *since six o'clock*

Does dim ots gyda fi. ——————————— *I don't mind.*

c) Cyfieithwch:

It is very wet. ....

What are you doing? ....

It is dry in the club. ....

Help llaw

1. *When we speak about the weather we use the feminine version of 'it is' –* **mae hi**. *However, many people don't say the word* **hi** *when speaking – just* **Mae'n...**

2. *In* Uned 6 *we meet another important example of the soft mutation – Adjectives mutate after* **yn**.

    da > yn dda   prysur > yn brysur

3. **Sut mae...** *– How is...* **Mae** *is used in questions starting with these words:*

Sut mae? ————	*How is?*
Ble mae? ————	*Where is?*
Pryd mae? ————	*When is?*
Pam mae? ————	*Why is?*

4. *The word for 'the' is* **y**. *However, it is* **yr** *before a vowel and becomes* **'r** *when it follows a vowel.*

y neuadd	yr awyren	Sut mae'r tywydd?
y bws	yr eira	i'r ysgol

5. **Gorfod** *is really useful. Learn the following:*

Dw i'n gorfod mynd.	'Dyn ni'n gorfod mynd.
Rwyt ti'n gorfod mynd.	Dych chi'n gorfod mynd.
Mae e'n gorfod mynd.	Maen nhw'n gorfod mynd.
Mae hi'n gorfod mynd.	

Uned 7 (saith) – Ydy hi'n gweithio?

Nod: Gofyn ac ateb cwestiynau am bobl a phethau eraill/*Asking and answering questions about other people and other things*
(Ydy e? Ydy hi? Dyw e ddim, Dyw hi ddim)

Geirfa

awr (oriau)	*hour(s)*	**merch(ed)**	*girl(s), daughter(s)*
ceiniog(au)	*penny (pennies)*	**stryd(oedd)**	*street(s)*

arian	*money; silver*	postmon (postmyn)	*postman (-men)*
ffasiwn	*fashion*		
ffermwr (ffermwyr)	*farmer(s)*	oed	*age (of person)*
mab (meibion)	*son(s)*	rhew	*ice*
pen-blwydd (penblwyddi)	*birthday(s)*	staff	*staff*
		tŷ bwyta (tai bwyta)	*restaurant(s)*

codi	*to get up, to lift*	**ffeindio**	*to find*

crac	*angry*	hen	*old*
cyfeillgar	*friendly*	hwyr	*late*
cynta	*first*	nesa	*next*
drud	*expensive*	rhad	*cheap*
enwog	*famous*	trist	*sad*
twp	*silly*		

faint?	*how much? how many?*	
o'r gloch	*o'clock*	

Geiriau pwysig i fi

....
✕   ✕
....
✕   ✕
....

Cymraeg Dosbarth –
Beth yw "rhad" yn Saesneg? *"Cheap."*
Beth yw "expensive" yn Gymraeg? *"Drud."*

Siôn dw i. —— *I am Siôn.*
Siôn yw e. —— *He is Siôn.*
Tiwtor yw e. —— *He is a tutor.*

Pwy yw e? —— *Who is he?*
Beth yw e? —— *What is he?*
Siôn yw e? —— *Is he Siôn?*

Siân dw i. —— *I am Siân.*
Siân yw hi. —— *She is Siân.*
Tiwtor yw hi. —— *She is a tutor.*

Pwy yw hi? —— *Who is she?*
Beth yw hi? —— *What is she?*
Siân yw hi? —— *Is she Siân?*

Ie. ✔ **Nage.** ✗

Ydy hi'n canu? —— *Is she singing?/Does she sing?*
Ydy hi'n actio? —— *Is she acting?/Does she act?*
Ydy e'n chwarae golff? —— *Is he playing golf?/Does he play golf?*
Ydy e'n gweithio? —— *Is he working?/Does he work?*

Ydy. ✔ **Nac ydy.** ✗

Ydyn nhw'n gwybod? —— *Do they know?*
Ydyn nhw'n gadael? —— *Are they leaving?*
Ydyn nhw'n brysur? —— *Are they busy?*
Ydyn nhw'n ddiflas? —— *Are they miserable?*

Ydyn. ✔ **Nac ydyn.** ✗

Ydyn nhw'n...?

Ysgrifennwch enwau wyth cwpl enwog ar yr ochr chwith a dyfalwch ba gwpl mae eich partner wedi ysgrifennu ar gyfer pob gweithgaredd. Rhaid i chi ddewis yr un cyplau. *Write the names of eight famous couples on the left hand side and then decide which couple your partner has written for each activity. You must choose the same couples.*

	darllen y *Times*?
	gyrru Porsche?
	prynu tŷ newydd?
	lico coffi du?
	mynd i sioe ffasiwn?
	dysgu Cymraeg?
	mynd i Disneyland?
	mynd i glwb nos?

Dyw'r gwin ddim yn dda. ——————— *The wine isn't good.*
Dyw'r bwyd ddim yn dda. ——————— *The food isn't good.*
Dyw'r staff ddim yn dda. ——————— *The staff aren't good.*
Dyw'r prisiau ddim yn dda. ——————— *The prices aren't good.*

Dyw e ddim yn hapus. ——————— *He is not happy.*
Dyw hi ddim yn hapus. ——————— *She is not happy.*
'Dyn nhw ddim yn hapus. ——————— *They are not happy.*
'Dyn nhw ddim yn grac. ——————— *They are not angry.*

Ysgrifennwch un o'r brawddegau o dan bob llun./
Write one of the sentences under every picture.

....

....

....

....

1. Dyw hi ddim eisiau codi.

2. Dyw hi ddim eisiau clywed.

3. 'Dyn nhw ddim eisiau bod yn y car.

4. Dyw hi ddim eisiau bod yn y swyddfa.

5. Dyw e ddim eisiau bod yn hwyr.

6. 'Dyn nhw ddim eisiau bod yn y cyfarfod.

Arian

Faint yw e?	*How much is it?*
Faint ydyn nhw?	*How much are they?*
Un bunt.	*One pound.*
Dwy bunt.	*Two pounds.*
Tair punt.	*Three pounds.*
Pedair punt.	*Four pounds.*

Ynganu

Deuseiniaid eto – 2 lafariad *(Dipthongs – 2 vowels together)*

oi	troi, rhoi, cloi
oe	oer, ddoe, oed, poeth
ow	Owen, Lowri, brown, clown
iw	lliw, rhiw, siwt
yw	byw, llyw

Sgwrs 1

Ceri: Wyt ti'n dod i'r theatr heno?

Eryl: Dw i ddim yn siŵr. Dw i wedi blino.

Ceri: Ond mae pawb o'r dosbarth yn mynd.

Eryl: Dw i ddim yn hoffi pantomeim a dweud y gwir.

Ceri: Mae e'n grêt!

Eryl: Nac ydy, dyw e ddim! Mae e'n dwp.

Ceri: Dyw e ddim yn dwp!

Eryl: O ydy, mae e...!

Ceri: Dyw e ddim!

Eryl: Ac mae e'n ddrud iawn.

Ceri: Dyw e ddim! Mae e'n rhad!

Eryl: Wel, a dweud y gwir, dw i eisiau aros gartre i wneud y gwaith cartre Cymraeg.

Ceri: Ond mae'r pantomeim yn Gymraeg!

Eryl: O'r gorau 'te.

Sgwrs 2

A: Wyt ti'n mynd i'r cyfarfod y prynhawn 'ma?

B: Nac ydw, dw i'n brysur. Ond mae Siôn yn gallu mynd.

A: Iawn, dim problem. Wyt ti'n gallu mynd i'r cyfarfod mawr dydd Mercher?

B: Pryd mae e?

A: Deg o'r gloch.

B: Nac ydw, dw i'n brysur iawn bore dydd Mercher. Ond mae Siôn yn gallu mynd, dw i'n siŵr.

A: Mae Siôn yn gallu mynd i'r cyfarfod busnes gyda'r cleient newydd yn Barcelona dydd Gwener hefyd, 'te.

B: O nac ydy, mae Siôn yn ofnadwy o brysur dydd Gwener, ond dw i'n gallu mynd i Barcelona, dim problem.

Yr Amser – Faint o'r gloch yw hi?

Un	Dau
Tri	Pedwar
Pump	Chwech
Saith	Wyth
Naw	Deg
Un ar ddeg	Deuddeg

. . . o'r gloch.

Hanner dydd – *Midday*   **Hanner nos** – *Midnight*

Robin Radio

a) Atebwch:

Beth maen nhw'n wneud dydd Sadwrn?:

plant Mari .... Mari ....

Robin ....

b) Gwrandewch am:

Mae mab gyda fi. ——— *I have a son.*

dim o gwbl ——— *not at all*

Pen-blwydd hapus! —— *Happy birthday!*

c) Cyfieithwch:

I'm not going swimming. ....

The children are learning to swim. ....

....

Can you play tennis well? ....

Help llaw

1. *We have now learnt the verb* **bod** *in the present tense:*

Cadarnhaol/ *Affirmative*	Cwestiwn/ *Question*	Negyddol/ *Negative*
Dw i	Dw i?	Dw i ddim
Rwyt ti	Wyt ti?	Dwyt ti ddim
Mae e/hi	Ydy e/hi?	Dyw e/hi ddim
'Dyn ni	'Dyn ni?	'Dyn ni ddim
Dych chi	Dych chi?	Dych chi ddim
Maen nhw	Ydyn nhw?	'Dyn nhw ddim

2. *Also, take a look at the answers but concentrate on the ones in the bold font:*

Dw i'n mynd?	Wyt/Ydych.
Wyt ti'n mynd?	**Ydw.**
Ydy e/hi'n mynd?	**Ydy.**
'Dyn ni'n mynd?	Ydyn/Ydych.
Dych chi'n mynd?	**Ydw/Ydyn.**
Ydyn nhw'n mynd?	**Ydyn.**

3. *When we introduce ourselves or say who someone else is in Welsh, we need to use emphasis and place the name at the beginning of the sentence. When this happens in a question, the answer is* **Ie** *or* **Nage**.

Siôn dw i.	Siôn wyt ti?	Ie / Nage.
Siôn yw e.	Siôn yw e?	Ie / Nage.
Siân yw hi.	Siân yw hi?	Ie / Nage.

You will frequently hear people say just **Na**, *rather than* **Nage**.

4. *Notice the difference in the way we form a question:*

Ble **mae** e/hi?	Pwy **yw** e/hi?
Pryd **mae** e/hi?	Beth **yw** e/hi?
Sut **mae** e/hi?	Faint **yw** e/hi?

5. *Note that* **dau** *and* **tri** *and* **pedwar** *have feminine versions to be used before feminine nouns.*

dau fab	dwy bunt
tri mab	tair punt
pedwar mab	pedair punt

Uned 8 (wyth) – Adolygu ac Ymestyn
(Revision and Extension)

Nod: Adolygu ac ymarfer ymadroddion ffôn/*Revision and useful phrases for speaking on the telephone*

Geirfa

actores(au) — *actor(s)*
athrawes(au) — *teacher(s)*
drama (dramâu) - *drama, play(s)*
ffatri (ffatrïoedd)-*factory (factories)*
fflat(iau) — *flat(s)*

gorsaf(oedd) — *station(s)*
munud(au) — *minute(s)*
nyrs(ys) — *nurse(s)*
pobl — *people*
rheolwraig — *manager*

actor(ion) — *actor(s)*
athro (athrawon) *teacher(s)*
bachgen — *boy(s)*
(bechgyn)
camera (camerâu) *camera(s)*
cogydd(ion) — *chef(s), cook(s)*
cyngerdd — *concert(s)*
(cyngherddau)
derbynnydd — *receptionist*

gwesty (gwestai) *hotel(s)*
maes parcio — *car park*
meddyg(on) — *doctor(s)*
pennaeth — *head (person)*
plismon — *policeman*
(plismyn) — *(policemen)*
rheolwr — *manager(s)*
(rheolwyr)
rhywun — *someone*
tocyn(nau) — *ticket(s)*

adolygu — *to revise, to review*
benthyg — *to borrow, to lend*
cadw — *to keep, to reserve*
ffonio — *to phone*

gofyn — *to ask*
siarad (â) — *to talk, to speak*
talu — *to pay*

allan/mas — *out*
ar gael — *available*

mewn — *in a*
yr un — *each*

Geiriau pwysig i fi

....
✕
....

....
✕
....

Cymraeg Dosbarth
– Gaf i ofyn cwestiwn?
Un funud.

Gêm o gardiau

	♠	♦	♣	♥
A	O ble rwyt ti'n dod?	Wyt ti'n gyrru car?	Ble rwyt ti'n gweithio?	Beth dych chi'n gorfod wneud heddiw?
2	Ble rwyt ti'n lico prynu bwyd?	Beth wyt ti'n gadw yn y car?	Beth wyt ti'n fwyta i frecwast?	Beth wyt ti'n hoffi chwarae?
3	Beth dych chi'n wneud y penwythnos nesa?	Wyt ti'n gweithio?	Wyt ti'n darllen papur newydd?	Dych chi'n bwyta cacennau?
4	Beth dych chi'n lico ar y teledu?	Ble dych chi'n mynd dydd Sadwrn?	Beth wnaethoch chi neithiwr?	Ble rwyt ti'n hoffi mynd ar wyliau?
5	Dych chi'n brysur yfory?	Beth wnaethoch chi ddoe?	Beth wyt ti'n hoffi yfed amser brecwast?	Ble rwyt ti'n byw?
6	Ble mae'r plant?	Beth wnaethoch chi dydd Sadwrn?	Sut mae'r tywydd?	Beth wyt ti'n lico ddarllen?
7	Beth wyt ti eisiau wneud dydd Sul?	Pwy dych chi?	Wyt ti'n lico chwarae bingo?	Ydy hi'n braf heddiw?
8	Wyt ti'n hoffi nofio?	Ble mae'r dosbarth?	Wyt ti'n gallu nofio'n dda?	Wyt ti wedi blino?
9	Pryd mae'r dosbarth?	Wnaethoch chi waith cartref ddoe?	Beth wyt ti'n lico fwyta?	Ydy hi'n bwrw glaw?
10	Beth wyt ti'n wneud yfory?	Ble dych chi'n hoffi mynd i weld cyngerdd?	Beth dwyt ti ddim yn lico yfed?	Beth wnaethoch chi nos Wener?
Jac	Dych chi'n hoffi mynd i gaffis?	Wyt ti'n hoffi rygbi?	Ble rwyt ti'n mynd yfory?	Wyt ti'n gallu canu'n dda?
Brenhines	Ble rwyt ti'n dysgu Cymraeg?	Ble dych chi'n mynd i'r sinema?	Sut wyt ti?	Dych chi'n hoffi mynd am dro?
Brenin	Ydy hi'n bwrw eira?	Wyt ti'n lico coffi?	Beth dych chi'n gorfod wneud yfory?	Beth wyt ti eisiau amser paned?

1. Ffonio'r banc

A: Bore da, banc Llanaber.
B: Gaf i siarad â Mr Jones os gwelwch chi'n dda?
A: Cewch wrth gwrs. …. Dyma Mr Jones i chi nawr.

A: Bore da, Banc Abercastell.
B: Gaf i siarad â Ms Morgan, os gwelwch chi'n dda?
A: Un funud. Mae'n ddrwg gyda fi, dyw hi ddim yma heddiw.
B: Dim problem.
A: Dych chi eisiau ffonio'n ôl yfory?
B: Wrth gwrs, diolch yn fawr.

Gaf i helpu?	*May I help?*
Gaf i dalu?	*May I pay?*
Gaf i ofyn?	*May I ask?*
Gaf i adael?	*May I leave?*

Cewch. *Yes, you may.*	✔	**Na chewch.** *No, you may not.*
Cei. *Yes, you may.*		**Na chei.** *No, you may not.* ✗

Gaf i hufen iâ?	*Can I have ice cream?*
Gaf i laeth?	*Can I have milk?*
Gaf i ddŵr?	*Can I have water?*
Gaf i dost?	*Can I have toast?*

2. Ffonio'r ysgol

A: Prynhawn da, Ysgol y Bryn.
B: Gaf i siarad â'r pennaeth, os gwelwch chi'n dda?
A: Mae'n ddrwg gyda fi, dyw e ddim ar gael. Mae e mewn cyfarfod yng Nghaerdydd y bore 'ma.
B: Ydy e'n gallu ffonio'n ôl?
A: Ydy, wrth gwrs. Mae e'n ôl yn yr ysgol yfory.
B: Ydy e'n gallu ffonio yn y bore? Dw i'n mynd mas yn y prynhawn.
A: Beth yw'ch enw chi?
B: Pat Jones.
A: Beth yw'r rhif ffôn?
B: 07841 632591.
A: 07841 632591. Iawn?
B: Iawn.
A: Dim problem. Hwyl.
B: Diolch. Hwyl!

Dw i'n gweithio yn y coleg. —————— *I work in the college.*
Dw i'n gweithio yn y banc. —————— *I work in the bank.*
Dw i'n gweithio yn yr ysbyty. —————— *I work in the hospital.*
Dw i'n gweithio yn yr ysgol. —————— *I work in the school.*

Dw i'n gweithio mewn siop. —————— *I work in a shop.*
Dw i'n gweithio mewn caffi. —————— *I work in a cafe.*
Dw i'n gweithio mewn swyddfa. —————— *I work in an office.*
Dw i'n gweithio mewn ffatri. —————— *I work in a factory.*

Ble dych chi'n gweithio?

derbynnydd

plismon

athrawes

nyrs

cogydd

mecanic

Dilynwch y patrwm:

Nyrs dw i, dw i'n gweithio mewn ....

Gyda phartner: Ysgrifennwch **mewn** neu **yn** yn y bylchau.

Bob dw i. Dw i'n byw .... fflat a dw i'n gweithio .... swyddfa brysur .... yr ysbyty .... Llanaber. Dw i'n mynd i'r gwaith .... y car bob dydd a dw i'n gallu parcio .... maes parcio bach i'r staff. Dw i'n lico'r gwaith yn fawr iawn.

Nawr, ysgrifennwch y paragraff am Bob, e.e. Bob yw e.

3. Ffonio'r theatr

Derbynnydd: Noswaith dda. Theatr <u>yr Aber</u>.
Sam: Gaf i docynnau i'r <u>ddrama</u> nos yfory? (cyngerdd)
Derbynnydd: Cewch, wrth gwrs.
Sam: Faint ydyn nhw?
Derbynnydd: <u>Deg</u> punt yr un. (£5)
Sam: Gaf i <u>bedwar</u> tocyn os gwelwch chi'n dda? (7)
Derbynnydd: Cewch, wrth gwrs.
Sam: Gaf i dalu nos yfory? Dw i eisiau rhaglen hefyd.
Derbynnydd: Dw i'n gallu cadw tocynnau a rhaglen i chi. Mae'r <u>ddrama</u> yn dechrau am <u>saith</u> o'r gloch. (8) Beth yw'ch enw chi?
Sam: <u>Sam Jones</u>.

Robin Radio –
Mae Robin, Llinos ac Anti Mair yn siarad yn y swyddfa

a) Atebwch:

Faint o'r gloch yw hi? ....

Ble mae'r parti? ....

Faint o'r gloch mae Robin yn gweithio yfory? ....

b) Gwrandewch am: ....

Dw i yma ers wyth o'r gloch. —— *I've been here since eight o'clock.*
Dw i'n mynd i alw mewn. ——— *I'm going to call in.*
Dw i'n mynd i gael tacsi. ——— *I'm going to get a taxi.*

c) Cyfieithwch:

Can I have a black coffee? ....

I don't drink coffee. ....

Can I have a lift? ....

Adolygu Atebion – *Yes and No Revision*

Wyt **ti**'n dysgu Cymraeg?	Ydw/Nac ydw.	Uned 2
Dych **chi**'n dysgu yn y Barri?	Yd**yn**/Nac yd**yn**.	Uned 2
Ydy'r bws yn mynd i Wrecsam?	Yd**y**/Nac yd**y**.	Uned 7
Ydy'r plant yn yr ysgol? (Yd**yn** nhw?)	Yd**yn**/Nac yd**yn**.	Uned 7
Wnaethoch chi swper?	**Do/Naddo.**	Uned 5
Actor wyt ti? *(noun/adj 1st)*	**Ie/Nage.**	Uned 7
Y Beatles ydyn nhw?	**Ie/Nage.**	Uned 7
Gaf i ofyn cwestiwn?	**Cei/Na chei.**	Uned 8
Gaf i fenthyg y camera?	**Cewch/Na chewch.**	Uned 8

Help llaw

1. **Gaf i** *...? May I/May I have ...? is useful to ask for things and for permission. It comes from the verb* **cael** *– to have. You can use it before verbs and nouns:*

    Gaf i helpu? *– May I help?*　　　**Gaf i docynnau?** *– May I have tickets?*

    The final **f** *is often omitted in spoken Welsh and you will hear* **Ga i**. *The answers are:*

    Ti: Cei   *Yes, you may*   **Chi:** Cewch   *Yes, you may*
          Na chei   *No, you may not*   Na chewch   *No, you may not*

2. **Mewn** *and* **yn** *can both mean 'in' but are used in different ways.*
    Mewn *– in a (before an indefinite noun)*
    Yn *– in (before the definite article + with proper nouns such as place names)*

3. *Yn y sgwrs* **'Ffonio'r ysgol'**, *you come across* **yng Nghaerdydd**. *This is an example of the nasal mutation which happens following* **yn** *meaning 'in'. It will be fully introduced in* Uned 14 *but try to recognise the mutations. Look at the following examples:*

    Caerdydd – y**ng Ngh**aerdydd   Cymru – y**ng Ngh**ymru
    Caernarfon – y**ng Ngh**aernarfon   Caerffili – y**ng Ngh**aerffili

4. **Beth wyt ti'n fwyta? Beth wyt ti'n ddarllen?**
    Dych chi'n cofio 'Beth dych chi'n wneud?' *The verb mutates after* Beth dych chi'n.../wyt ti'n...?

Dych chi nawr yn gallu darllen *Am Ddiwrnod*. Dych chi'n gallu prynu'r llyfr yn eich siop Gymraeg leol chi neu ar www.gwales.com.

Dyma'r clawr *(cover)* ac un paragraff:

Dw i yng Nghaerdydd! Hwyl fawr, Abertawe a hwyl fawr, Caffi Jac, am wythnos! Dw i'n hapus iawn, iawn. Dw i eisiau **chwerthin** a dw eisiau **gweiddi** a dawnsio.

chwerthin – *to laugh*   **gweiddi** – *to shout*

Syniad da!

Syniad da! Gwylio S4C

Watching Welsh programmes will help develop your vocabulary and listening skills, and you can switch on subtitles in Welsh or English. S4C have a special YouTube channel for learners, including clips for Mynediad level learners: **https://www.youtube.com/@S4CDysguCymraeg**.

Also, S4C's Clic *catch-up TV service has a section for Welsh learners, featuring series about learning Welsh such as* Cariad@iaith *as well as popular programmes such as* Heno *which use simpler forms of Welsh.* Beth am wylio S4C heddiw? **https://www.s4c.cymru/clic/Categories/26**

Uned 9 (naw) – Prynon ni fara

Nod: Dweud beth wnaethoch chi a phobl eraill yn y gorffennol/
Saying what you and others did in the past
(gwnaeth e/hi, gwnaethon ni/nhw, prynaist ti, prynodd e/hi,
prynon ni, prynoch chi, prynon nhw)

Geirfa

garej(is)	garage(s)	**Lerpwl**	Liverpool
cegin(au)	kitchen(s)	**Saesneg**	English
cerddoriaeth	music		

bwrdd (byrddau)	table(s); board(s)	gair (geiriau)	word(s)
cwrw	beer	help	help
drws (drysau)	door(s)	llawer	a lot
ebost (ebyst)	email(s)	tipyn	a little

agor	to open	**llenwi**	to fill
ateb	to answer	**mwynhau (joio)**	to enjoy
bowlio	to bowl	**mynd â**	to take
cadw'n heini	to keep fit	**peintio**	to paint
cyrraedd	to arrive	**seiclo**	to cycle
gwrando ar	to listen to		

ar-lein	online	**felly**	therefore, so
echdoe	the day before yesterday	**trueni!**	what a pity!
eitha da	quite good	**yna**	there; then

> **Cymraeg Dosbarth** –
> Esgusodwch fi.
> Dewch yn ôl.

Geiriau pwysig i fi

× ....

× ....

× ....

× ....

Dych chi'n cofio?

Beth wnest ti ddoe? ———————— Gwnes i swper.
Beth wnaethoch chi ddoe? ———— Gwnes i goffi.

Gwnaeth e goffi. ———————— *He made coffee.*
Gwnaeth e de. ————————— *He made tea.*
Gwnaeth hi fwyd. ——————— *She made food.*
Gwnaeth hi ginio. —————— *She made dinner.*

Beth wnaeth e? ———————— *What did he do?*
Beth wnaeth hi? ———————— *What did she do?*
Beth wnaeth y plant? —————— *What did the children do?*
Beth wnaethon nhw? —————— *What did they do?*

Gwnaethon ni'r gwaith cartre. ——— *We did the homework.*
Gwnaethon ni'r bwyd. ————— *We did the food.*
Gwnaethon nhw'r gwaith cartre. — *They did the homework.*
Gwnaethon nhw'r bwyd. ————— *They did the food.*

Beth wnaeth pawb echdoe?

8.15am	gwneud y gwely
8.30am	gwneud y brecwast
9.00am	gwneud y glanhau
11.00am	gwneud y coffi
11.15am	gwneud y siopa
12.30pm	gwneud y cinio
1.30pm	gwneud y gwaith cartre
2.00pm	gwneud y gwaith papur
3.30pm	gwneud y te
4.00pm	gwneud y smwddio
7.00pm	gwneud y swper
8.00pm	gwneud y llestri

Dych chi'n cofio?

Bwytais i <u>bysgod</u> ddoe.
Gwyliais i <u>Pobol y Cwm</u> ddoe.
Chwaraeais i <u>rygbi</u> ddoe.

Gwelais i ffrind ddoe.	*I saw a friend yesterday.*
Yfais i goffi ddoe.	*I drank coffee yesterday.*
Cerddais i i'r dre ddoe.	*I walked to town yesterday.*
Rhedais i i'r dre ddoe.	*I ran to town yesterday.*

Beth wnest ti bore ddoe?

Codais i.	*I got up.*
Gwisgais i.	*I dressed.*
Bwytais i frecwast.	*I ate breakfast.*
Golchais i'r llestri.	*I washed the dishes.*
Gadawais i'r tŷ.	*I left the house.*
Gwrandawais i ar Radio Cymru yn y car.	*I listened to Radio Cymru in the car.*

Beth wnest ti?

Enw	neithiwr	bore ddoe	dydd Sadwrn	nos Wener

Ddarllenaist ti lyfr ddoe? _____ *Did you read a book yesterday?*
Brynaist ti lyfr ddoe? _____ *Did you buy a book yesterday?*
Brynaist ti fara ddoe? _____ *Did you buy bread yesterday?*
Fwytaist ti fara ddoe? _____ *Did you eat bread yesterday?*

Do. ✔   **Naddo.** ✗

Dechrau	Fwytaist ti frecwast heddiw?	Weithiaist ti yn yr ardd ddoe?	Goginiaist ti ddoe?
Yfaist ti de ddoe?	Brynaist ti rywbeth ddoe?	Ffoniaist ti rywun ddoe?	Olchaist ti'r car yr wythnos diwetha?
Smwddiaist ti yr wythnos diwetha?	Wrandawaist ti ar y radio y bore 'ma?	Welaist ti ffrind ddoe?	Yrraist ti i'r dosbarth heddiw?
Wyliaist ti ffilm dydd Sadwrn?	Chwaraeaist ti gêm yr wythnos diwetha?	Wrandawaist ti ar gerddoriaeth ddoe?	Beintiaist ti'r tŷ yr wythnos diwetha?
Gerddaist ti i'r dosbarth heddiw?	Gyrhaeddaist ti'r dosbarth yn hwyr heddiw?	Arhosaist ti yn y tŷ neithiwr?	Ddysgaist ti'r eirfa yr wythnos diwetha?
Orffennaist ti'r gwaith cartre yr wythnos diwetha?	Dalaist ti fil yr wythnos diwetha?	Brynaist ti rywbeth ar-lein yr wythnos diwetha?	**Yn ôl i'r dechrau**

Llongau rhyfel

bwyta swper	darllen papur newydd	garddio	edrych ar S4C
coginio cyrri	ymlacio	smwddio	yfed coffi
prynu car newydd	gyrru i'r gwaith	cerdded i'r gwaith	gweld ffilm
siarad Cymraeg	bwyta brecwast	ffonio ffrind	anfon ebost
darllen nofel	edrych ar y teledu	golchi dillad	yfed dŵr

E/Hi

Yfodd Sam goffi yn y caffi. ——————— *Sam drank coffee in the café.*
Yfodd e goffi yn y caffi. ——————— *He drank coffee in the café.*
Yfodd hi goffi yn y caffi. ——————— *She drank coffee in the café.*
Yfodd y plant goffi yn y caffi. ——————— *The children drank coffee in the café.*

Beth wnaeth Mari neithiwr?

Gyrrodd hi i'r garej. ——————— *She drove to the garage.*
Llenwodd hi'r tanc petrol. ——————— *She filled the petrol tank.*
Talodd hi'r bil. ——————— *She paid the bill.*
Gyrrodd hi adre. ——————— *She drove home.*

Ni/Nhw

Edrychon ni ar y teledu neithiwr. ——— *We watched television last night.*
Gwrandawon ni ar y radio neithiwr. —— *We listened to the radio last night.*
Arhoson ni yn y tŷ neithiwr. ——————— *We stayed in the house last night.*
Darllenon ni lyfr neithiwr. ——————— *We read a book last night.*

Edrychon nhw ar y teledu neithiwr. — *They watched television last night.*
Gwrandawon nhw ar y radio neithiwr. – *They listened to the radio last night.*
Arhoson nhw yn y tŷ neithiwr. ——————— *They stayed in the house last night.*
Darllenon nhw lyfr neithiwr. ——————— *They read a book last night.*

Cysylltwch y cwestiwn â'r ateb:

Beth wnaeth y staff?	Prynon nhw betrol i'r car.
Beth wnaeth y teulu?	Bwyton nhw deisen pen-blwydd.
Beth wnaeth y ffrindiau?	Siaradon nhw yn y swyddfa.
Beth wnaeth y bobl drws nesa?	Gwrandawon nhw ar gerddoriaeth.
Beth wnaeth yr heddlu?	Chwaraeon nhw yn y parc.
Beth wnaeth John a Jane?	Peinton nhw'r tŷ.

Edrychoch chi ar y teledu neithiwr? — *Did you watch television last night?*
Wrandawoch chi ar y radio neithiwr? – *Did you listen to the radio last night?*
Arhosoch chi yn y tŷ neithiwr? —— *Did you stay in the house last night?*
Ddarllenoch chi lyfr neithiwr? —— *Did you read a book last night?*

Do. ✔   **Naddo.** ✗

Arhosais i ddim yn y tŷ neithiwr. —— *I didn't stay in the house last night.*
Edrychais i ddim ar y teledu neithiwr. – *I didn't watch television last night.*
Wrandawais i ddim ar y radio neithiwr. – *I didn't listen to the radio last night.*
Ddarllenais i ddim llyfr neithiwr. —— *I didn't read a book last night.*

Gêm dis

	✔	✗
1 – i	golchi'r car	garddio
2 – ti	darllen y papur	smwddio
3 – hi	prynu blodau	gyrru i'r gwaith
4 – ni	smwddio	ffonio ffrind
5 – chi	cerdded i'r gwaith	golchi dillad
6 – nhw	chwarae pêl-droed	chwarae rygbi

Ynganu – wy

Dwedwch:

wy	dwy	llwy	mwy
wyth	hwyr	cwyn	nwy

Beth yw *food / egg / grey / who / late / birthday* yn Gymraeg?

....

Beth yw *windy / green / white / weather* yn Gymraeg?

....

Sgwrs 1

Mam: Rwyt ti'n edrych yn ofnadwy y bore 'ma. Beth wnest ti neithiwr?

Sam: Es i mas gyda ffrindiau.

Mam: I ble?

Sam: I glwb newydd yn y dre. Gadawon ni'r clwb am bedwar o'r gloch!

Mam: Dyna pam rwyt ti'n edrych yn ofnadwy 'te!

Sam: Ac yna prynon ni gyrri.

Mam: Ond dwyt ti ddim yn lico cyrri!

Sam: Dw i'n gwybod. Cyrhaeddais i adre am bump o'r gloch. Byth eto!

Sgwrs 2

Gwrandewch ar y sgwrs a llenwch y tabl.

Beth wnaeth Gwyn?

dydd Llun	
nos Fawrth	
dydd Mercher	
y bore 'ma	

A: Helo Gwyn, sut mae'r cwrs Cymraeg yn mynd?

B: Grêt, diolch. 'Dyn ni'n gwneud Uned 9 yr wythnos yma.

A: Wyt ti'n siarad Cymraeg mas o'r dosbarth?

B: Dw i'n trio gwneud tipyn bach yn Gymraeg bob dydd, a dw i'n adolygu ar-lein.

A: Sut mae'n mynd?

B: Mmm... yn eitha da. Siaradais i Gymraeg ar y bws dydd Llun, ond siaradodd y gyrrwr â fi yn Saesneg.

A: Ond ddeallodd e'r cwestiwn?

B: Do.

A: Dechrau da!

B: Nos Fawrth, siaradais i Gymraeg yn y dafarn. Atebodd y barman yn Gymraeg – hwrê – ond gwnes i gael peint o ddŵr, dim cwrw.

A: Trueni, ond mae dŵr yn dda i ti.

B: Dydd Mercher, gwrandawais i ar Radio Cymru.

A: Da iawn. Mae gwrando ar y radio'n help mawr.

B: Y bore 'ma, siaradais i Gymraeg â'r ci. Deallodd e bob gair.

Robin Radio

a) Atebwch:

Sut aeth Alwyn o Lanelli i Gydweli?

....

Sut aeth e o Gydweli i Lanelli?   ....

Wnaeth e gael tywydd braf?   ....

b) Gwrandewch am:

Diolch byth! ——————— *Thank goodness!*

Mae'n gas gyda fi... —— *I hate...*

Hwyl ar y cerdded. —— *Good luck with the walking.*

c) Cyfieithwch:

What did you do? ....

We parked in Llanelli. ....

He is a doctor. ....

Help llaw

1. Gwneud *(to do or to make) is widely used. Learn it thoroughly:*

Cadarnhaol/ *Affirmative*	Cwestiwn/ *Question*	Negyddol/ *Negative*
Gwnes i	Wnes i?	Wnes i ddim
Gwnest ti	Wnest ti?	Wnest ti ddim
Gwnaeth e/hi	Wnaeth e/hi?	Wnaeth e/hi ddim
Gwnaethon ni	Wnaethon ni?	Wnaethon ni ddim
Gwnaethoch chi	Wnaethoch chi?	Wnaethoch chi ddim
Gwnaethon nhw	Wnaethon nhw?	Wnaethon nhw ddim

2. Gwneud *is an irregular verb. With the majority of verbs, you have to find the* bôn *(stem) and add an ending.*

When a verb ends in a single vowel, you will lose that vowel to find the bôn:

Prynu	Prynais i	Golchi	Golchais i
Canu	Canais i	Bwyta	Bwytais i

When a verb ends in **io**, *we once again lose the final vowel:*

Gweithio	Gweithiais i	Smwddio	Smwddiais i
Nofio	Nofiais i	Gwylio	Gwyliais i

We always lose a final **ed** *or* **eg** *('eds will roll and 'egs will smash!!)*

Cerdded	Cerddais i	Yfed	Yfais i
Clywed	Clywais i	Rhedeg	Rhedais i

With some verbs, we add the bôn *to the end of the verb, without changing it at all (many of these end in a consonant):*

Darllen	Darllenais i	Edrych	Edrychais i
Deall	Deallais i	Chwarae	Chwaraeais i

There are also some irregular forms. Learn the following for now:

Gadael	Gadawais i
Gwrando	Gwrandawais i
Aros	Arhosais i
Cyrraedd	Cyrhaeddais i

3. *Learn the endings:*

Pryn**ais** i	Pryn**on** ni
Pryn**aist** ti	Pryn**och** chi
Pryn**odd** e/hi	Pryn**on** nhw

4. *A noun following immediately after the short forms will take a* treiglad meddal:

bara   Prynais i **f**ara.

5. *There is a* treiglad meddal *in direct questions:*

Brynaist ti fara?

6. *Notice that there is a* treiglad meddal *in the negative forms introduced in the unit:*

Darllenais i   **Dd**arllenais i ddim

However, this is not true for t, c, p. This will be introduced in Uned 11.

7. Do *and* Naddo *are the answers in all instances:*

Brynaist ti fara?	Do/Naddo.
Brynoch chi fara?	Do/Naddo.
Brynodd e fara?	Do/Naddo.

8. *You will also come across the use of* **gwneud** *to form past tense sentences, by using the past tense of* **gwneud** *+ the verbnoun, e.g.*

Gwnes i brynu   Gwnes i ddarllen   Gwnes i helpu

Uned 10 (deg) – Es i i'r dre

Nod: Dweud ble aethoch chi a phobl eraill /
Saying where you and others went
(es i, est ti, aeth e/hi, aethon ni, aethoch chi, aethon nhw, es i ddim)

Geirfa

coeden (coed)	*tree(s)*		**Sbaen**	*Spain*
deilen (dail)	*leaf (leaves)*		**siec(iau)**	*cheque(s)*
miliwn (miliynau)	*million(s)*			

capel(i)	*chapel(s)*		haf	*summer*
capten	*captain*		hydref	*autumn*
Dydd Calan	*New Year's Day*		mis(oedd)	*month(s)*
Dydd Gŵyl Dewi	*St. David's Day*		môr (moroedd)	*sea(s)*
gaeaf	*winter*		pwll (pyllau)	*pool(s)*
gwanwyn	*spring*		tymor (tymhorau)	*season(s), term(s)*

casglu	*to collect*		**gwario**	*to spend (money)*
ennill	*to win*			

cynnar	*early*		syth	*straight*
mwy	*more*			

am	*about*		**i ffwrdd**	*away*
dal	*still*		**i mewn**	*in*

Cymraeg Dosbarth –
Dych chi'n gweld y sgrîn?
Edrychwch ar y sgrîn.

Geiriau pwysig i fi

✕ .... ✕ ....

✕ .... ✕ ....

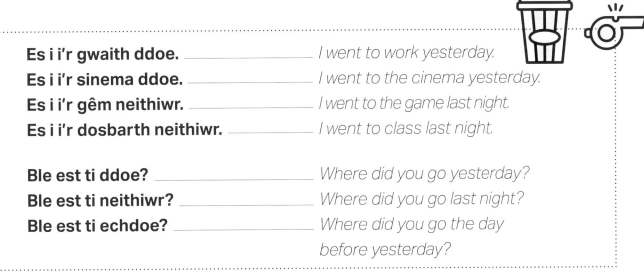

Es i i'r gwaith ddoe. —————	*I went to work yesterday.*
Es i i'r sinema ddoe. —————	*I went to the cinema yesterday.*
Es i i'r gêm neithiwr. —————	*I went to the game last night.*
Es i i'r dosbarth neithiwr. —————	*I went to class last night.*
Ble est ti ddoe? —————	*Where did you go yesterday?*
Ble est ti neithiwr? —————	*Where did you go last night?*
Ble est ti echdoe? —————	*Where did you go the day before yesterday?*

	nos Lun	nos Fawrth	nos Fercher	nos Iau	nos Wener	nos Sadwrn	nos Sul
fi							
enw							
enw							

Est ti i siopa ddoe? ————————	*Did you go shopping yesterday?*	
Est ti i nofio ddoe? ————————	*Did you go swimming yesterday?*	
Aethoch chi i nofio ddoe? ————	*Did you go swimming yesterday?*	
Aethoch chi i weld ffilm ddoe? ——	*Did you go to see a film yesterday?*	

Do. ✔   **Naddo.** ✗

Yr wythnos diwetha	✗ neu ✔	✗ neu ✔
y dosbarth Cymraeg		
yr eglwys		
y llyfrgell		
yr ysbyty		
yr ysgol		
y banc		
y parc		
y clwb rygbi		

Aeth Ceri i'r dre. ————————	*Ceri went to town.*
Aeth Eryl i'r siop. ————————	*Eryl went to the shop*
Aeth e i'r dosbarth. ———————	*He went to the class.*
Aeth hi i'r gêm. ————————	*She went to the game.*
Aeth Ceri i'r capel? ———————	*Did Ceri go to chapel?*
Aeth Eryl i'r eglwys? ——————	*Did Eryl go to church?*
Aeth e i'r mosg? ————————	*Did he to to the mosque?*
Aeth hi i'r neuadd? ———————	*Did she go to the hall?*

Do. ✔   **Naddo.** ✗

Aethon ni i siopa ddoe.	*We went shopping yesterday.*
Aethon ni i seiclo ddoe.	*We went cycling yesterday.*
Aethon ni i brynu car ddoe.	*We went to buy a car yesterday.*
Aethon ni i weld ffilm neithiwr.	*We went to see a film last night.*

Ymarfer – Ble aethoch chi?

A: Ble aethoch chi neithiwr?
B: Aethon ni i <u>Abertawe</u> neithiwr.
A: Pam aethoch chi i <u>Abertawe</u>?
B: Aethon ni i weld gêm.

A: Ble aethoch chi dydd Sadwrn?
B: Aethon ni i <u>Borthcawl</u>.
A: Pam aethoch chi i <u>Borthcawl</u>?
B: Aethon ni i nofio yn y môr.

A: Ble aethoch chi ddoe?
B: Aethon ni i <u>Gaerdydd</u>.
A: Pam aethoch chi i <u>Gaerdydd</u>?
B: Aethon ni i siopa.

Es i ddim mas ddoe.	*I didn't go out yesterday.*
Aethon nhw ddim mas ddoe.	*They didn't go out yesterday.*
Aethon nhw ddim mas neithiwr.	*They didn't go out last night.*
Aethon nhw ddim mas o gwbl.	*They didn't go out at all.*

Y tymhorau

Dewiswch un elfen o bob colofn i wneud brawddeg. Yna, dyfalwch beth yw brawddeg eich partner chi. *Choose one element from each column to make a sentence. Then, guess your partner's sentence.*

Pwy?	Ble?	Sut?	Pryd?
fi	Llundain	mewn tacsi	yn y gwanwyn
Siân	Awstria	ar y trên	yn yr haf
Dafydd	Lerpwl	yn y car	yn yr hydref
y plant	Sbaen	mewn awyren	yn y gaeaf
y teulu	Awstralia	ar y bws	ddoe
y dosbarth	Yr Alban	ar y beic	neithiwr

Ynganu – o

eto	heno	gwrando	cinio	lico
nofio	seiclo	trio	gwylio	coginio
dawnsio	gweithio	smwddio	ymlacio	garddio

Sgwrs 1

Ceri: Pen-blwydd hapus, Eryl!
Eryl: Diolch.
Ceri: Ble est ti dros y penwythnos, 'te?
Eryl: Es i i'r tŷ bwyta newydd ym Mangor nos Sadwrn.
Ceri: Neis iawn! Gyda phwy est ti?
Eryl: Es i gyda Jo a Chris.

Ceri: Aethoch chi i rywle wedyn?
Eryl: Do, aethon ni i'r sinema. Ond aethon ni ddim i mewn...
Ceri: Pam?
Eryl: Mae Chris yn mynd i weld pob ffilm newydd yn syth! Felly aethon ni adre yn gynnar.
Ceri: Dyna drueni!

Sgwrs 2

A: Gaf i air?

B: Cei, wrth gwrs.

A: Sut aeth y cyfarfod neithiwr?

B: Dw i ddim yn gwybod. Es i ddim. Es i mas am dro.

A: Est ti ddim?

B: Naddo.

A: Aeth Ceri ddim chwaith.

B: Naddo? Beth am Siôn a Siân?

A: Na, aethon nhw ddim chwaith.

B: Wel, wel, ofnadwy.

A: Gwelais i rywbeth ar Facebook y bore 'ma. Sam yw'r capten newydd.

B: Sam? O na!

A: Beth? Dwyt ti ddim yn hapus? Ond est ti ddim i'r cyfarfod neithiwr?

B: Naddo.

A: TYFF, felly.

Llyfrau Amdani

Dych chi nawr yn gallu darllen *Blacmêl* gan Pegi Talfryn.
Dyma'r clawr a'r paragraff cyntaf.
Dych chi'n gallu prynu'r llyfr o siop Gymraeg neu ar www.gwales.com.

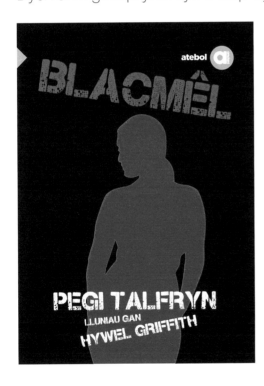

ELSA BOWEN, DITECTIF PREIFAT

Elsa Bowen dw i.
Ditectif preifat dw i.
Dw i'n byw yng Nghaernarfon.
Dw i'n dŵad o Gaernarfon yn wreiddiol.
Dw i'n gweithio yng Nghaernarfon.
Ond dw i ddim yn hoffi Caernarfon.

Robin Radio

a) Atebwch:

O ble mae Teleri Tomos yn siarad? ....

....

Beth wnaeth y teulu yn Llundain? ....

Ble maen nhw'n mynd heno? ....

b) Gwrandewch am:

peidiwch â gwario —— *don't spend*
paid â phoeni ———— *don't worry*

c) Cyfieithwch:

Five million pounds ....

We went to London. ....

We are not coming home. ....

Help llaw

1. *Learn the past tense of* **mynd**:

Cadarnhaol/ *Affirmative*	Cwestiwn/ *Question*	Negyddol/ *Negative*
Es i	Es i?	Es i ddim
Est ti	Est ti?	Est ti ddim
Aeth e	Aeth e?	Aeth e ddim
Aeth hi	Aeth hi?	Aeth hi ddim
Aethon ni	Aethon ni?	Aethon ni ddim
Aethoch chi	Aethoch chi?	Aethoch chi ddim
Aethon nhw	Aethon nhw?	Aethon nhw ddim

2. *All the concise past answers are* **DO** *(yes) and* **NADDO** *(no):*

Est ti i'r cyfarfod?   Do. Aethoch chi i'r cyfarfod? Naddo.
Aeth Dewi i'r cyfarfod? Do. Aethon nhw i'r cyfarfod? Naddo.

3. Ym Mangor. *This is another example of the nasal mutation after* **yn**. *You have already seen* **yng Nghaerdydd**.

y**m M**angor   y**m M**eddgelert
y**m M**rechfa   y**m M**edwas

4. Bôn *(stem)* newydd:

Ennill   >   Enill   Enillais i

If the emphasis falls on the letter **n** *(in the last but one syllable), it is possible to have* **nn**. *If the* **n** *is anywhere else in the word, there will be a single* **n**. *Look at some other examples:*

tocyn   tocy**nn**au
cacen   cace**nn**au
teisen   teise**nn**au

Uned 11 (un ar ddeg) – Ces i dost i frecwast

Nod: Dweud beth gawsoch chi a phobl eraill/
Saying what you and others had or received
(ces i, cest ti, cafodd Sam, cawson ni, cawsoch chi, cawson nhw)
(ges i, gest ti, gaeth Sam, gaethon ni, gaethoch chi, gaethon nhw)

Geirfa

banana(s)	*banana(s)*	**moronen (moron)**	*carrot(s)*
bargen (bargeinion)	*bargain(s)*	**neges(euon)**	*message(s)*
bisged(i)	*biscuit(s)*	**taten (tatws)**	*potato(es)*
brechdan(au)	*sandwich(es)*	**torth(au)**	*loaf (loaves)*
esgid(iau)	*shoe(s)*		

afal(au)	apples(s)	llysiau	vegetables
bara	bread	llythyr(au)	letter(s)
cawl	soup	peiriant	
chwaraeon	sports	(peiriannau)	machine(s)
ffrwyth(au)	fruit(s)	salad	salad
ham	ham	sudd	juice
haul	sun	tomato(s)	tomato(es)
jam	jam	uwd	porridge
lemon(au)	lemon(s)	wy(au)	egg(s)

angen	to need	**parcio**	to park
gwerthu	to sell		

anodd	difficult	poeth	hot

dim byd	nothing	**popeth**	everything
(e)fallai	perhaps	**trwy**	through
gormod	too much		

Geiriau pwysig i fi

....
✕ ✕
....
✕ ✕
....

Cymraeg Dosbarth –
Sut mae sillafu…?

Ces i/Ges i uwd i frecwast. ——————— *I had porridge for breakfast.*
Ces i/Ges i ffrwythau i frecwast. —— *I had fruit for breakfast.*
Ces i/Ges i wy i frecwast. ——————— *I had an egg for breakfast.*
Ces i/Ges i dost i frecwast. ————— *I had toast for breakfast.*

Beth gest ti i frecwast? ——————— *What did you have for breakfast?*
Beth gest ti i ginio? ———————————— *What did you have for lunch?*
Beth gest ti i de? ———————————————— *What did you have for tea?*
Beth gest ti i swper? ———————————— *What did you have for supper?*

	Fi	Enw	Enw ....
brecwast			
cinio			
te			
swper			

Gawsoch chi/Gaethoch chi sglodion ddoe? — *Did you have chips yesterday?*
Gawsoch chi/Gaethoch chi frechdan ddoe? - *Did you have a sandwich yesterday?*
Gawsoch chi/Gaethoch chi uwd? ——————— *Did you have porridge?*
Gawsoch chi/Gaethoch chi gawl? ——————— *Did you have soup?*

Do.   Naddo. ✗

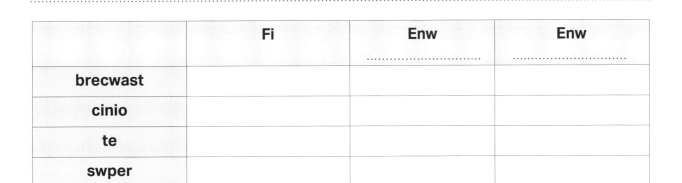

Beth gafodd/gaeth Pat yn y caffi? —— *What did Pat have in the café?*
Cafodd/Gaeth Pat de. —————— *Pat had tea.*
Cafodd/Gaeth Pat goffi. ————— *Pat had coffee.*
Cafodd/Gaeth e siocled poeth. —— *He had hot chocolate.*
Cafodd/Gaeth hi sudd oren. ——— *She had orange juice.*

Beth gafodd pawb?

	i fwyta	i yfed
A – Tom	caws	coffi du
2 – Mari	tost	te
3 – Helen	bara brown	*cappucino*
4 – Marc	brechdan salad	dŵr
5 – Mair	cyrri	lager
6 – Sara	brechdan domato	lemonêd
7 – Matt	pasta	gwin gwyn
8 – Gareth	banana	sudd oren
9 – Paul	brechdan jam	te gwyrdd
10 – Sam	brechdan ham	gwin coch
Jac – Jac	barbeciw	cwrw
Brenhines – Liz	cinio dydd Sul	siampên
Brenin – Harri	cawl	siocled poeth

Cawson ni/Gaethon ni ebost ddoe. ——— *We had an email yesterday.*
Cawson ni/Gaethon ni neges ddoe. ——— *We had a message yesterday.*
Cawson nhw/Gaethon nhw bost ddoe. —— *They had post yesterday.*
Cawson nhw/Gaethon nhw lythyr ddoe. — *They had a letter yesterday.*

Ches i ddim post ddoe. —————— *I didn't get any post yesterday.*
Ches i ddim ebost ddoe. —————— *I didn't get an email yesterday.*
Ches i ddim tecst ddoe. —————— *I didn't get a text yesterday.*
Ches i ddim llythyr ddoe. —————— *I didn't get a letter yesterday.*

1. Yn y dosbarth
A: Ces i uwd i frecwast heddiw.
B: O! Ces i wy ar dost.
C: Ches i ddim brecwast o gwbl! Ces i goffi du. Dw i
ddim yn hoffi bwyta yn y bore.

2. Yn y swyddfa
A: Ces i gawl llysiau i ginio heddiw.
B: O! Ces i frechdan gaws.
C: Ches i ddim cinio o gwbl! Ces i baned o de a bisged
siocled. Dw i eisiau bwyd!

3. Yn y dafarn
A: Ces i gyrri a reis i swper neithiwr.
B: O? Ces i gyrri hefyd ond ches i ddim reis. Ond ces i fara naan.
C: Ces i bysgod a sglodion – dw i ddim yn hoffi cyrri o gwbl.

Mewn grŵp o dri, ysgrifennwch ddeialog:

A: ....

B: ....

C: ....

....

Ymarfer

1. **Es i i'r siop fara,** ces i dorth.
2. **Est ti i'r sinema,** cest ti bopcorn.
3. **Aeth e i'r siop lysiau,** cafodd e foron.
4. **Aethon ni i'r banc,** cawson ni arian.
5. **Aethoch chi i'r traeth,** cawsoch chi dywydd braf.
6. **Aethon nhw i'r siop ddillad,** cawson nhw fargen.

	mynd	**cael**
1 (fi)	i'r banc	
2 (ti)	i'r garej	
3 (fe/hi)	at y meddyg	
4 (ni)	i'r swyddfa bost	
5 (chi)	i'r traeth	
6 (nhw)	i'r siop fara	

Ynganu – r

storm	stormus	araf	arall
car	cariad	cerdded	cario
gŵr	gwraig	dosbarth	person
gair	geiriau	sgwrs	siarad

Sgwrs 1

Ceri: Helô Eryl, sut wyt ti? Est ti i'r dre ddoe?

Eryl: Naddo, pam?

Ceri: Mae siop Lewis Huws yn cau.

Eryl: O, trueni! Dw i'n lico'r siop yna yn fawr. Maen nhw'n gwerthu popeth!

Ceri: Ond newyddion da. Maen nhw'n symud i siop fawr yn y parc siopa y mis nesa.

Eryl: Wel, mae'n anodd parcio yn y dre….

Ceri: Ces i fargen – teledu newydd am hanner pris! Mae popeth yn hanner pris…

Eryl: Wel, wel!

Ceri: Ie! Dillad, esgidiau, pethau i'r gegin… Dw i'n mynd i brynu camera, peiriant golchi a siaced newydd yfory!

Eryl: Ydyn nhw eisiau staff newydd?

Ceri: Fallai. Pam?

Eryl: Ces i neges o'r banc y bore 'ma. Prynais i ormod yn y sêls… Dw i angen ffeindio gwaith, dw i'n meddwl…

Sgwrs 2

A: Helô! Sut mae'r cadw'n heini'n mynd?

B: Yn eitha da, diolch.
Es i i'r gwaith ar y beic bob dydd yr wythnos diwetha ac es i mas i redeg dydd Sadwrn a dydd Sul.

A: Beth gest ti i fwyta trwy'r wythnos?

B: Ces i uwd i frecwast a ches i gawl i ginio bob dydd.

A: Da iawn ti.

B: A bod yn onest, es i mas i fwyta nos Wener a ches i ormod o sglodion. Es i i'r dafarn nos Sadwrn hefyd a ches i sglodion eto, a dweud y gwir.

A: O diar.

B: Ond ches i ddim byd ond salad a dŵr gyda lemon dydd Sul. A ti? Beth wnest ti i gadw'n heini yr wythnos diwetha?

A: Cerddais i o'r maes parcio i'r swyddfa bob dydd.

B: Pum deg metr?

A: O na, dau ddeg pump. Ond ches i ddim cwrw nos Sul a ches i ddim cacen amser cinio dydd Llun chwaith.

B: Chwarae teg i ti. Mae'r rhaglen cadw'n heini'n mynd yn dda, dw i'n gweld!

Robin Radio – Yn y swyddfa

a) Atebwch:

Beth wnaeth Robin dydd Sul? ....

O ble ffoniodd Robin y bore 'ma? ....

Ble mae Llinos yn gweld y gêm? ....

b) Gwrandewch am:

Mae'n well gyda fi. ——— *I prefer.*
Dw i'n cytuno. ——— *I agree.*

c) Cyfieithwch:

I had a telephone message. ....

Where is the game? ....

Robin phoned. ....

Help llaw

1. *Learn the past tense of* **cael**. *There are two possible forms. Your tutor will concentrate on one but you need to be familiar with both:*

Cadarnhaol/ *Affirmative*	Cwestiwn/ *Question*	Negyddol/ *Negative*
Ces i/Ges i	Ges i?	Ches i ddim
Cest ti/Gest ti	Gest ti?	Chest ti ddim
Cafodd e/Gaeth e	Gafodd e?/Gaeth e?	Chafodd e ddim/ Chaeth e ddim
Cafodd hi/Gaeth hi	Gafodd hi?/Gaeth hi?	Chafodd hi ddim/ Chaeth hi ddim
Cawson ni/Gaethon ni	Gawson ni?/Gaethon ni?	Chawson ni ddim/ Chaethon ni ddim
Cawsoch chi/Gaethoch chi	Gawsoch chi?/ Gaethoch chi?	Chawsoch chi ddim/ Chaethoch chi ddim
Cawson nhw/Gaethon nhw	Gawson nhw?/ Gaethon nhw?	Chawson nhw ddim/ Chaethon nhw ddim

2. *You may have noticed the* **ch** *at the beginning of another pattern –*
   Na **ch**ewch. *This change indicates the negative.*

This change indicates the negative as we have in **Ch**es i ddim.
*This is the aspirate mutation (*treiglad llaes*) and occurs with only 3 letters:*

T	Talais i	**Th**alais i ddim
C	Clywed	**Ch**lywais i ddim
P	Prynu	**Ph**rynais i ddim

So, the negative can take two mutations: the aspirate mutation with
t, **c**, **p** *and the soft mutation with* **d**, **g**, **b**, **m**, **ll**, **rh***:*

talu	**Th**alais i ddim.
clywed	**Ch**lywais i ddim.
prynu	**Ph**rynais i ddim.
darllen	**Dd**arllenais i ddim.
gyrru	Yrrais i ddim.
bwyta	**F**wytais i ddim.
mwynhau	**F**wynheuais i ddim.
llenwi	**L**enwais i ddim.
rhedeg	**R**edais i ddim.

3. *The negative* **DDIM** *blocks the mutation:*

Ces/Ges i **g**offi.
Ches i ddim **c**offi.

Uned 12 (deuddeg) – Mae car gyda fi

Nod: Dweud beth sy gyda chi a phobl eraill / *Saying what you and others have and own* (Mae .... gyda fi/ti/Sam/fe/hi/ni/chi/nhw)

Geirfa

canolfan(nau)	a centre (centres)	**mam(au)**	mother(s)
carafán (carafanau)	caravan(s)	**mam-gu**	grandmother
cath(od)	cat(s)	**sbectol**	spectacles
chwaer (chwiorydd)	sister(s)	**troed (traed)**	foot (feet)
het(iau)	hat(s)		

anifail (anifeiliaid)	animal(s)	cymydog (cymdogion)	neighbour(s)
anifail anwes	pet	geiriadur(on)	dictionary (dictionaries)
apwyntiad(au)	appointment(s)	gwallt	hair
babi(s)	baby (babies)	partner(iaid)	partner(s)
brawd (brodyr)	brother(s)	plentyn (plant)	child(ren)
cariad(on)	love, girlfriend(s), boyfriend(s),	syniad(au)	idea(s)
ceffyl(au)	horse(s)	tad(au)	father(s)
ci (cŵn)	dog(s)	tad-cu	grandfather
cyfrifiadur(on)	computer(s)		

cysgu	to sleep

> **Cymraeg Dosbarth** –
> Beth sy'n digwydd?

Geiriau pwysig i fi

✕ ....
✕ ....

✕ ....
✕ ....

Mae car gyda fi. _____ _I have a car._
Mae tŷ gyda fi. _____ _I have a house._
Mae teledu gyda fi. _____ _I have a television._
Mae cyfrifiadur gyda fi. _____ _I have a computer._

Oes car gyda ti? _____ _Have you got a car?_
Oes teledu gyda ti? _____ _Have you got a TV?_
Oes dosbarth gyda ti? _____ _Have you got a class?_
Oes gwaith gyda ti? _____ _Have you got work/a job?_

Oes. ✔ **Nac oes.** ✗

Enw	teledu	camera	ffôn	sbectol	cyfrifiadur	geiriadur

Does dim ci gyda fi. ——————— *I don't have a dog.*
Does dim cath gyda fi. ——————— *I don't have a cat.*
Does dim ceffyl gyda fi. ——————— *I don't have a horse.*
Does dim parot gyda fi. ——————— *I don't have a parrot.*

Mae plant gyda Bethan. ——————— *Bethan has children.*
Mae partner gyda Bethan. ——————— *Bethan has a partner.*
Mae brawd gyda Bethan. ——————— *Bethan has a brother.*
Mae chwaer gyda Bethan. ——————— *Bethan has a sister.*

Taflwch y dis a siaradwch am Gwen. *Throw the dice and talk about Gwen.*

1. chwaer	2. brawd	3. plant
4. ffrindiau	5. partner	6. cymdogion

Oes teulu gyda Tomos? ——————— *Has Tomos got a family?*
Oes car gyda Tomos? ——————— *Has Tomos got a car?*
Oes ci gyda Tomos? ——————— *Has Tomos got a dog?*
Oes diod gyda Tomos? ——————— *Has Tomos got a drink?*

Does dim teulu gyda Tomos. ——————— *Tomos hasn't got a family.*
Does dim car gyda Carys. ——————— *Carys hasn't got a car.*
Does dim ci gyda Gwen. ——————— *Gwen hasn't got a dog.*
Does dim diod gyda Dewi. ——————— *Dewi hasn't got a drink.*

A	teulu	car	ci	diod
Tomos	☐	☐	✗	☐
Carys	☐	✗	✗	✗
B				
Gwen	✗	☐	☐	✗
Dewi	☐	✗	☐	☐

Does dim plant gyda fe. ——————— *He doesn't have children.*
Does dim anifail anwes gyda fe. —— *He doesn't have a pet.*
Does dim plant gyda hi. ——————— *She doesn't have children.*
Does dim anifail anwes gyda hi. —— *She doesn't have a pet.*

Mae plentyn gyda fe.   **Mae plentyn gyda hi.**
Mae dau o blant gyda fe.   **Mae dau o blant gyda hi.**
Mae tri o blant gyda fe.   **Mae tri o blant gyda hi.**
Mae pedwar o blant gyda fe.   **Mae pedwar o blant gyda hi.**
Mae pump o blant gyda fe.   **Mae pump o blant gyda hi.**

Mae problem gyda ni. ——————— *We have a problem.*
Mae cyfarfod gyda ni. ——————— *We have a meeting.*
Mae cyfarfod gyda nhw. —————— *They have a meeting.*
Mae cyfarfod staff gyda nhw. —— *They have a staff meeting.*

Does dim cyfarfod gyda ni. —————— *We don't have a meeting.*
Does dim apwyntiad gyda ni. —————— *We don't have an appointment.*
Does dim apwyntiad gyda nhw. —————— *They don't have an appointment.*
Does dim syniad gyda nhw. —————— *They don't have an idea.*

Edrychwch ar y cwestiwn a dewiswch ateb. *Look at the question and choose an appropriate answer*, e.e. Pam rwyt ti'n mynd i'r siop? Does dim bwyd gyda fi.

Pam rwyt ti'n mynd i'r siop?	petrol
Pam dyw Serena ddim yn chwarae tennis?	pêl
Pam dwyt ti ddim yn darllen papur newydd bob dydd?	problem
Pam rwyt ti'n hapus?	pasport
Pam mae e'n cerdded i'r gwaith?	raced
Pam dyw'r plant ddim yn chwarae pêl-droed?	arian
Pam mae'r bòs yn mynd i'r banc?	bwyd
Pam mae'r actores yn mynd i'r Ganolfan Waith?	amser
Pam mae e'n cysgu mewn carafán?	gwaith
Pam dyw'r tiwtor ddim yn mynd i Sbaen?	car
Pam dyw e ddim yn edrych ar S4C?	tŷ
Pam mae Gwyn yn mynd i'r garej?	teledu

Oes problem gyda chi? ———— *Have you got a problem?*
Oes cyfarfod gyda chi? ———— *Have you got a meeting?*
Oes apwyntiad gyda chi? ———— *Have you got an appointment?*
Oes syniad gyda chi? ———— *Have you got an idea?*

Oes cyfarfod staff gyda nhw? ——— *Have they got a staff meeting?*
Oes apwyntiad gyda nhw? ——— *Have they got an appointment?*
Oes syniad gyda nhw?——— *Have they got an idea?*
Oes swyddfa gyda nhw?——— *Have they got an office?*

Siaradwch â phump o bobl a gofynnwch **Oes ... gyda ti?** neu **Oes ... gyda chi?**

Enw	chwaer	brawd	ci	cath

Faint o blant sy gyda chi?	*How many children do you have?*
Faint o blant sy gyda ti?	*How many children do you have?*
Faint o blant sy gyda fe?	*How many children does he have?*
Faint o blant sy gyda hi?	*How many children does she have?*

Mae un mab gyda fi.	**Mae un ferch gyda fi.**
Mae dau fab gyda fi.	**Mae dwy ferch gyda fi.**
Mae tri mab gyda fi.	**Mae tair merch gyda fi.**
Mae pedwar mab gyda fi.	**Mae pedair merch gyda fi.**

Mae John yn un oed.	*John is one.*
Mae John yn ddwy oed.	*John is two.*
Mae John yn dair oed.	*John is three.*
Mae John yn bedair oed.	*John is four.*

Ynganu

Dyma hwiangerdd *(nursery rhyme)* enwog yn Gymraeg:

Dau gi bach yn mynd i'r coed,
Esgid newydd am bob troed;
Dau gi bach yn dŵad adre
Wedi colli un o'u sgidie,
Dau gi bach.

Sgwrs 1

Bara brith – *"speckled bread" – fruit loaf*
Mae Eryl yn ffonio Ceri.

Ceri: Helô?

Eryl: Helô Ceri, Eryl yma. Mae cwestiwn gyda fi. Faint o'r gloch mae'r bore coffi dydd Sadwrn?

Ceri: Deg o'r gloch. Mae poster gyda fi yma.

Eryl: Da iawn. Dw i'n gallu mynd i'r bore coffi felly, ond mae cyfarfod gyda fi am hanner dydd.

Ceri: Dw i'n gallu cyrraedd am un ar ddeg ar y bws. Gwela i ti yna.

Eryl: Mae cacen gyda fi i'r bore coffi. Oes amser gyda ti i wneud cacen?

Ceri: Nac oes, ond mae bara brith gan Mam gyda fi yma.

Eryl: Neis iawn! Mae'r tiwtor a'r dosbarth yn hoffi bara brith yn fawr.

Ceri: Mae bara brith Mam yn flasus iawn. Mae hi'n gogydd da iawn.

Eryl: Mae gwaith cartre gyda ni hefyd – gofyn am baned yn Gymraeg yn y bore coffi!

Ceri: Da iawn, gwela i ti dydd Sadwrn.

Sgwrs 2

A: Oes teulu mawr gyda chi?

B: Mae pump brawd a saith chwaer gyda fi.

A: Oes plant gyda chi?

B: Mae saith o blant gyda ni.

A: Oes anifeiliaid gyda chi?

B: Mae pedwar ci gyda ni.

A: Dych chi'n gallu mynd ar wyliau teulu?

B: O ydyn, 'dyn ni'n mynd i Aberaeron bob haf. Mae carafán gyda ni yno.

A: Sut dych chi'n mynd i Aberaeron?

B: Yn y car.

A: Oes car mawr gyda chi?

B: Nac oes, mae bws mini gyda ni.

Robin Radio

a) Atebwch:

Ble mae Anti Mair yn gweithio? ....

....

Beth yw esgus *(excuse)* Anti Mair? ....

....

Ble mae Anti Mair? ....

....

b) Gwrandewch am:

Beth sy'n bod? ——————— *What's wrong?*
Dw i ar fy mhen fy hun. —— *I'm on my own.*
Rwyt ti'n garedig iawn. —— *You're very kind.*

c) Cyfieithwch:

I have a problem. ....

I don't want to leave. ....

I want to stay. ....

Llyfrau Amdani

Dych chi nawr yn gallu darllen *Agor y Drws*. Dyma'r clawr a'r paragraff cynta yn y stori gynta. Dych chi'n gallu prynu'r llyfr mewn siop Gymraeg neu ar gwales.com.

Dydd Mercher, 5 Mai. Dw i'n 50 heddiw. Pum deg - ofnadwy! Dw i'n hen! A dw i ddim yn ffit...

Help llaw

1. *Showing possession is an important pattern. It is different to English. We are literally saying 'There is xx with me'.*

   Mae car gyda fi.
   Does dim car gyda fi.
   Oes car gyda chi?

   Oes.   **Nac oes.**

2. *In spoken Welsh,* **gyda** *is sometimes abbreviated to* '**da**.

3. *There are 2 ways of using numbers in Welsh.* Yn Uned 12 *we see both ways - number +* **o** *+ plural form (mutated after* **o***), e.g.* **dau o blant***.*

   The other way is (we have already seen in Uned 3*) to use the number + the singular form, but you need to know whether the noun is masculine or feminine:*

   un mab (dim treiglad)   un **f**erch (treiglad meddal)
   dau **f**ab (treiglad meddal)   dwy **f**erch (treiglad meddal)
   tri mab (dim treiglad yma ond **t**>th, **c**>ch, **p**>ph)   tair merch (dim treiglad)
   pedwar mab (dim treiglad)   pedair merch (dim treiglad)

Uned 13 (un deg tri) – Roedd hi'n braf

Nod: Disgrifio pethau yn y gorffennol/*Describing things in the past* (Roedd hi'n braf, Oedd hi'n braf? Oedd/Nac oedd, Doedd hi ddim yn braf, Roedd .... gyda fi)

Geirfa

cawod(ydd)	*a shower(s)*		**pabell (pebyll)**	*tent(s)*
cot(iau)	*coat(s)*		**poen(au)**	*pain(s)*
dannodd	*toothache*			

annwyd	*a cold*		llwnc	*throat*
bag(iau)	*bag(s)*		moddion	*medicine*
beic modur (beiciau modur)	*motorbike(s)*		pâr (parau)	*pair(s), couple(s)*
bol(iau)/bola	*stomach(s)*		pen	*head*
cefn(au)	*back(s*		person(au)	*person(s)*
			peswch	*a cough*
			llais (lleisiau)	*voice(s)*

cario	*to carry*		**symud**	*to move*

araf	*slow*		heulog	*sunny*
ardderchog	*excellent*		priod	*married*
cyflym	*fast*		tost	*ill*

achos	*because*		**fel arfer**	*as usual; usually*
byth	*ever; never*		**(y) llynedd**	*last year*
er	*although*			

Geiriau pwysig i fi

✗ ....   ✗ ....

✗ ....   ✗ ....

Roedd hi'n braf ddoe.	*It was fine yesterday.*
Roedd hi'n heulog ddoe.	*It was sunny yesterday.*
Roedd hi'n oer ddoe.	*It was cold yesterday.*
Roedd hi'n wyntog ddoe.	*It was windy yesterday.*

Oedd hi'n braf neithiwr?	*Was it fine last night?*	**Oedd.**	✔
Oedd hi'n heulog neithiwr?	*Was it sunny last night?*	**Oedd.**	✔
Oedd hi'n oer neithiwr?	*Was it cold last night?*	**Nac oedd.**	✗
Oedd hi'n sych neithiwr?	*Was it dry last night?*	**Nac oedd.**	✗

Sut roedd y tywydd ddoe? — *How was the weather yesterday?*

Roedd hi'n dost.	*She was ill.*
Roedd hi'n drist.	*She was sad.*
Roedd hi'n hwyr.	*She was late.*
Roedd hi'n brysur.	*She was busy.*

Oedd e'n dost?	*Was he ill?*
Oedd e'n drist?	*Was he sad?*
Oedd e'n gyflym?	*Was he quick?*
Oedd e'n araf?	*Was he slow?*

Oedd. ✔   **Nac oedd.** ✗

Doedd hi ddim yn sych.	*It wasn't dry.*
Doedd hi ddim yn dda.	*She wasn't well.*
Doedd e ddim yn drist.	*He wasn't sad.*
Doedd e ddim yn hapus.	*He wasn't happy.*

Doedd y bwyd ddim yn dda.	*The food wasn't good.*
Doedd y bwyd ddim yn dwym.	*The food wasn't warm.*
Doedd y bwyd ddim yn ddrud.	*The food wasn't expensive.*
Doedd y bwyd ddim yn rhad.	*The food wasn't cheap.*

Trowch y cerdyn a gofynnwch gwestiwn i'ch partner. *Turn over a card and ask your partner a question*, e.e. Oedd y tywydd yn braf? Cerdyn coch = *Yes*. Cerdyn du = *No*.

1	♠		(y tywydd)	**braf**
2			(y gwaith)	**hawdd**
3			(y bwyd)	**oer**
4			(y car)	**drud**
5			(y gwesty)	**rhad**
6			(y môr)	**stormus**
7			(y ffilm)	**trist**
8			(y plentyn)	**hapus**
9			(y ffordd)	**prysur**
10			(y trên)	**hwyr**

Mae pen tost gyda fi. ————— *I have a headache.*
Roedd pen tost gyda fi. ————— *I had a headache.*
Roedd bola tost gyda fi. ————— *I had a bad stomach.*
Roedd clust dost gyda fi. ————— *I had earache.*

Roedd annwyd ar Sam. ————— *Sam had a cold.*
Roedd annwyd arna i. ————— *I had a cold.*
Roedd annwyd arnat ti. ————— *You had a cold.*
Roedd annwyd arno fe. ————— *He had a cold.*
Roedd annwyd arni hi. ————— *She had a cold.*

Roedd peswch arnon ni. ————— *We had a cough.*
Roedd peswch arnoch chi. ————— *You had a cough.*
Roedd peswch arnyn nhw. ————— *They had a cough.*

Pwy oedd yn y dosbarth?

Gofynnwch i'ch partner pwy oedd yn y dosbarth yr wythnos diwetha. Pam roedd pobl yn absennol? *Ask your partner who was in class last week. Why were people absent?*

	A	B
Siân		
Mair		✔
Aled		
Llinos		✔
Elen		
Gareth		
Huw		
Marc		
Dafydd		
Tomos	✔	

Ymarfer

Roedd car glas gyda ni. Mae car coch gyda ni nawr.

Roedd

cot babi		babi	
	[llun car]		[llun pabell a lleuad]
beic modur	llyfrau	[llun bath]	geiriadur Saesneg

Mae

[llun car]	dau o blant	[llun carafán]	beic
gwely	cyfrifiadur	[llun cawod]	geiriadur Cymraeg

Ynganu – ymarfer y llythyren u

un	hufen	dur	gwerthu
hapus	mefus	stormus	clust

Sgwrs 1

Ceri: Sut roedd y parti priodas neithiwr?

Pat: Roedd e'n grêt! Roedd y gwesty'n braf, roedd y bwffe'n flasus a chawson ni amser <u>gwych</u>.

Ceri: A sut roedd y pâr priod?

Pat: Hapus iawn.

Ceri: Oedd pawb yno?

Pat: Doedd y plant bach ddim yno, wrth gwrs, ond roedd pawb arall yno.

Ceri: Sut roedd <u>mam</u> Twm?

Pat: <u>Iawn</u>. Roedd hi'n mwynhau ei hun, dw i'n meddwl.

Ceri: Oedd hi'n dawnsio yn y disgo?

Pat: Oedd, wrth gwrs, fel arfer.

Ceri: Gyda phwy y tro 'ma?

Pat: Gyda'r <u>ficer</u>.

Ceri: A sut roedd y carioci?

Pat: Ofnadwy. Dw i ddim eisiau clywed ABBA byth eto.

Sgwrs 2

Mae plismon o Heddlu Llanaber yn siarad â Mr Williams:

A: Felly, Mr Williams, beth weloch chi?

B: Gwelais i rywun yn rhedeg mas o'r banc.

A: Faint o'r gloch oedd hi?

B: Saith munud wedi dau.

A: Dw i'n gweld. Reit, gweloch chi rywun yn rhedeg mas o'r banc am saith munud wedi dau. Dyn oedd e?

B: Nage. Er, dw i ddim yn siŵr. Roedd cot fawr gyda hi, a balaclafa.

A: Oedd hi'n cario rhywbeth?

B: Oedd, roedd bag mawr du gyda hi.

A: Beth oedd oed y person?

B: Mae'n anodd dweud. Tua wyth deg, efallai.

A: Wyth deg oed? Oedd e neu hi'n rhedeg yn gyflym?

B: Nac oedd, wrth gwrs.

A: Diolch yn fawr am eich help, Mr Williams.

B: Pob lwc!

Robin Radio

a) Atebwch:

Beth sy'n bod ar Robin? ....

....

Pwy sy'n gwneud y rhaglen gyda Robin? ....

....

Pam dyw Anti Mair ddim yn y gwaith? ....

....

b) Gwrandewch am:

Mae'n flin gyda fi mod i'n hwyr. _____ *I'm sorry that I'm late.*
Dw i wedi blino'n lân. _____ *I am shattered.*
a dweud y gwir _____ *to tell the truth, to be honest*

c) Cyfieithwch:

Auntie Mair isn't here. ....

I didn't sleep ....

Do you remember? ....

Help llaw

1. **Roedd** *is the 3rd person singular imperfect tense of the verb* **bod**.

2. *When a part of the body hurts, we use* **gyda**.

   Mae cefn tost gyda fi.   **Roedd pen tost gyda fi.**

3. *When a condition/illness affects a person, we use* **ar.**

   Mae annwyd arna i.   **Roedd annwyd arna i.**

4. *Learn how* **ar** *inflects (changes):*

   **arna i (arno i)   arnon ni
   arnat ti (arnot ti)   arnoch chi
   arno fe   arnyn nhw
   arni hi**

5. *Remember the* treiglad meddal *after singular feminine nouns,*
   e.g. clust + tost > clust **d**ost.

Uned 14 (un deg pedwar) – Ble ro'ch chi'n byw ac yn gweithio?

Nod: Siarad am bethau ro'ch chi'n arfer eu gwneud/
Talking about things you used to do
(ro'n i, ro't ti, ro'n ni, ro'ch chi, ro'n nhw)

Geirfa

amgueddfa (amgueddfeydd)	*museum(s)*	**gŵyl (gwyliau)**	*festival(s), holiday(s)*
Bryste	*Bristol*	**llong(au)**	*ship(s)*
cost(au)	*cost(s)*	**sir(oedd)**	*county (counties)*
crempog(au)	*pancake(s)*		
ffordd (ffyrdd)	*road(s), way(s)*		
bwyty (bwytai)	*restaurant(s)*	de	*south*
castell (cestyll)	*castle(s)*	deintydd	*dentist*
côr (corau)	*choir(s)*	gogledd	*north*
cyngor	*council, advice*		
galw	*to call*	**pleidleisio**	*to vote*
gobeithio	*to hope*	**teimlo**	*to feel*
nyrsio	*to nurse*		
diog	*lazy*	pell	*far*
gwell	*better*		
ar hyn o bryd	*at the moment*	**fel**	*as, like*
athro cyflenwi	*supply teacher*	**i gyd**	*all*
cymaint	*so much*	**o gwmpas**	*around*
cyn	*before*	**pan**	*when*

Geiriau pwysig i fi

....
✗ ✗
....
✗ ✗
....

Y Treiglad Trwynol/_Nasal Mutation_

T > yn Nh	**D > yn N**
C > yng Ngh	**G > yng Ng**
P > ym Mh	**B > ym M**

TREGARON

CYMRU

PONTARDAWE

DOWLAIS

GWYNEDD

BEDWAS

Dw i'n byw yn **Nh**regaron.	**T > Nh**
Dw i'n byw yng **Ngh**ymru.	**C > Ngh**
Dw i'n byw ym **Mh**ontardawe.	**P > Mh**
Dw i'n byw yn **N**owlais.	**D > N**
Dw i'n byw yng **Ng**wynedd.	**G > Ng**
Dw i'n byw ym **M**edwas.	**B > M**

Dyma fersiwn 2 o gerdd (poem) **gan Cyril Jones**
(**Dysgu trwy Lenyddiaeth**, CBAC)

I gofio'r treiglad trwynol:
Mae Ceri yng **Ngh**aerdydd,
Mae Tom yn byw yn Nhalybont
A Pam ym **Mh**ontypridd.
*****
Mae Gwyn yn byw yng Ngwynedd,
A Dai yn Ninas Brân,
Mae Bob yn byw ym **M**angor,
A dyna ydy'r gân.

Ro'n i yn Llandeilo ddoe.	_I was in Llandeilo yesterday._
Ro'n i yn y gwaith ddoe.	_I was at work yesterday._
Ro'n i yn y dosbarth ddoe.	_I was in class yesterday._
Ro'n i gartre ddoe.	_I was at home yesterday._
Ble ro't ti ddoe?	_Where were you yesterday?_
Ble ro't ti neithiwr?	_Where were you last night?_
Ble ro'ch chi ddoe?	_Where were you yesterday?_
Ble ro'ch chi neithiwr?	_Where were you last night?_

A: Ble ro't ti neithiwr? Galwais i yn y tŷ.

B: Ro'n i <u>yn y gwaith</u>. Cyrhaeddais i adre am ddeg o'r gloch.

A: Ble ro't ti prynhawn ddoe? Es i i'r gêm.

B: Ro'n i yn y gwely – yn dost. Pwy enillodd?

A: Ni, wrth gwrs. <u>5-0</u>.

Ro'n i'n cysgu am saith o'r gloch.	*I was sleeping at seven o'clock.*
Ro'n i'n bwyta brecwast am saith o'r gloch.	*I was eating breakfast at seven o'clock.*
Ro'n i'n gyrru am saith o'r gloch.	*I was driving at seven o'clock.*
Ro'n i'n gwrando ar y radio am saith o'r gloch.	*I was listening to the radio at seven o'clock.*
Beth o't ti'n wneud am saith o'r gloch?	*What were you doing at seven o'clock?*
Beth o't ti'n wneud am wyth o'r gloch?	*What were you doing at eight o'clock?*
Beth o'ch chi'n wneud am naw o'r gloch?	*What were you doing at nine o'clock?*
Beth o'ch chi'n wneud am ddeg o'r gloch?	*What were you doing at ten o'clock?*

Enw	7am	10am	2pm	7pm

Ro'n i'n byw yn Llanelli pan o'n i'n fabi.
I lived in Llanelli when I was a baby.

LLANELLI

Ro'n i'n byw yng Nghaerfyrddin pan o'n i'n blentyn.
I lived in Carmarthen when I was a child.

CAERFYRDDIN

Ble ro't ti'n byw pan o't ti'n blentyn?
Where did you live when you were a child?

Ble ro'ch chi'n byw pan o'ch chi'n blentyn?
Where did you live when you were a child?

Ble ro'ch chi'n byw?

T	yn	
C	yng	
P	ym	
D	yn	
G	yng	
B	ym	
Dim newid	yn	

Pan o'n i'n blentyn...

Do'n i ddim yn lico hoci. ———— *I didn't like hockey.*
Do'n i ddim yn lico cinio ysgol. ——— *I didn't like school dinners.*
Do'n i ddim yn lico bwyta sbrowts. — *I didn't like eating sprouts.*
Do'n i ddim yn lico ymarfer piano. — *I didn't like practising the piano.*

O't ti'n hoffi cinio ysgol? ———— *Did you like school dinners?*
O't ti'n hoffi gwaith cartref? ——— *Did you like homework?*
O't ti'n hoffi ymarfer corff? ——— *Did you like P.E.?*
O't ti'n hoffi canu yn y côr? ——— *Did you like singing in the choir?*

O'n. ✓   **Nac o'n.** ✗

Beth o't ti'n lico?

Ysgrifennwch ateb (e.e. Ro'n i'n lico mynd i'r ysgol / Do'n i ddim yn lico mynd i'r ysgol) a holwch *(ask)* eich partner.

helpu yn y tŷ	
🏫	
gwneud gwaith cartre	
🏊	
mynd i'r sŵ	
🎡	
mynd at y deintydd	
⛱	

Ro'n i'n (arfer) gwylio *Blue Peter*. —— *I used to watch Blue Peter.*
Ro'n i'n (arfer) darllen y *Beano*. —— *I used to read the Beano.*
Ro'n i'n (arfer) chwarae hoci. —— *I used to play hockey.*
Ro'n i'n (arfer) mynd i Lanelli. —— *I used to go to Llanelli.*

Dw i wedi ymddeol nawr. —— *I have retired now.*
Ond...
Ro'n i'n gweithio mewn canolfan siopa. *I used to work in a shopping centre.*
Ro'n i'n gweithio mewn ffatri. —— *I used to work in a factory.*
Ro'n i'n gweithio mewn amgueddfa. *I used to work in a museum.*
Ro'n i'n gweithio mewn bwyty. —— *I used to work in a restaurant.*

Ro'n ni'n gweithio yn Ysbyty Singleton. —— *We used to work in Singleton Hospital.*

Ro'n ni'n gweithio yn y Cyngor Sir. —— *We used to work in the County Council.*

Ro'n nhw'n gweithio yn y coleg. —— *They used to work in the college.*

Ro'n nhw'n gweithio yn y parc busnes. —— *They used to work in the business park.*

Ble ro'ch chi'n gweithio o'r blaen? —— *Where were you working before?*

Ble ro'n nhw'n gweithio o'r blaen? —— *Where were they working before?*

 Dis 1

 Dis 2

1- fi	1 - trist
2 - ti	2 - hapus
3 – fe/hi	3 - tost
4 - ni	4 - oer
5 - chi	5 - prysur
6 - nhw	6 - diog

Ffeindiwch yr ateb!

O't ti'n arfer byw mewn fflat?	O'n.
Oedd yr athrawes yn gwybod yr ateb?	O'n.
Oedd y swyddfa'n brysur?	Nac o'n.
O't ti'n hoffi mathemateg?	Oedd.
O'n nhw'n gweithio dydd Sadwrn?	Nac oedd.
O'ch chi'n gwybod?	Oedd.
O'n nhw'n oer yn y Sahara?	O'n.
Oedd Gareth yn chwarae neithiwr?	Nac o'n.

Ro'n i'n gwybod.	*I knew.*
Ro'n i'n nabod John.	*I knew John.*
Ro'n i'n meddwl.	*I thought (so).*
Ro'n i'n gobeithio.	*I hoped (so).*
Ro'n i eisiau.	*I wanted.*

Sgwrs 1

Chris: Ble dych chi'n byw nawr?

Pat: Dw i'n byw <u>ym Margoed</u>.

Chris: Wel, wel! Dw i'n byw <u>ym Margoed</u> hefyd. Byd bach.

Pat: Dych chi'n lico <u>Bargoed</u>?

Chris: Ydw. Ro'n i eisiau byw <u>yng Nghaerffili</u> ond dw i'n lico <u>Bargoed</u> yn fawr.

Pat: Ble ro'ch chi'n byw cyn symud i <u>Fargoed</u>?

Chris: Ro'n i'n byw <u>yn y Barri</u>.

Pat: Wel, wel, do'n i ddim yn byw yn bell. Ro'n i'n byw <u>ym Mhenarth</u> pan o'n i'n blentyn.

Chris: Ble dych chi'n gweithio nawr?

Pat: Dw i'n gweithio <u>yn Ysbyty Neville Hall yn y Fenni</u>. Dw i'n nyrsio.

Chris: Wel, dw i wedi ymddeol.

Pat: Lwcus iawn. Ble ro'ch chi'n gweithio cyn ymddeol?

Chris: Ro'n i'n gweithio gyda'r Cyngor Sir. Ro'n i'n trwsio'r ffyrdd. A ble ro'ch chi'n gweithio cyn <u>yr ysbyty</u>?

Pat: Do'n i ddim yn gweithio. Ro'n i yn y coleg <u>yng Nghaerdydd</u>.

Chris: Braf iawn!

Sgwrs 2

A: Rhys?

B: Yn siarad.

A: Pennaeth yr ysgol yma. Pam dwyt ti ddim yn yr ysgol ar hyn o bryd?

B: Roedd annwyd arna i dydd Llun a dydd Mawrth.

A: Est ti i'r feddygfa i gael papur doctor?

B: Naddo. Ro'n i'n well dydd Mercher, ond roedd apwyntiad deintydd gyda fi dydd Mercher.

A: Trwy'r dydd?

B: Ie. Mae'r deintydd ym Mryste.

A: Pam do't ti ddim yn yr ysgol dydd Iau?

B: Doedd y ci ddim yn dda. Roedd bola tost gyda fe.

A: Pam dwyt ti ddim yn yr ysgol heddiw?

B: Do'n i ddim yn deall y gwaith. Do'n i ddim eisiau teimlo fel ffŵl yn y dosbarth.

A: Wyt ti'n dod i'r ysgol dydd Llun?

B: Ydw.

A: Da iawn. Dw i ddim eisiau talu am athro cyflenwi eto yr wythnos nesa.

Ynganu – Enwau lleoedd *(Place names)* Pwyslais! *Stress!*

Ar y sillaf olaf ond un / *On the last syllable but one.*

Fflint / Conwy / Caernarfon / Caerffili / Casnewydd / Cydweli / Llandeilo / Aberystwyth / Abertawe / Aberteifi / Dolwyddelan / Aberhonddu

OND – Caerdydd – *stress on* dydd – *2 words* **= caer + dydd.**

Mae castell yn y lleoedd yma i gyd.
Felly, gyda eich partner dwedwch:
Gwelais i gastell yn/yng...

Robin Radio:

a) Atebwch:

Gyda phwy mae Robin yn siarad? ....

....

Ble roedd hi'n gweithio? ....

....

Sut mae'r ffordd o'r castell i Fryncastell mewn eira? ....

....

b) Gwrandewch am:

ger y castell ─────────── *near the castle*
ddim yn bell ─────────── *not far*
Ydy hi'n bwrw eira'n aml? ──── *Does it snow often?*

c) Cyfieithwch:

I was able to walk to the castle. ....

every winter ....

at the seaside ....

Help llaw

1. Y Treiglad Trwynol/*Nasal Mutation*

This change happens after the preposition **yn** *meaning 'in'.*

T > yn Nh	**D > yn N**
C > yng Ngh	**G > yng Ng**
P > ym Mh	**B > ym M**

It does occur in other contexts, but not as often as the soft mutation. Write a place name you can associate with in the gaps above.

2. *Notice how the word* **yn** *itself changes.*
3. *There is no mutation after* **mewn** *(in a....)* Dw i'n gweithio mewn coleg.
4. *Here is the imperfect tense of* **bod**.

Cadarnhaol/ *Affirmative*	Cwestiwn/ *Question*	Negyddol/ *Negative*	Atebion/ *Answers*
Ro'n i*	O'n i?	Do'n i ddim	O'n/Nac o'n
Ro't ti*	O't ti?	Do't ti ddim	O't/Nac o't
Roedd e/hi	Oedd e/hi?	Doedd e/hi ddim	Oedd/Nac oedd
Ro'n ni*	O'n ni?	Do'n ni ddim	O'n/Nac o'n
Ro'ch chi*	O'ch chi?	Do'ch chi ddim	O'ch/Nac o'ch
Ro'n nhw*	O'n nhw?	Do'n nhw ddim	O'n/Nac o'n

* you will also see **Roeddwn i, Roeddet ti, Roedden ni, Roeddech chi, Roedden nhw.**

5. *This tense refers to things we did often in the past, rather than a one-off activity. Compare the following:*

Cerddais i'r ysgol ddoe. Gwelais i'r bws ysgol.	*I walked to school yesterday. I saw the school bus.*
Ro'n i'n cerdded i'r ysgol ddoe pan welais i'r bws ysgol.	*I was walking to school yesterday when I saw the school bus.*
Ro'n i'n cerdded i'r ysgol pan o'n i'n blentyn.	*I walked to school when I was a child.*
Ble ro't ti pan alwodd y bòs?	*Where were you when the boss called?*
Ro'n i'n cerdded i'r gwaith.	*I was walking to work.*

6. *You are familiar with the expression* **fel arfer** *= usually, as usual. We now see* **arfer** *to express something you used to do. However, we don't have to use it. Using the imperfect conveys the same meaning.* **Ro'n i'n arfer gweithio yn yr ysbyty.** *– I used to work in the hospital.*

7. *We always use the imperfect with the following:*
Ro'n i'n hoffi/lico _____ *I liked*
Ro'n i'n gwybod/nabod _____ *I knew*
Ro'n i eisiau _____ *I wanted*

8. *We usually use the imperfect with adjectives:*
Ro'n i'n brysur.
Roedd hi'n oer.

9. *The stem of* **galw** *is* **galw:**
galwais i _____ *I called*

Uned 15 (un deg pump) – Siarad wyneb yn wyneb.

Nod: Ymarfer siarad wyneb yn wyneb ac adolygu unedau 8–14/ *Practising speaking face to face and revising units 8–14.* (Dw i wedi, arall)

Geirfa

gwers(i)	*lesson(s)*	**Nos Galan**	*New Year's Eve*
llinell(au)	*line(s)*	**taith (teithiau)**	*journey(s)*

awdur(on)	*author(s)*	llyfrgellydd	*librarian(s)*
dant (dannedd)	*tooth (teeth)*	(llyfrgellwyr)	
dewis(iadau)	*choice(s)*	wyneb(au)	*face(s)*

anghofio	*to forget*	**trafod**	*to discuss*
archebu	*to order*	**ysgrifennu**	*to write*

annwyl	*dear*	hir	*long*
buan	*soon*	rhyfedd	*strange, funny*

bobl bach!	*good grief!*	**hyn**	*this*

Geiriau pwysig i fi

× ....   × ....

× ....   × ....

× ....   × ....

Gêm o gardiau

	♠	♦	♣	♥
A	Ble ro'ch chi'n byw yn 2007?	Ble aethoch chi i'r ysgol?	Beth yw'ch gwaith chi?	Sut roedd y tywydd ddoe?
2	Ble aethoch chi i siopa yr wythnos diwetha?	Pryd codoch chi y bore 'ma?	Beth gest ti i frecwast heddiw?	Beth wnaethoch chi ddoe?
3	Oes beic gyda chi?	Ble aethoch chi ar wyliau ddiwetha?	Dych chi'n darllen y dudalen chwaraeon yn y papur newydd?	Oes cyfrifiadur gyda chi?
4	Oedd hi'n braf dydd Sadwrn?	Sut ro't ti'n arfer mynd i'r ysgol?	Beth dych chi'n wneud y penwythnos nesa?	Aethoch chi i'r coleg?
5	Oes anifeiliaid anwes gyda chi?	Beth dych chi'n hoffi ar y teledu?	Oes amser gyda chi i siopa heddiw?	Oes teulu gyda chi?
6	Oedd anifail anwes gyda chi pan o'ch chi'n blentyn?	Beth o'ch chi'n lico wneud pan o'ch chi'n blentyn?	Ble aethoch chi i siopa Nadolig?	Beth brynoch chi ddiwetha?
7	Beth weloch chi ar y teledu neithiwr?	Beth gest ti i ginio dydd Sul?	Faint o'r gloch est ti i'r gwely neithiwr?	Ble ro'ch chi Nos Galan ddiwethaf?
8	Oes car gwyrdd gyda chi?	Sut mae'r tywydd heddiw?	Pwy oedd yn y newyddion yr wythnos diwetha?	Beth oedd ar y teledu yr wythnos diwetha?
9	Ble ro'ch chi'n arfer gweithio?	Beth do't ti ddim yn lico wneud pan o't ti'n blentyn?	Ble ro't ti'n mynd ar wyliau pan o't ti'n blentyn?	Ble ro'ch chi dydd Nadolig?
10	Beth gawsoch chi i swper nos Sadwrn?	Beth weloch chi yn y sinema ddiwetha?	Ble gwnaethoch chi fwyta mas ddiwetha?	Ble dych chi'n byw?
Jac	O't ti'n lico nofio pan o't ti'n blentyn?	Beth o't ti'n hoffi ddarllen pan o't ti'n blentyn?	Beth do't ti ddim yn lico fwyta pan o't ti'n blentyn?	Aethoch chi am dro dros y penwythnos?
Brenhines	Wnaethoch chi smwddio neithiwr?	Gawsoch chi baned o goffi y bore 'ma?	Tua faint o'r gloch gadawaist ti'r tŷ y bore 'ma?	Est ti i'r capel/ eglwys/mosg dros y penwythnos?
Brenin	Wnest ti arddio dros y penwythnos?	Siaradaist ti Gymraeg gyda rhywun echdoe?	Ble est ti i lan y môr ddiwetha?	O ble dych chi'n dod yn wreiddiol?

Sgwrs 1 – Yn y swyddfa

Chris: Bore da. Wyt ti eisiau paned?

Jo: <u>Coffi du</u>, plîs. Dw i angen caffîn. Roedd y traffig yn ofnadwy y bore 'ma.

Chris: Sut aeth y cyfarfod tîm ddoe?

Jo: <u>Da iawn</u>. Trafodon ni'r cyfarfod mawr nesa gyda'r staff. 'Dyn ni'n mynd i gael y cyfarfod <u>ym Mhontypridd</u>.

Chris: Pryd?

Jo: Y mis nesa, gobeithio. Beth wyt ti'n wneud heddiw?

Chris: Dw i yn y swyddfa y bore 'ma. Dw i eisiau ateb ebost gan y bòs. Ond mae dau gyfarfod gyda fi y prynhawn 'ma.

Jo: Dw i wedi ateb pob ebost. Gwnes i nhw neithiwr. Dw i'n mynd i ysgrifennu papur heddiw.

Chris: Reit, coffi!

Wedi

Dw i wedi ateb pob ebost. ———— *I have answered every email.*

Dw i wedi darllen llyfr Harry Potter. *I have read a Harry Potter book.*
Dw i wedi gweld ffilm James Bond. *I have seen a James Bond film.*
Dw i wedi bwyta sushi. ———— *I have eaten sushi.*
Dw i wedi bod yn y gwaith. ———— *I have been in work.*

Dw i ddim wedi chwarae golff. ———— *I haven't played golf.*
Dw i ddim wedi canu carioci. ———— *I haven't sung karaoke.*
Dw i ddim wedi bod yn Las Vegas. ———— *I haven't been in Las Vegas.*
Dw i ddim wedi nofio yn y Caribî. ———— *I haven't swum in the Caribbean.*

Wyt ti wedi blino? ———— *Are you tired?*
Wyt ti wedi cael brecwast? ———— *Have you had breakfast?*
Wyt ti wedi cael swydd newydd? —— *Have you had a new job?*
Wyt ti wedi ymddeol? ———— *Have you retired?*

Ydw. ✓   **Nac ydw.** ✗

Llongau rhyfel

yfed llaeth soia	gweld gêm hoci iâ	yfed te gwyrdd	gweld ffilm 3D	bod yn Iwerddon	gweld gêm pêl-droed America
dawnsio tango	bwyta cyrri madras	canu blŵs	yfed lemonêd pinc	darllen Hello!	bwyta cig cangarŵ
bwyta cig crocodeil	canu carioci	dawnsio llinell	byw mewn fflat	gyrru Ferrari	gweithio mewn ffatri
gweld The Sound of Music	bwyta sushi	gyrru tractor	gweld Hamlet	chwarae pêl-droed	bod yn Lerpwl

Sgwrs 2 – Yn y llyfrgell

Llyfrgellydd: Prynhawn da.

Eryl: Prynhawn da. Dw i eisiau benthyg *Teithiau Cerdded Cymru* gan Eryl Hughes. Oes copi gyda chi, os gwelwch chi'n dda? Dw i ddim yn gallu gweld dim byd ar y silff.

Llyfrgellydd: Roedd dau gopi gyda ni ddoe. Un funud – dw i'n gallu edrych ar y cyfrifiadur.

Eryl: Diolch. Roedd darn yn *Lingo* am y llyfr.

Llyfrgellydd: A, dyma ni. Cafodd rhywun arall y ddau gopi ddoe. Dw i'n gallu cael copi o lyfrgell arall i chi.

Eryl: Diolch yn fawr iawn.

Llyfrgellydd: Dim problem. Beth yw eich rhif llyfrgell?

Eryl: EBCS3987.

Llyfrgellydd: Beth yw'r enw?

Eryl: Eryl Hughes.

Llyfrgellydd: Mae hyn yn rhyfedd, dyna enw'r awdur.

Eryl: Ie, fi yw'r awdur!

Llyfrgellydd: Wel, un cwestiwn arall. Dych chi'n defnyddio ebost?

Eryl: Ydw. Eryl.hughes33@llanaber. cymru.

Llyfrgellydd: Iawn. Dw i'n gallu anfon ebost pan mae'r llyfr yn cyrraedd.

Eryl: Diolch yn fawr. Hwyl!

Arall *- another*

Ffeindiwch y tri **arall** yn y ddeialog ac ysgrifennwch y brawddegau *(sentences)* yma:

1. ....

2. ....

3. ....

Ymarfer:

Dw i wedi cael llyfr arall. ——————— *I have had another book.*

Dw i wedi cael llythyr arall. ————— *I have had another letter.*

Dw i wedi cael cerdyn arall. ———— *I have had another card.*

Dw i wedi cael diod arall. ————— *I have had another drink.*

Ysgrifennwch bum cwestiwn i blentyn gydag **arall**.
e.e. Wyt ti eisiau diod arall?

1. ....

2. ....

3. ....

4. ....

5. ....

Misoedd y flwyddyn

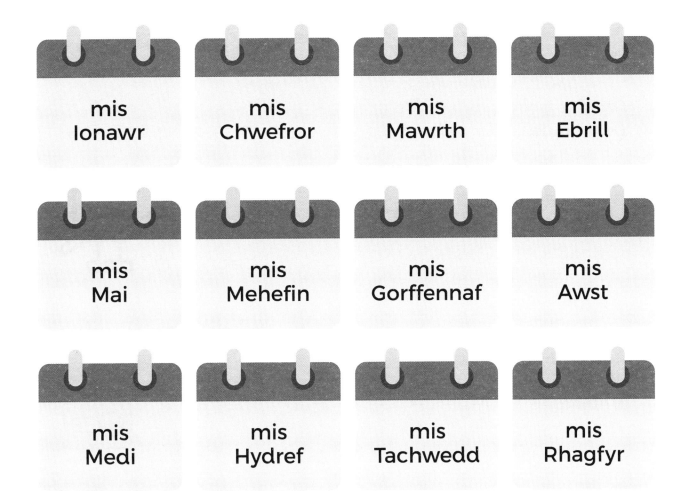

mis
Ionawr

mis
Chwefror

mis
Mawrth

mis
Ebrill

mis
Mai

mis
Mehefin

mis
Gorffennaf

mis
Awst

mis
Medi

mis
Hydref

mis
Tachwedd

mis
Rhagfyr

Sgwrs 3

Derbynnydd: Bore da, gaf i helpu?

Chris: Bore da. Mae problem gyda fi.

Derbynnydd: Ydy'r ddannodd arnoch chi?

Chris: Nac ydy, ond anghofiais i ddod i apwyntiad ddoe.

Derbynnydd: Beth yw'r enw?

Chris: Chris Jones.

Derbynnydd: Gyda phwy roedd yr apwyntiad?

Chris: Gyda Mrs Dent.

Derbynnydd: Pryd roedd yr apwyntiad?

Chris: Bore ddoe am un ar ddeg.

Derbynnydd: Un funud – o ie, mae nodyn ar y cyfrifiadur. Roedd hi'n aros am chwarter awr...

Chris: Wel, mae'n ddrwg gyda fi... Gaf i apwyntiad arall?

Derbynnydd: Pryd?

Chris: Cyn bo hir, os gwelwch chi'n dda.

Derbynnydd: Mae'n ddrwg gyda fi, does dim apwyntiad arall gyda <u>Mrs Dent</u> tan fis <u>Awst</u>. Dych chi eisiau gweld deintydd arall?

Chris: Does dim dewis gyda fi, felly.

Derbynnydd: Iawn, apwyntiad gyda <u>Mr Dent</u>.

Chris: O… dim diolch, ces i boen ofnadwy ar ôl gweld <u>Mr Dent</u>. Gaf i apwyntiad gyda <u>Mrs Dent</u> ym mis <u>Awst</u>?

Derbynnydd: Ydy <u>Awst</u> y cyntaf am <u>hanner awr wedi deg</u> yn iawn?

Chris: Wel… ydy, iawn. Hwyl!

Derbynnydd: Gwela i chi ym mis <u>Awst</u>. Hwyl!

Robin Radio:

a) Atebwch:

Ble aeth Llinos dros y penwythnos? ....

Ble bwytodd hi? ....

Beth wnaeth hi ar ôl bwyd? ....

b) Gwrandewch am:

Pwy enillodd? _____ *Who won?*
Beth wnaethoch chi wedyn? _____ *What did you do then?*
mewn clwb nos _____ *in a night club*

c) Cyfieithwch:

Who won? ....

We heard a group. ....

Did you have fun? ....

Adolygu Atebion *(Yes and No Revision)*

Wnest ti'r gwaith?	**Do. / Naddo.**	**Uned 9**
Brynaist ti fara?	**Do. / Naddo.**	**Uned 9**
Aethoch chi ar wyliau llynedd?	**Do. / Naddo.**	**Uned 10**
Aeth Gwen i'r gwaith?	**Do. / Naddo.**	**Uned 10**
Gest ti frecwast heddiw?	**Do. / Naddo.**	**Uned 11**
Gafodd / Gaeth y teulu amser da yn Sbaen?	**Do. / Naddo.**	**Uned 11**
Oes anifail anwes gyda ti?	**Oes. / Nac oes.**	**Uned 12**
Oes car gwyrdd gyda Gareth?	**Oes. / Nac oes.**	**Uned 12**
Oedd hi'n braf ddoe?	**Oedd. / Nac oedd.**	**Uned 13**
Oedd pen tost gyda ti?	**Oedd. / Nac oedd.**	**Uned 13**
O't ti'n brysur ddoe?	**O'n. / Nac o'n.**	**Uned 14**
O'n i'n iawn?	**O't. / Nac o't.**	**Uned 14**
O'ch chi yma yr wythnos diwetha?	**O'n. / Nac o'n.**	**Uned 14**
O'n ni yn y parti?	**O'ch. / Nac o'ch.**	**Uned 14**
O'n nhw'n hapus?	**O'n. / Nac o'n.**	**Uned 14**
Wyt ti wedi adolygu?	**Ydw. / Nac ydw.**	**Uned 15**

Sgwrs 4

A: Helô, cariad; croeso adre. Gest ti ddiwrnod da yn y gwaith?

B: Naddo.

A: Trueni. O't ti'n brysur ofnadwy?

B: O'n.

A: Oedd y staff yn grac eto heddiw?

B: O'n.

A: Est ti mas amser cinio?

B: Naddo.

A: Gest ti frechdan yn y swyddfa?

B: Do.

A: Wyt ti eisiau bwyd?

B: Ydw.

A: Ydy stêc yn iawn?

B: Ydy.

A: Beth wyt ti eisiau gyda fe? Tatws neu sglodion?

B: Ie.

A: Llysiau neu salad?

B: Ie.

A: Bobl bach! Dw i'n siarad â'r wal!

Help llaw

1. Yn Uned 15, *we have another past tense – **the perfect tense**:*

Darllenais i ———————	*I read*
Ro'n i'n darllen ———————	*I was reading*
Dw i wedi darllen ———————	*I have read*

2. *The perfect tense is very similar to the present tense,* **yn** *is replaced by* **wedi**.

Dw i'n darllen ———————	**Dw i wedi darllen**
Rwyt ti'n darllen ———————	**Rwyt ti wedi darllen**
Mae e/hi'n darllen ———————	**Mae e/hi wedi darllen**
'Dyn ni'n darllen ———————	**'Dyn ni wedi darllen**
Dych chi'n darllen ———————	**Dych chi wedi darllen**
Maen nhw'n darllen ———————	**Maen nhw wedi darllen**

Syniad da!

Syniad da! – Mentrau Iaith

Mae 22 Menter Iaith (*Language Initiatives*) yng Nghymru. Edrychwch ar y map. Maen nhw yna i helpu pobl i fwynhau'r Gymraeg.

Their aim is to enable people of all ages to use Welsh in their communities and to socialise through the medium of Welsh. They arrange various activities for fluent Welsh speakers and Welsh learners, such as concerts, trips, quizzes, drama clubs for children, art and yoga sessions. Why not search online for your local Menter Iaith? *As well as practising your Welsh, you can meet new friends and develop new skills.*

Uned 16 (un deg chwech) – Rhifau, Amser ac Arian

Nod: Siarad am amser ac arian/_Talking about time and money_
(Faint o'r gloch yw hi?, y cloc, Faint yw...?, arian)

Geirfa

Ffrainc	France	**pysen (pys)**	_pea(s)_
mil(oedd)	_thousand(s)_		

cwm (cymoedd)	_valley(s)_	menyn	_butter_
cwmni	_company_	pensil(iau)	_pencil(s)_
(cwmnïau)	_(companies)_	newyddion	_news_
chwarter(i)	_quarter(s)_	ugain	_twenty_

cymryd	_to take_	**sgorio**	_to score_
cynnwys	_to include_	**trefnu**	_to organise_
ffermio	_to farm_	**troi**	_to turn_
perfformio	_to perform_		

drwg	_bad_

digon	_enough_	**yn erbyn**	_against_
hynny	_that_	**yn ôl**	_back, ago; according to_
o'r gorau	_ok, all right_		
rhy	_too_	**yn unig**	_only_
tan	_until_		

Geiriau pwysig i fi

....
✕   ✕
....
✕   ✕
....

Amser

Faint o'r gloch yw hi? ——————— *What time is it?*

Mae hi'n un o'r gloch. ——————— *It is one o'clock.*
Mae hi'n ddau o'r gloch. ——————— *It is two o'clock.*
Mae hi'n dri o'r gloch. ——————— *It is three o'clock.*
Mae hi'n bedwar o'r gloch. ——————— *It is four o'clock.*

pum munud i ddau
deg munud i ddau
chwarter i ddau
ugain munud i ddau
pum munud ar hugain
i ddau

o'r gloch

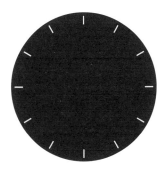

pum munud wedi dau
deg munud wedi dau
chwarter wedi dau
ugain munud wedi dau
pum munud ar hugain
wedi dau

hanner awr wedi dau

Faint o'r gloch mae'r dosbarth yn dechrau? Saith o'r gloch. ——— *What time does the class start? Seven o'clock.*

Faint o'r gloch mae'r dosbarth yn gorffen? Naw o'r gloch. ——— *What time does the class finish? Nine o'clock.*

Faint o'r gloch mae'r gêm yn dechrau? Tri o'r gloch. ——— *What time does the game start? Three o'clock.*

Faint o'r gloch mae'r gêm yn gorffen? Chwarter i bump. ——— *What time does the game finish? Quarter to five.*

S4/C

Partner A

Dechrau	Rhaglen
06:00	Cyw
	Cegin Bryn
13:00	Newyddion amser cinio
	Tywydd amser cinio
13:15	Prynhawn da
	Ffermio
16:00	Awr Fawr
	Stwnsh
18:00	Newyddion amser te
	Tywydd amser te
18:20	O'r Eisteddfod
19:00	Heno
	Newyddion
20:00	Pobol y Cwm
	Garddio a Mwy
	Y Byd ar Bedwar
21:30	Sgorio
22:45	Y Clwb Rygbi

S4/C
Partner B

Dechrau	Rhaglen
	Cyw
12:00	Cegin Bryn
	Newyddion amser cinio
13:10	Tywydd amser cinio
	Prynhawn da
15:00	Ffermio
	Awr Fawr
17:00	Stwnsh
	Newyddion amser te
18:15	Tywydd amser te
	O'r Eisteddfod
	Heno
19:30	Newyddion
	Pobol y Cwm
20:30	Garddio a Mwy
21:00	Y Byd ar Bedwar
	Sgorio
	Y Clwb Rygbi

Codais i am hanner awr wedi chwech. — *I got up at half past six.*

Gadawais i'r tŷ am hanner awr wedi saith. — *I left the house at half past seven.*

Cyrhaeddais i adre am bump o'r gloch. — *I arrived home at five o'clock.*

Es i i'r gwely am ddeg o'r gloch. — *I went to bed at ten o'clock.*

Faint o'r gloch codaist ti ddoe?		*What time did you get up yesterday?*
Faint o'r gloch gadawaist ti'r tŷ?		*What time did you leave the house?*
Faint o'r gloch cyrhaeddaist ti adre?		*What time did you arrive home?*
Faint o'r gloch est ti i'r gwely neithiwr?		*What time did you go to bed last night?*

Enw	codi	gadael y tŷ	cyrraedd adre	mynd i'r gwely

Arian

Punt / ceiniog	**Saith** punt / ceiniog
Dwy bunt / geiniog	**Wyth** punt / ceiniog
Tair punt / ceiniog	**Naw** punt / ceiniog
Pedair punt / ceiniog	**Deg** punt / ceiniog
Pum punt / ceiniog	**Ugain** punt / ceiniog
Chwe phunt / cheiniog	**Dau ddeg saith** punt / ceiniog

Faint yw'r gacen?	*How much is the cake?*
Punt.	*A pound.*
Faint yw'r gwyliau?	*How much is the holiday?*
Pum can punt.	*£500.*
Faint yw'r car?	*How much is the car?*
Pum mil o bunnau.	*£5,000.*
Faint yw'r garafán?	*How much is the caravan?*
Ugain mil (o bunnau).	*£20,000.*

> **Cofiwch –**
> Rhad / Drud iawn!

Prisiau Tesburys

Partner A	
Tatws newydd	**£1**
Siocled poeth	
Bisgedi	**90c**
Pensiliau lliw	**£3**
Llyfr lliwio	
Moron	
Pys mewn tun	**30c**
Menyn	
Afalau	**£2.99**
Cacen Pen-blwydd	

Partner B	
Tatws newydd	
Siocled poeth	**£1.50**
Bisgedi	
Pensiliau lliw	
Llyfr lliwio	**£1.50**
Moron	**40c**
Pys mewn tun	
Menyn	**£1.15**
Afalau	
Cacen Pen-blwydd	**£4.50**

Amserau a phrisiau

Gwrandewch am yr amserau a'r prisiau.

Beth?	Amser dechrau Defnyddiwch rifau/*Use numbers*	Pris Defnyddiwch rifau/*Use numbers*
Cyngerdd		
Parti		
Cwrs Sbaeneg		
Clwb Dawnsio		
Cadw'n Heini		

Sgwrs yn y Siop

Ceri: Faint yw'r llyfr yna, os gwelwch chi'n dda?

Sam: Pedair punt naw deg naw.

Ceri: Ddim yn rhy ddrwg. Gaf i brynu un, os gwelwch chi'n dda?

Sam: Wrth gwrs. Dyma chi. Pedair punt naw deg naw, os gwelwch chi'n dda.

Ceri: A faint yw'r calendr?

Sam: Dim ond dwy bunt pum deg!

Ceri: Mae hynny'n dda. Gaf i ddau, os gwelwch chi'n dda?

Sam: Dyma chi. Naw punt naw deg naw.

Ceri: O, mae'n ddrwg gyda fi, does dim digon o arian gyda fi...Dych chi'n cymryd cerdyn?

Sam: Ydyn, wrth gwrs.

Ceri: Pam wnaethoch chi ddim dweud?

Sam: Wnaethoch chi ddim gofyn!

Ymarfer – Rhy

Ydy'r bwyd yn ddrud?   Nac ydy, ddim yn rhy ddrud.

Ydy'r tywydd yn ddrwg? ....

Ydy'r coffi'n boeth? ....

Ydy'r te'n oer? ....

Ydy'r gwaith yn ddiflas? ....

Ydy'r bòs yn ddiog? ....

Ynganu

Dwedwch y brawddegau yma wrth eich partner, bob yn ail.

Dw i'n darllen llyfrau Llinos.
Mae chwe chwaer yn chwarae cardiau.
Llwyd yw lliw'r llyfrau yn y llyfrgell.
Dw i'n gweithio mewn gwesty gwely a brecwast.

Llyfrau Amdani

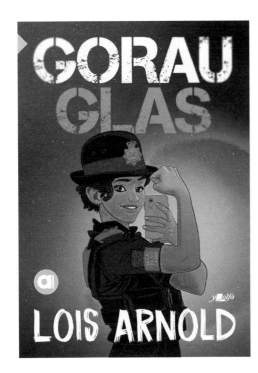

Dych chi nawr yn gallu darllen *Gorau Glas* gan Lois Arnold. Dych chi'n gallu prynu'r llyfr o'ch siop lyfrau leol neu ar gwales.com. Dyma'r clawr (*cover*) a'r paragraff cynta:

Shwmae! Alix dw i. Dw i'n 23 oed. Dw i'n byw yn Aberglas.

Dw i ddim yn enwog. Person bach dw i (dim ond 5' 1"!).

Ond bob dydd dw i'n gwisgo iwifform. Yna dw i'n codi'r radio, y cyffion, y camera, y tortsh a'r ffôn.

Person newydd dw i nawr. Alix Jenkins, Heddlu Aberglas, yn mynd ar batrôl!

Robin Radio

a) Atebwch

Ble mae'r cyngerdd? ....

Pryd mae'r cyngerdd? ....

Pam mae Anti Mair eisiau mynd? ....

b) Gwrandewch am:

Sut gallwn ni helpu? ———— *How can we help?*
bargen go iawn ———— *a real bargain*
Diolch am eich help. ———— *Thank you for your help.*

c) Cyfieithwch:

We are organising a bus. ....

We can share the bus. ....

I want to hear the choir again. ....

Help llaw

1. *It is important, as always, to remember to use the soft mutation after* **i**, *e.g.* **chwarter i bedwar.** *We also see it here after* **am**, *e.g.* **am bump o'r gloch**.

2. *As with the weather, we use the feminine pronoun when referring to time, e.g.* **Faint o'r gloch yw hi? Mae hi'n bump o'r gloch.**

3. *The number following* **yn** *takes the* **treiglad meddal:**
Mae hi'n bump o'r gloch.
Mae hi'n ddeuddeg o'r gloch.

4. *The older forms of the numbers 20 and 25 are used when telling the time:*
20 = ugain
25 = pump ar hugain *(literally five on twenty)*

5. *Also, note the placing of the words* **awr** *and* **munud** *in the middle of the number:*
pum munud ar hugain
pedair awr ar hugain *(24 hours)*
The reason for adding the letter **h** *will be explained later.*

6. *Money.*
Punt *and* **ceiniog** *are both feminine nouns.*
The numbers two, three and four have feminine forms (see Unedau 7 a 12*) =*
dwy, tair + pedair.
Remember to change the numbers accordingly.

7. Tri a Chwe
The **treiglad llaes** *(aspirate mutation) follows* **tri** *and* **chwe**:
tri theulu   chwe theulu
tri chant   chwe chant
tri phlentyn   chwe phlentyn

8. Yn y ddeialog, dych chi'n gweld **ddim yn rhy ddrwg. Rhy** *always comes before the adjective and causes a* **treiglad meddal (drwg > rhy ddrwg).**

9. Bôn anodd/*A difficult stem:*
cymryd   cymer-   cymerais i

Uned 17 (un deg saith) – Bydd hi'n braf yfory

Nod: Siarad am ddigwyddiadau yn y dyfodol/*Speaking about events in the future*
(bydda i, bydd e/hi)

Geirfa

cystadleuaeth (cystadlaethau)	*competition(s)*
ffair	*fair*
Gwlad yr Iâ	*Iceland*
hysbyseb(ion)	*advert(s)*

noson	*evening*
ochr(au)	*side(s)*
seren (sêr)	*star(s)*
yr Wyddfa	*Snowdon*

bar(iau)	*bar(s)*
lled	*width*
maes (meysydd)	*field(s)*
mynediad	*entry*
oedolyn (oedolion)	*adult(s)*

pensiwn	*pension*
pensiynwr (-wyr)	*pensioner(s)*
trydan	*electricity*

cefnogi	*to support*
chwerthin	*to laugh*
digwydd	*to happen*

gwenu (ar)	*to smile (at)*
poeni	*to worry*
torri	*to break, to cut*

cynnes	*warm*
di-waith	*unemployed*
hawdd	*easy, simple*

niwlog	*foggy, misty*
posib	*possible*

ar werth	*for sale*
dim ond	*only*

ledled	*throughout*
unrhyw	*any*

Geiriau pwysig i fi

....
× .... × ....
× .... × ....

Mae hi'n braf heddiw. ———— *It's fine today.*
Roedd hi'n braf ddoe. ———— *It was fine yesterday.*
Bydd hi'n braf heno. ———— *It will be fine tonight.*
Bydd hi'n bwrw eira yfory. ———— *It will be snowing tomorrow.*

Sut bydd y tywydd yfory? ———— *How will the weather be tomorrow?*
Fydd hi'n bwrw glaw ym ———— *Will it be raining in Blaenau Ffestiniog?*
Mlaenau Ffestiniog?
Fydd hi'n bwrw eira ar yr Wyddfa? — *Will it be snowing on Snowdon?*
Fydd hi'n boeth yn Siberia? ———— *Will it be hot in Siberia?*
Fydd hi'n oer yn Dubai? ———— *Will it be cold in Dubai?*

Bydd. ✔ **Na fydd.** ✗

Fydd hi'n...?

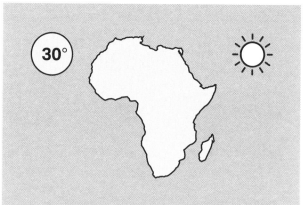
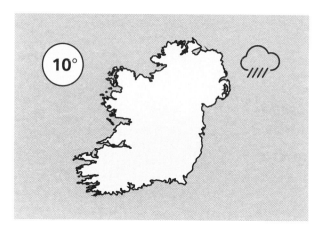
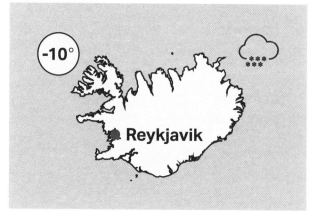

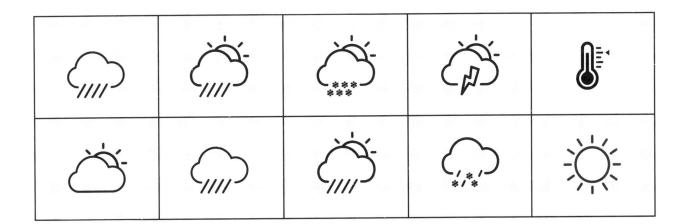

Bydd Bethan yn brysur heno. ——— *Bethan will be busy tonight.*
Bydd hi'n brysur yfory. ——— *She will be busy tomorrow.*
Bydd Bryn yn brysur heno. ——— *Bryn will be busy tonight.*
Bydd e'n brysur yfory. ——— *He will be busy tomorrow.*

Fydd Bethan ddim yn brysur heno. — *Bethan won't be busy tonight.*
Fydd hi ddim yn brysur yfory. ——— *She won't be busy tomorrow.*
Fydd Bryn ddim yn brysur heno. — *Bryn won't be busy tonight.*
Fydd e ddim yn brysur yfory. ——— *He won't be busy tomorrow.*

Llongau rhyfel
Fydd Bethan yn ... yfory?

gweithio yn Llundain	mynd mas gyda ffrind	adolygu cyn y dosbarth Cymraeg	codi dail ar ôl y storm
mynd i'r ysbyty	trefnu cyfarfod i'r cwmni ym Mryste	mynd at y meddyg	cael arian o'r banc
cael cegin newydd yn y tŷ	gwneud crempog i frecwast	mynd i'r ysgol	mynd i'r dosbarth Cymraeg
mynd at y deintydd	symud tŷ	prynu cot newydd	prynu tocyn loteri
mynd i Ffrainc am y penwythnos	cysgu'n hwyr	bwyta brechdanau i ginio	mynd ar wyliau

Ble bydd pawb yn mynd?	——	*Where will everyone be going?*
Sut bydd pawb yn mynd?	——	*How will everyone be going?*
Pryd bydd pawb yn mynd?	——	*When will everyone be going?*
Pam bydd pawb yn mynd?	——	*Why will everyone be going?*

Ble bydd pawb yn mynd ar wyliau?

Pwy?	Ble?	Bwyta?	Yfed?
A - Tom	Tokyo	sushi	sake
2 - Mari	Milan	pitsa	cappuccino
3 - Morfydd	Morocco	couscous	te mint
4 - Marc	Madras	cyrri poeth	te masala chai
5 - Mair	Madrid	tapas	gwin Rioja
6 - Sara	Sydney	barbeciw	lager
7 - Mathew	Moscow	strogonoff	fodca
8 - Gareth	Glasgow	haggis	wisgi
9 - Paul	Provence	croissant	siampên
10 - Sam	Seattle	byrgyr	coffi
Jac - Jac	Acapulco	tacos	tequila
Brenhines - Liz	Lerpwl	lobsgows	cwrw
Brenin - Carlo	Caerffili	caws	paned o de

Bydda i yn y gwaith yfory.	——	*I will be in work tomorrow.*
Bydda i yn y tŷ yfory.	——	*I will be in the house tomorrow.*
Bydda i yn y dre yfory.	——	*I will be in town tomorrow.*
Bydda i yn y siop yfory.	——	*I will be in the shop tomorrow.*

Ynganu

Dwedwch y brawddegau yma:

Roedd hi'n stormus yn Rhuthun neithiwr.
Mae'r haul yn gwenu yn Hwlffordd heddiw.
Bydd hi'n wlyb ledled y wlad heno.
Bydd hi'n fendigedig o Fangor i Flaenau Ffestiniog yfory.

Gwrando

Llenwch y bylchau./*Fill in the gaps.*

Dyma'r bwletin tywydd.

Roedd hi'n .... iawn ddoe, dros Gymru i gyd. Diolch byth, mae

hi'n .... nawr, tywydd i fynd â'r ci am dro. Ond, mae'n

ddrwg gyda fi ddweud, mae hi'n mynd i .... heno. Bydd

hi'n .... dros nos yn y de a'r gogledd. Yfory, bydd

y .... wedi mynd, ond bydd hi'n .... Dim

.... yfory eto! A dyna'r bwletin tywydd.

Sgwrs

Derbynnydd: Bore da, gaf i helpu?
Chris: Gaf i siarad â'r bòs?
Derbynnydd: Dyw e ddim yma heddiw. Mae e ar wyliau yn y Bahamas.
Chris: Pryd bydd e'n ôl?
Derbynnydd: Fydd e ddim yn ôl tan wythnos i ddydd Mawrth.
Chris: Gaf i adael neges?
Derbynnydd: Cewch, wrth gwrs.
Chris: Chris Ellis dw i. Dw i'n gweithio yn swyddfa Abercastell.

Ar ôl y storm ddoe, mae'r trydan wedi torri yn y swyddfa ac mae hi'n oer iawn yma.
Derbynnydd: O diar, mae'n ddrwg gyda fi glywed. Fydd hi'n bosib i chi ebostio'r bòs? Bydd e'n gallu darllen yr ebost yn y gwesty. Mae e'n darllen pob ebost bob dydd.
Chris: Fydd hi ddim yn bosib ebostio achos mae'r trydan wedi torri.
Derbynnydd: O, ie.
Chris: Diolch am eich help chi.
Derbynnydd: Croeso! Unrhyw bryd!

Robin Radio

a) Atebwch:

Am faint o'r gloch bydd y ffair yn dechrau?

....

Faint fydd rhywun 70 oed yn dalu i fynd i'r ffair?

....

Sut roedd y tywydd llynedd?

....

b) Gwrandewch am:

mynediad am ddim ————	*free entry*
Bydd yr haul yn gwenu. ———	*The sun will be shining.*
	(literally, smiling)
Beth fydd yn digwydd? ————	*What will be happening?*
llifogydd —————————	*floods*

c) Cyfieithwch:

in six weeks ....

The doors will open. ....

very noisy as usual ....

Help llaw

1. *The future form of* **bod** *(to be) is widely used in Welsh. You will hear it in the context of organising events and talking about the weather.*

Bydd e/hi	*He/she/it will be*	Bydda i	*I will be*
Fydd e/hi?	*Will he/she/it be?*	Fydda i?	*Will I be?*
Fydd e/hi ddim	*He/she/it won't be*	Fydda i ddim	*I won't be*

2. *The same mutation rules apply following* **yn** *as the present and imperfect tenses. Nouns and adjectives mutate following* **yn**, *but not verbs:*

Mae hi'n gweithio.	Mae hi'n **d**iwtor.	Mae hi'n **b**rysur.
Roedd hi'n gweithio.	Roedd hi'n **d**iwtor.	Roedd hi'n **b**rysur.
Bydd hi'n gweithio.	Bydd hi'n **d**iwtor.	Bydd hi'n **b**rysur.

Uned 18 (un deg wyth) – Bydda i'n mynd

Nod: Siarad am gynlluniau yn y dyfodol /
Talking about plans in the future
(byddi di, byddwn ni, byddwch chi, byddan nhw)

Geirfa

anrheg(ion)	*present(s)*
blwyddyn	*year(s)*
(blynyddoedd)	
cadair (cadeiriau)	*chair(s)*
fferyllfa	*chemist shop(s)*
(fferyllfeydd)	

gwobr(au)	*prize(s)*
marchnad(oedd)	*market(s)*
mefusen (mefus)	*strawberry (strawberries)*
rhan(nau)	*part(s)*
sioe(au)	*show(s)*

gobaith	*hope*
hufen	*cream*
mêl	*honey*

mis mêl	*honeymoon*
siopwr (-wyr)	*shopkeeper(s)*

cystadlu	*to compete*
dyfalu	*to guess*
eistedd	*to sit*
glanhau	*to clean*

nôl	*to get, collect*
pacio	*to pack*
priodi	*to marry, to get married*

cenedlaethol	*national*
ifanc	*young*

ar gyfer	*for (the purpose of)*
ar ôl	*after*
beth bynnag	*anyway*
erbyn	*by* (amser)

ers	*since*
ers talwm	*a long time ago*
os	*if*
prif	*main, top, highest*

Geiriau pwysig i fi

....
×
....
×
....

....
×
....
×
....

Bydda i'n teithio yr wythnos nesa. —— *I will be travelling next week.*
Bydda i'n siopa yr wythnos nesa. —— *I will be in shopping next week.*
Bydda i'n gweithio yr wythnos nesa. — *I will be working next week.*
Bydda i'n ymlacio yr wythnos nesa. — *I will be relaxing next week.*

Fyddi di'n smwddio yr wythnos nesa? – *Will you be ironing next week?*
Fyddi di'n siopa yr wythnos nesa? —— *Will you be shopping next week?*
Fyddi di'n siarad Cymraeg ———— *Will you be speaking Welsh next week?*
yr wythnos nesa?
Fyddi di'n gweithio yr wythnos nesa? – *Will you be working next week?*

Bydda. ✓   **Na fydda.** ✗

Yr wythnos nesa...

Enw						
smwddio						
siopa						
siarad Cymraeg						
mynd â'r ci am dro						
gweithio						
ymlacio						
darllen papur newydd						
garddio						

Beth fyddi di'n wneud heno? _____	*What will you be doing tonight?*
Beth fyddi di'n wneud yfory? _____	*What will you be doing tomorrow?*
Beth fyddi di'n wneud yn y _____	*What will you be doing at work?*
gwaith?	
Beth fyddi di'n wneud ar wyliau? ___	*What will you be doing on holiday?*

Enw	heno	yfory	yr wythnos nesa	y mis nesa

Byddwn ni'n pacio heno.	*We will be packing tonight.*
Byddwn ni'n hedfan bore yfory.	*We will be flying tomorrow morning.*
Byddwn ni'n cyrraedd prynhawn yfory.	*We will be arriving tomorrow.*
	afternoon.
Byddwn ni'n ymlacio nos yfory.	*We will be relaxing tomorrow evening.*
Pryd byddwch chi'n pacio?	*When will you be packing?*
Pryd byddwch chi'n hedfan?	*When will you be flying?*
Pryd byddwch chi'n cyrraedd?	*When will you be arriving?*
Pryd byddwch chi'n ymlacio?	*When will you be relaxing?*
Byddan nhw'n pacio heno.	*They will be packing tonight.*
Byddan nhw'n hedfan bore yfory.	*They will be flying tomorrow morning.*
Byddan nhw'n cyrraedd prynhawn yfory.	*They will be arriving tomorrow afternoon.*
Byddan nhw'n ymlacio nos yfory.	*They will be relaxing tomorrow evening.*

Ble byddwch chi'n mynd?

Edrychwch ar y grid. Ble byddwch chi'n mynd ar wyliau? Gwnewch bedair brawddeg trwy ddewis un elfen o'r colofnau gwahanol. Wedyn, siaradwch â'ch partner.
Look at the grid. Choose four different holidays by taking one element from each column. Then speak to your partner about your holidays.

Ble?	Gwneud?	Bwyta?	Yfed?
India	canu carioci	caws	te gwyrdd
Las Vegas	gwylio pêl-droed a rygbi	mefus a hufen	sake
Hong Kong	prynu gwin	sushi	te du
Tokyo	gwylio tennis	byrgyr mawr	gwin coch
Bryste	siopa	cyrri	wisgi Bourbon
Wimbledon	gweld y Taj Mahal	dim sum	cwrw Brains
Bordeaux	gweld "Elvis"	pysgod a sglodion	Pimms

Atebion

Fyddi di'n garddio yfory?	*Will you be gardening tomorrow?*	Bydda.	✓
Fyddi di'n gwrando ar gerddoriaeth?	*Will you be listening to music?*	Bydda.	✓
Fyddi di'n chwarae ar y cyfrifiadur?	*Will you be playing on the computer?*	Na fydda.	✗
Fyddwch chi'n mynd i fowlio deg?	*Will you be going ten pin bowling?*	Byddwn.	✓
Fyddwch chi'n mynd â'r ci am dro?	*Will you be taking the dog for a walk?*	Na fyddwn.	✗
Fydd e/hi'n glanhau'r tŷ?	*Will he/she be cleaning the house?*	Bydd.	✓
Fydd e/hi'n cystadlu?	*Will he/she be competing?*	Na fydd.	✗
Fyddan nhw'n mynd i'r farchnad?	*Will they be going to the market?*	Byddan.	✓
Fyddan nhw'n mynd ar fis mêl?	*Will they be going on honeymoon?*	Na fyddan.	✗

Faint o bobl yn y dosbarth...?

	Dyfalu	Ateb
Fyddi di yn y gwely cyn hanner awr wedi deg heno?		
Fyddi di'n glanhau'r tŷ dros y penwythnos?		
Fyddi di'n rhydd nos Sul?		
Fyddi di'n brysur yr wythnos nesa?		
Fyddi di yn Lloegr y mis nesa?		

Mae'n ddrwg gyda fi ond ...

Fydda i ddim ar gael. —————— *I won't be available.*
Fydda i ddim yn y cyfarfod. —————— *I won't be in the meeting.*
Fydda i ddim yn y dosbarth. —————— *I won't be in class.*
Fydda i ddim yn gweithio. —————— *I won't be working.*

Gyda'ch partner, ysgrifennwch pryd bydd pawb yn gwneud y pethau yma.

Fydda i ddim yn mynd i'r capel dydd Llun.

Fyddi di ddim yn nofio yn y môr dydd Mawrth.

Fydd Gareth ddim yn chwarae pêl-droed dydd Mercher.

Fyddwn ni ddim yn mynd i'r mosg dydd Iau.

Fyddwch chi ddim yn mynd i'r bingo dydd Gwener.

Fyddan nhw ddim yn gweithio dydd Sadwrn.

Fydd y plant ddim yn yr ysgol dydd Sul.

Os

Cysylltwch y ddau hanner.

Os bydd hi'n braf yfory,	bydda i'n gweithio'n hwyr.
Os bydd pwll yn y gwesty,	bydda i'n mynd i'r fferyllfa.
Os bydd y bws yn hwyr,	bydda i'n mynd am dro yn y parc.
Os bydd pobl yn dod i aros,	bydda i'n aros yn y gwely.
Os bydda i eisiau paned o goffi,	bydda i'n colli dechrau'r gêm.
Os bydda i eisiau tabledi,	bydda i'n mynd i nofio.
Os bydda i'n brysur,	bydda i'n glanhau'r tŷ.
Os bydda i'n dost,	bydda i'n mynd i'r caffi.

Gwrando

Gwrandewch ar y ddeialog ac atebwch y cwestiynau.

1. Beth mae Siwan eisiau?

....

Beth yw'r broblem?

....

2. Beth mae Dafydd eisiau?

....

Beth yw'r broblem?

....

Ynganu

A: Gaf i siarad â Ceri Prys, os gwelwch chi'n dda?

B: Mae'r lein yn brysur. Dych chi'n gallu ffonio'n ôl mewn chwarter awr?

A: Nac ydw... Ydy Dafydd Elis i mewn?

B: Mae e mewn cyfarfod. Bydd e yn y swyddfa ar ôl tri o'r gloch.

A: Beth am Ann Davies, 'te?

B: Dyw hi ddim yn y gwaith, mae'n ddrwg gyda fi. Mae hi ar wyliau tan ddydd Iau nesa.

A: Reit, dw i eisiau siarad â'r Pennaeth.

B: Fi yw'r Pennaeth. Dw i'n rhy brysur i siarad nawr. Hwyl fawr.

Sgwrs

Ym mha drefn mae'r lleoedd yma'n codi yn y Sgwrs? *In which order do these locations arise in the* Sgwrs?

Gwrandewch ar y ddeialog a llenwch y grid:

	Beth fydd Chris yn wneud yn y lleoedd yma?
y farchnad	
siop Mr Clark	
y swyddfa bost	
y fferyllfa	

Jo: Fyddi di'n mynd i'r dre heddiw?

Chris: Bydda.

Jo: Fyddi di'n gallu prynu un neu ddau o bethau i fi?

Chris: Bydda, wrth gwrs. Beth wyt ti eisiau?

Jo: Fyddi di'n gallu prynu ffrwythau o'r farchnad?

Chris: Iawn, wrth gwrs.

Jo: Dw i angen trwsio'r esgidiau 'ma. Fyddi di'n gallu mynd â nhw i siop Mr Clark?

Chris: Wel, o'r gorau…

Jo: Fyddi di'n gallu mynd i'r swyddfa bost? Dw i angen stampiau i bostio anrheg.

Chris: Wel… bydd y swyddfa bost yn brysur iawn…

Jo: Oes ots gyda ti fynd i nôl y presgripsiwn yma o'r fferyllfa? Does dim tabledi pen tost ar ôl…

Chris: Bobl bach, dw i'n dechrau cael pen tost! Bydda i drwy'r dydd! Wyt ti eisiau rhywbeth arall?

Jo: Nac ydw, dw i'n iawn. Bydda i'n mynd i'r dre yfory beth bynnag. Dw i eisiau dillad newydd ar gyfer parti Siân nos Wener.

Ar gyfer

Yn y ddeialog, dych chi'n gweld:

Dw i eisiau dillad newydd **ar gyfer** parti Siân.

Edrychwch ar y brawddegau yma:

Dw i eisiau dillad **ar gyfer** y parti.

Dw i eisiau tocyn **ar gyfer** y gêm.

Dw i eisiau ystafell **ar gyfer** y cyfarfod.

Gyda'ch partner, edrychwch ar y lluniau a chysylltwch (*connect*) ddau lun i wneud brawddeg.

Darllen

Tair eisteddfod a sioe

Mae'r gair eisteddfod yn dod o ddau air Cymraeg – **eistedd** a **bod.** Mae bardd *(poet)* yn ennill cadair mewn seremoni.

Roedd eisteddfodau ers llawer dydd yng Nghymru ond roedd yr Eisteddfod Genedlaethol "fodern" gyntaf yn 1861 yn Aberdâr. Erbyn heddiw mae dros 150,000 o bobl yn mynd i'r Eisteddfod Genedlaethol bob blwyddyn. Eisteddfod Genedlaethol yr Urdd Corwen 1929 oedd y gyntaf i bobl ifanc. Erbyn hyn mae dros 90,000 yn dod i Eisteddfod yr Urdd.

Fel arfer, pan mae Eisteddfod yr Urdd yn y Gogledd mae'r Eisteddfod Genedlaethol yn y De. Y flwyddyn wedyn mae'r ddwy Eisteddfod yn symud i ben arall Cymru.

Roedd Eisteddfod yn Llangollen am y tro cyntaf yn 1947. Mae pobl o bob rhan o'r byd yn dod i gystadlu. Mae dros 50,000 yn dod i Langollen i'r Eisteddfod bob blwyddyn.

Ond yn Sioe Fawr Llanelwedd mae dros 200,000 o bobl – a llawer iawn o anifeiliaid!

Ffeindiwch dair ffaith *(find 3 facts)* **o'r darn yma ac ysgrifennwch nhw yn Gymraeg.**

1. ....

2. ....

3. ....

Robin Radio

a) Atebwch:

Ble bydd Mari ym mis Mehefin?

....

Ble bydd Mari ym mis Gorffennaf?

....

Ble bydd Mari ym mis Awst?

....

b) Gwrandewch am:

Dw i eisiau trefnu mis mêl. ——————— *I want to organise a honeymoon.*
Pryd dych chi'n priodi? ——————— *When are you getting married?*
dim gobaith ——————————————— *no chance, no hope*

c) Cyfieithwch:

I have had an idea. ....

Will you be working? ....

Have you got a caravan? ....

Help llaw

1. *You know now all of the verb* **bod** *in the future tense – I will be etc.*

Cadarnhaol/ *Affirmative*	Cwestiwn/ *Question*	Negyddol/ *Negative*
Bydda i	Fydda i?	Fydda i ddim
Byddi di	Fyddi di?	Fyddi di ddim
Bydd e	Fydd e?	Fydd e ddim
Bydd hi	Fydd hi?	Fydd hi ddim
Byddwn ni	Fyddwn ni?	Fyddwn ni ddim
Byddwch chi	Fyddwch chi?	Fyddwch chi ddim
Byddan nhw	Fyddan nhw?	Fyddan nhw ddim

The rules are exactly the same as the other forms of the verb **bod** *– Ro'n i, Dw i etc. You can add on verbs in the infinitive form to create a sentence, remembering to use* **yn/'n***:*

Dw i'n darllen.	Ro'n i'n darllen.	Bydda i'n darllen.
Mae Sam **yn** darllen.	Roedd Sam **yn** darllen.	Bydd Sam **yn** darllen.

2. *As with other tenses, the answers respond to the verb used in the question:*

Fydda i?	Byddi.	Na fyddi.
Fyddi di?	Bydda.	Na fydda.
Fydd e/hi?	Bydd.	Na fydd.
Fyddwn ni?	Byddwn/byddwch.	Na fyddwn/na fyddwch.
Fyddwch chi?	Bydda/byddwn.	Na fydda/na fyddwn.
Fyddan nhw?	Byddan.	Na fyddan.
Fydd y plant?	Byddan.	Na fyddan.

3. Bôn anodd/*A difficult stem*:

glanhau	glanheu-	glanheuais i

Llyfrau Amdani

Dych chi nawr yn gallu darllen *Wynne Evans – o Gaerfyrddin i Go Compare*. Dych chi'n gallu prynu'r llyfr yn eich siop Gymraeg leol chi neu ar www.gwales.com.

Dyma'r clawr *(cover)* ac un paragraff:

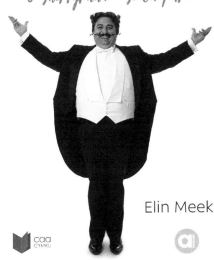

Wynne Evans
O Gaerfyrddin i Go Compare

Elin Meek

Enw: Wynne Evans
Blwyddyn geni: 1972
Dod yn wreiddiol: o Gaerfyrddin
Byw nawr: yng Nghaerdydd
Gwaith: Tenor, cyflwynydd ar Radio Wales, Radio 3 a Classic FM
Enwog iawn am fod yn: Gio Compario ar hysbysebion Go Compare

Beth yw hanes y teulu?

Roedd teulu Dad yn dod o Langynog, ar bwys Caerfyrddin. Ffermwyr o'n nhw. Roedd teulu fy nhad yn siarad Cymraeg. Cymraeg oedd iaith gyntaf fy nhad.

blwyddyn geni — *year of birth*		**cyflwynydd** — *presenter*	
hysbysebion — *advertisements*		**hanes** — *history*	
fy nhad — *my father*		**iaith gyntaf** — *first language*	

Uned 19 (un deg naw) – Fy

Nod: Siarad am eich eiddo chi a'ch perthnasau chi/
Talking about your possessions and relatives
(fy nghar i)

Geirfa

allwedd(i)	key(s)	**silff ben tân**	mantle piece
ffeil(iau)	file(s)	**(y)stafell(oedd)**	room(s)
ffenest(ri)	window(s)	**wal(iau)**	wall(s)
llen(ni)	curtain(s)	**y we**	the web
sbectol haul	sunglasses	**ynys(oedd)**	island(s)
silff(oedd)	shelf (shelves)		

beiro(s)	biro(s)	llygad (llygaid)	eye(s)
brws(ys)	brush(es)	mêc	a make
brws(ys) dannedd	toothbrush(es)	pasport(iau)	passport(s)
cwpwrdd	cupboard(s)	peth(au)	thing(s)
(cypyrddau)		tân (tanau)	fire(s)
llun(iau)	picture(s)		

anghywir	wrong	diddorol	interesting

bron	nearly	**wrth**	by
dan	under		

Geiriau pwysig i fi

....
✕   ✕
....
✕   ✕
....

Fy

fy sbectol i   **fy anrheg i**   **fy moddion i**

fy nhad i	*my father*	**fy nrws i**	*my door*
fy nghar i	*my car*	**fy ngwin i**	*my wine*
fy mhen i	*my head*	**fy mrawd i**	*my brother*

Dyma fy ffeil i. —————————— *Here is my file.*
Dyma fy nhocyn i. —————————— *Here is my ticket.*
Dyma fy ngherdyn i. —————————— *Here is my card.*
Dyma fy mhwrs i. —————————— *Here is my purse.*

Dych chi wedi colli'r pethau yma:

1. pwrs/**waled**, 2. ffôn, 3. papur, 4. bag, **5. diod**, 6. cerdyn banc,
7. tocyn trên, **8. cot**, 9. beiro, **10. sbectol haul**, **11. allweddi.**

Mae eich partner wedi ysgrifennu'r rhifau ar y llun. *(Your partner will have written the numbers in on her/his copy of the picture.)* **Gofynnwch iddi hi/iddo fe am help i ffeindio'r pethau, e.e.**

Ble mae fy ffôn i?   **Mae e ar y gadair.**
                               Mae e dan y soffa.
                               Mae e wrth y ffenest.

Cofiwch: **ar, dan, wrth.**

Mae fy nhad-cu i yn Nhregaron.   Mae fy neintydd i yn Ninas Powys.
Mae fy nghariad i yng Nghaerdydd. Mae fy ngwaith i yng Ngwynedd.
Mae fy mhlant i ym Mhorthcawl.   Mae fy mrawd i ym Medwas.

Pat yw enw fy nhad i. —————— *Pat is my father's name.*
Pat yw enw fy mam i. —————— *Pat is my mother's name.*
Pat yw enw fy mab i. —————— *Pat is my son's name.*
Pat yw enw fy merch i. —————— *Pat is my daughter's name.*

Dyma fi

Dewiswch bum peth i ddweud wrth y dosbarth:
Dilynwch y patrwm: Pat yw/oedd enw fy nhad i.

	enw	mam/tad
	enw	mab
	enw	merch
	enw	(anifail)
	lliw	(anifail)
	mêc	car
	lliw	car
	enw	bòs
	enw	tŷ
	rhif	tŷ
	enw	partner/gŵr/gwraig/cariad
	enw	brawd/chwaer
	enw	ysgol
	mêc	ffôn
	enw	tiwtor/athro/athrawes
	lliw	gwallt
	lliw	llygaid

Ymarfer ac ynganu

Gyda'ch partner, llenwch y bylchau ac wedyn darllenwch y paragraff yn uchel:

Ceri dw i. Dw i'n byw yng .... (Caerfyrddin) ond dw

i'n gweithio yng .... (Caerdydd). Mae fy ....

(teulu) i gyd yn byw yng .... (Gwynedd).

Roedd fy .... (tad) i'n byw gyda mam yn .... (Trefriw)

ond yn gweithio ar y trên bach yn .... (Tal-y-llyn).

Mae fy chwaer i'n byw yn .... (Dinas Mawddwy)

ond yn gweithio yn .... (Dolgellau). Mae fy ....

(brawd) i'n byw ym .... (Bethesda) ond yn gweithio ym

.... (Bangor). Mae fy .... (partner) i, Pat, yn

gweithio ym .... (Pontypridd) ond yn byw ym ....

(Pontypŵl) . Mae fy .... (car) i'n hen. Dw i'n gyrru

gormod yng .... (Cymru)!

Sgwrs

Gwrandewch ar y sgwrs a llenwch y grid:

Beth?	Ble?

Mam: Wyt ti wedi gorffen pacio?

Sam: Ydw… bron iawn…

Mam: Da iawn. 'Dyn ni'n mynd mewn hanner awr. 'Dyn ni'n hedfan am un ar ddeg o'r gloch heno.

Sam: Mam!

Mam: Ie?

Sam: Ble mae fy nghês i?

Mam: Ar y gwely wrth gwrs!

Sam: Ble mae fy fflip-fflops i?

Mam: Dan y gwely, siŵr o fod.

Sam: Ble mae fy mrws dannedd i?

Mam: Yn y stafell ymolchi, wrth gwrs.

Sam: Ble mae fy nghamera i?

Mam: Dan y gadair yn y stafell fyw, dw i'n meddwl.

Sam: Ble mae fy mhasport i?

Mam: Yn fy mag i, wrth gwrs.

Sam: O na! Dw i ddim yn gallu ffeindio fy ffôn i. Ble mae e?

Mam: Dim problem, fyddi di ddim angen ffôn.

Sam: Pam lai?

Mam: Dwyt ti ddim yn gallu chwarae gemau ar yr awyren, ac anghofiais i ddweud…

Sam: Dweud beth?

Mam: Dyw'r we ddim yn gweithio ar yr ynys!

Sam: Beth? Dw i ddim eisiau mynd, 'te…

Llenwi bylchau

Yn y Gwaith cartre, mae cwestiwn Llenwi bylchau. Llenwch y bylchau yma gyda'ch partner chi.

Dw i'n byw yn _____ (Tan-y-groes).

Dw i'n mynd adre _____ bump o'r gloch.

_____ hi ddim yn bwrw glaw nawr.

Mae Gwyn yn edrych ar y _____ .

Wyt ti'n gweithio yn y banc? _____ (✔)

_____ (gwneud) ti swper i'r teulu neithiwr?

Diolch yn _____ i chi am helpu.

_____ mae Sam yn mynd heno? I'r dafarn.

Robin Radio

a) Atebwch:

Ydy Rhian yn hoffi rygbi?

....

Beth mae Rhian a Bethan yn hoffi wneud yn Abertawe?

....

Beth fydd Rhian yn brynu i Bethan?

....

b) Gwrandewch am:

Dw i wrth fy modd gyda chwaraeon. —— *I love sport.*
Does dim diddordeb gyda fi. ————— *I have no interest.*
fy hoff siop ————————————— *my favourite shop.*

c) Cyfieithwch:

Thank you for phoning. ....

She will be sixty. ....

I forgot to say. ....

Help llaw

1. *This is the first possessive pronoun that you have come across. The pronoun* **fy** *(my) is followed by the* **Treiglad Trwynol**/*Nasal Mutation:*

T > Nh	**D > N**
C > Ngh	**G > Ng**
P > Mh	**B > M**

2. *Often this* **fy** *is changed in speech to* **y** *before the above letters, and* **yn** *before other letters.*

3. *You will hear both* **fy nghar** *and* **fy nghar i.**

4. *You have now been introduced to the two main occasions when we use the* **Treiglad Trwynol:**

Following the preposition **yn,** *meaning 'in'.*
Following the possessive pronoun **fy.**

Uned 20 (dau ddeg/ugain) – Dy, Eich

Nod: Gofyn cwestiynau am eiddo a pherthnasau pobl eraill/
Asking questions about other people's possessions and relatives
(dy lyfr di, eich llyfr chi)

Geirfa

gardd (gerddi)	garden(s)	**maneg (menig)**	glove(s)
llysferch	stepdaughter	**modryb(edd)**	aunt(s)
mam faeth	foster mother	**ras(ys)**	race(s)
mam-yng-nghyfraith	mother-in-law	**rhestr(i)**	list(s)

amser sbâr	spare time	llysfab	stepson
cyfeiriad(au)	address(es)	llystad	stepfather
diddordeb(au)	interest(s)	tad maeth	foster father
ewythr(od)	uncle(s)	tei(s)	tie(s)

dringo	to climb	**teithio**	to travel
dwyn	to steal	**tyfu**	to grow
sillafu	to spell	**ymarfer**	to practise

rhan-amser	part-time	teuluol	family

pa?	which?

Geiriau pwysig i fi

....
✕ ✕
....
✕ ✕
....

Dyma eich ffeil chi.   Dyma eich tocyn chi.
Dyma eich desg chi.   Dyma eich llyfr chi.
Dyma eich ffôn chi.   Dyma eich cot chi.
Dyma eich allwedd chi.   Dyma eich rhestr siopa chi.
Dyma eich sbectol chi.   Dyma eich paned chi.
Dyma eich beiro chi.   Dyma eich menig chi.

Beth yw'ch enw chi? ——————— *What is your name?*
Beth yw'ch cyfeiriad chi? ——————— *What is your address?*
Beth yw'ch cod post chi? ——————— *What is your post code?*
Beth yw'ch gwaith chi? ——————— *What is your job?*

Syrjeri Aberheli

Enw	Cyfeiriad	Rhif ffôn	Dyddiad geni

Dyma dy ffeil di.   Dyma dy docyn di.   Dyma dy ddesg di.
Dyma dy ffôn di.   Dyma dy got di.   Dyma dy win di.
Dyma dy sbectol di.   Dyma dy baned di   Dyma dy frawd di.

Dyma dy fenig di.
Dyma dy lyfr di.
Dyma dy restr siopa di.

Beth yw dy enw di? ————————	*What is your name?*
Beth yw dy ebost di? ————————	*What is your email?*
Beth yw dy rif ffôn di? ———————	*What is your phone number?*
Beth yw dy broblem di? ——————	*What is your problem?*

Ble mae dy ddosbarth di? ——————	*Where is your class?*
Pryd mae dy ddosbarth di'n dechrau? –	*When does your class start?*
Pryd mae dy ddosbarth di'n gorffen? –	*When does your class finish?*
Pwy yw dy diwtor di? ———————	*Who is your tutor?*

Aberystwyth 9.30 – 12.30 **Wenna Williams**	**Tregaron** 14.00 – 16.00 **Delyth Davies**	**Crymych** 18.00 – 21.00 **Bethan Barker**	**Hwlffordd** 1.30 – 3.30 **Alun ap Aled**
Caerfyrddin 19.00 – 21.00 **Rhys Rhisiart**	**Llanelli** 9.00 – 13.00 **Pedr Parri**	**Abertawe** 14.15 – 17.00 **Wil Williams**	**Port Talbot** 9.00 – 12.00 **Teleri Tomos**
Caerdydd 10.00 – 14.30 **Llinos Lloyd**	**Merthyr Tudful** 18.30 – 21.00 **Catrin Carter**	**Casnewydd** 9.15 –12.45 **Llion Llwyd**	**Y Barri** 9.45 – 13.15 **Dewi Dafydd**

Diddordebau

Beth dych chi'n hoffi wneud yn eich amser sbâr? /
Beth wyt ti'n hoffi wneud yn dy amser sbâr?

Enw	diddordeb

Ynganu – Y Treiglad meddal

Ydy dy **d**eulu di'n mynd i **d**eithio i **D**reorci?

Ydy dy **g**ariad di'n mynd i **G**aerdydd i **g**anu?

Ydy dy **b**lant di'n mynd i **B**ontypridd i **b**rynu'r **b**êl binc?

Ydy dy **f**òs di'n mynd i **f**yw i **F**edwas?

Ydy dy **dd**eintydd di'n mynd i **Dd**inas Powys i **dd**ysgu Cymraeg?

Ydy dy **ŵ**r/**w**raig di'n mynd i **W**ynedd i weld yr **a**rdd?

Ydy dy **f**am di'n mynd i **F**achynlleth i **f**eddwl?

Ydy dy **l**ysferch di'n mynd i **l**enwi tanc y **L**amborghini?

Ydy dy **r**ieni di'n mynd i **R**iwbeina i **r**edeg ras?

Sgwrs – Chi a Ti

A: Ble mae eich tei chi?

B: Pa dei?

A: Eich tei du chi.

B: Dw i ddim yn cofio.

A: Ydy e yn eich tŷ chi?

B: Fallai, ond fallai ddim.

A: Neu ydy e gyda eich tad chi?

B: Dw i ddim yn siŵr.

A: Bobl bach! Ydy eich tei du chi yn eich tŷ chi neu gyda eich tad chi?

B: Does dim syniad gyda fi.

Nawr gyda'ch partner, newidiwch (*change*) y ddeialog o **chi** i **ti**.

Llyfrau Amdani

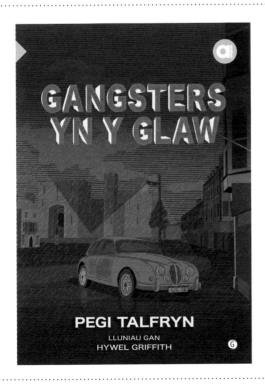

Dych chi nawr yn gallu darllen *Gangsters yn y Glaw* gan Pegi Talfryn. Dych chi'n gallu prynu'r llyfr yn eich siop Gymraeg leol chi neu ar www.gwales.com.

Dyma'r clawr *(cover)* ac un paragraff:

Elsa Bowen dw i. Ditectif preifat dw i. Dw i'n byw yng Nghaernarfon. Dw i'n dŵad o Gaernarfon yn wreiddiol. Dw i'n gweithio yng Nghaernarfon. **Cofidre** dw i. Dw i ddim yn hoffi Caernarfon ond mae Caernarfon yn fy **ngwaed** i.

Cofidre – *a native of Caernarfon;* **gwaed** – *blood*

Robin Radio

a) Atebwch:

Ble roedd Twm yn byw?

....

Faint o blant sy gyda Twm?

....

Beth yw gwaith newydd Twm?

....

b) Gwrandewch am:

Ydw i'n eich nabod chi? —————————— *Do I know you?*
Dw i newydd symud yn ôl. —————————— *I have just moved back.*
ers llawer dydd —————————— *since ages / a long time ago*

c) Cyfieithwch:

Where is your house? ....

How old are your children? ....

What is your new job? ....

Help llaw

1. *The possessive pronoun* **dy** *(your, informal) is always followed by the soft mutation.*

dy dŷ di	**dy ddrws di**	**dy fam di**
dy gar di	**dy ardd di**	**dy lyfr di**
dy bapur wal di	**dy feic di**	**dy rieni di**

2. *No mutation follows* **eich** *(your, formal & plural).*

3. *You will hear both of the following:*

dy gar di	**dy gar**
eich car chi	**eich car**

4. Bôn anodd/*A difficult stem*:

dwyn	**dyg-**	**dygais i**

Uned 21 (dau ddeg un) Dewch yma!

Nod: Cyfarwyddo/_Giving instructions_
(Codwch / Coda; Ewch / Cer; Dewch / Dere; Gwnewch / Gwna)

Geirfa

braich (breichiau) - _arm(s)_
ceg(au) —————— _mouth(s)_
coes(au) ————— _leg(s)_

damwain (damweiniau) – _accident(s)_
lôn (lonydd) ————— _lane(s)_
llaw (dwylo) ————— _hand(s)_

bys(edd) ————— _finger(s)_
ces(ys) ————— _case(s)_
golau (goleuadau) - _light(s)_
lifft(iau) ————— _lift(s)_

prawf (profion) —— _test(s)_
tedi(s) ————— _teddy bear(s)_
trwyn(au) ———— _nose(s)_
(y)sbwriel ———— _rubbish_

brwsio ————— _to brush_
brysio ————— _to hurry_
cyfieithu ———— _to translate_
esgusodi ———— _to excuse_

gwisgo ————— _to dress, to wear_
peidio ————— _to stop, to cease,
to refrain_
rhoi ————— _to give; to put_
taro ————— _to hit_
tynnu llun——— _to take a photo_

chwith ————— _left_
de ————— _right_
gofalus ———— _careful_

gorau ————— _best_
gyferbyn ———— _opposite_

Geiriau pwysig i fi

✕ ....

✕ ....

✕ ....

✕ ....

Dych chi'n cofio?

Cymraeg Dosbarth:	Codwch	Eisteddwch	Esgusodwch fi
Ynganu:	Dwedwch		
Robin Radio:	Atebwch	Gwrandewch	Cyfieithwch
	Peidiwch		
Gwaith cartref:	Ysgrifennwch	Anfonwch	Atebwch
	Darllenwch	Ffeindiwch	Llenwch
	Newidiwch	Gofynnwch	

Dyma sut 'dyn ni'n dweud wrth bobl am wneud rhywbeth!

Chi

Codwch!	*Get up!*
Eisteddwch!	*Sit down!*
Symudwch!	*Move!*
Stopiwch!	*Stop!*

Yn y swyddfa: (chi)

Eisteddwch wrth y ddesg.	*Sit by the desk.*
Agorwch y post.	*Open the post.*
Edrychwch ar y papurau.	*Look at the papers.*
Darllenwch yr ebyst.	*Read the emails.*
Anfonwch yr ebyst.	*Send the emails.*
Siaradwch â'r bòs.	*Talk to the boss.*
Atebwch y ffôn.	*Answer the phone.*

Cyn mynd ar wyliau...

Paciwch eich cês.	*Pack your case.*
Codwch am bedwar o'r gloch.	*Get up at four o'clock.*
Cofiwch eich pasport.	*Remember your passport.*
Gyrrwch i'r maes awyr.	*Drive to the airport.*
Parciwch yn y maes parcio.	*Park in the car park.*
Ymlaciwch!	*Relax!*

Gyda'ch partner, newidiwch y geiriau wedi eu tanlinellu (bob yn ail).
Change the underlined words (in turn).

Golchwch eich **gwallt**.
Bwytwch eich **swper**.
Ffoniwch eich **bòs**.
Smwddiwch eich **crys**.
Cofiwch eich **ffôn**.

OND...

Rhedeg	**Rhedwch yn gyflym.**	*Run quickly.*
Cerdded	**Cerddwch yn araf.**	*Walk slowly.*
Yfed	**Yfwch eich dŵr.**	*Drink your water.*
Cymryd	**Cymerwch eich cerdyn.**	*Take your card.*
Aros	**Arhoswch yma.**	*Wait here.*
Cau	**Caewch y drws.**	*Close the door.*
Rhoi	**Rhowch y sbwriel mas.**	*Put the rubbish out.*
Gadael	**Gadewch neges.**	*Leave a message.*
Gwrando	**Gwrandewch ar y neges.**	*Listen to the message.*

Gwrando

Gwrandewch ar y gorchmynion *(commands)*
ac ysgrifennwch rif y gorchymyn wrth y llun.

Byddwch yn ofalus.	*Be careful.*
Byddwch yn dawel.	*Be quiet.*
Byddwch yn barod.	*Be ready.*
Byddwch yn dda.	*Be good.*

Mynd	**Ewch i'r dde.**	*Go right.*
	Ewch i'r chwith.	*Go left.*
Dod	**Dewch yma.**	*Come here.*
	Dewch i mewn.	*Come in.*
Gwneud	**Gwnewch eich gwaith cartre.**	*Do your homework.*
	Gwnewch eich gorau.	*Do your best.*

Ti

Coda!	*Get up!*
Eistedda!	*Sit down!*
Cerdda!	*Walk!*
Stopia!	*Stop!*

Yn y tŷ: (ti)
Eistedda ar y soffa. —————— Sit on the sofa.
Edrycha ar y teledu. —————— Watch television.
Darllena'r papur. —————— Read the paper.
Ateba'r ffôn. —————— Answer the phone.
Siarada â Mam-gu. —————— Talk to Granny.

Cyn mynd i'r ysgol...
Coda o dy wely. —————— Get out of your bed.
Rho dy dedi ar y gwely. —————— Put your teddy on the bed.
Bwyta dy dost. —————— Eat your toast.
Gwisga dy wisg ysgol. —————— Put on your school uniform.
Golcha dy wyneb. —————— Wash your face.
Brwsia dy ddannedd. —————— Brush your teeth.
Pacia dy fag. —————— Pack your bag.
Cofia dy waith cartre. —————— Remember your homework.
Brysia! —————— Hurry up!

Bod	**Bydd yn ofalus.**	Be careful.
	Bydd yn dawel.	Be quiet.
Mynd	**Cer i'r dde.**	Go right.
	Cer i'r chwith.	Go left.
Dod	**Dere 'ma.**	Come here.
	Dere i mewn.	Come in.
Gwneud	**Gwna dy waith.**	Do your work.
	Gwna dy orau.	Do your best.

Deialogau gyda phlant
Gweithiwch gyda'ch partner chi i newid y brawddegau (change the sentences).

Mam/Dad: Bydd yn ofalus <u>ar y ffordd i'r ysgol</u>.
Plentyn: Pam?
Mam/Dad: Dyna pam!

Mam/Dad: Cer i'r <u>gwely</u> nawr.
Plentyn: Pam?
Mam/Dad: Dyna pam!

Mam/Dad: Dere i helpu <u>yn y gegin</u>.
Plentyn: Pam?
Mam/Dad: Dyna pam!

Mam/Dad: Gwna dy <u>wely</u> di.
Plentyn: Pam?
Mam/Dad: Dyna pam!

Symudwch eich corff! / Symuda dy gorff!

Codwch!	**Coda!**
Codwch eich braich dde.	**Coda dy fraich dde.**
Codwch eich braich chwith.	**Coda dy fraich chwith.**
Codwch eich coes dde.	**Coda dy goes dde.**
Rhowch eich coes dde i lawr.	**Rho dy goes dde i lawr.**
Symudwch eich coes chwith.	**Symuda dy goes chwith.**
Symudwch eich troed dde.	**Symuda dy droed dde.**
Rhowch eich bys ar eich trwyn.	**Rho dy fys ar dy drwyn.**
Rhowch eich bys ar eich ceg.	**Rho dy fys ar dy geg.**
Rhowch eich llaw dde ar eich pen.	**Rho dy law dde ar dy ben.**
Trowch o gwmpas.	**Tro o gwmpas.**
Eisteddwch!	**Eistedda!**

braich

coes

troed

bys

trwyn

ceg

pen

llaw

Penwythnos i ffwrdd yng Nghymru

Dilynwch y patrwm:
Ble 'dyn ni'n gallu mynd? Ewch i Landudno. Ble dw i'n gallu mynd? Cer i Sir Benfro.

	chi	ti
Ble > mynd?		
Pryd > mynd?		
Sut > mynd?		
Ble > aros?		
Beth > bwyta?		
Beth > yfed?		
Ble > cerdded?		
Sut > dod adre?		

Peidiwch!	*Don't!*	**Paid!**
Peidiwch â gyrru'n gyflym.	*Don't drive quickly.*	**Paid â gyrru'n gyflym.**
Peidiwch â thalu.	*Don't pay.*	**Paid â thalu.**
Peidiwch â chodi.	*Don't get up.*	**Paid â chodi.**
Peidiwch â pharcio.	*Don't park.*	**Paid â pharcio.**
Peidiwch ag agor y drws.	*Don't open the door.*	**Paid ag agor y drws.**

Mewn parau, edrychwch ar y lluniau a dewiswch orchmynion:
i) Peidiwch ii) Paid.

Ynganu – Darllenwch y ddeialog yma:

A: Prynhawn da, Theatr De Cymru.

B: Prynhawn da. Ydy hi'n bosib prynu dau docyn i'r ddrama nos yfory, os gwelwch chi'n dda?

A: Ydy, wrth gwrs. Ble dych chi eisiau eistedd?

B: Dw i ddim yn siŵr. Mae fy nhad i'n hen, a dyw e ddim yn gallu cerdded yn dda.

A: Eisteddwch wrth y drws, mae digon o docynnau ar gael.

B: Hyfryd. 'Dyn ni'n mynd i gyrraedd tua chwarter wedi saith.

A: Dewch i'r ddesg a bydd rhywun yma i'ch helpu chi.

B: Diolch yn fawr i chi. Mae'r staff bob amser yn hyfryd iawn.

A: Mwynhewch y ddrama a diolch am ffonio.

Sgwrs

Arholwr:
Reit, <u>trowch</u> i'r dde yma.
<u>Ewch</u> mas o'r maes parcio.
<u>Ewch</u> yn araf.
<u>Gyrrwch</u> yn ofalus!
<u>Arafwch</u>...
<u>Peidiwch</u> ag edrych ar <u>eich ffôn chi</u>!
<u>Edrychwch</u> ar y ffordd!
<u>Arafwch</u>...
<u>Arhoswch</u> wrth y...
<u>Brêciwch</u> nawr!
<u>Stopiwch</u>!
<u>Parciwch</u> yma – nawr!

Mr Evans: Ydw i wedi pasio?
Arholwr: Pasio? Nac <u>ydych</u> wir!
Mr Evans: Pam?
Arholwr: Pam? <u>Dych chi</u> wedi taro wal a <u>stopioch chi</u> ddim wrth y golau coch. Dw i'n teimlo'n dost!
Mr Evans: Ond chaethon ni ddim damwain.
Arholwr: <u>Ewch</u> adre wir, Mr Evans, ar y bws.
Mr Evans: O wel, diolch yn fawr. Gwela i chi y tro nesa.
Arholwr: Dim diolch – byth eto!

Gwylio – Dewch i Ruthun

Gwyliwch y fideo.

Y tro cynta, faint o weithiau dych chi'n clywed **ewch**?

....

Gwyliwch eto a nodwch y gorchmynion:

....

....

....

Robin Radio

a) Atebwch:

Beth fydd yn digwydd ym mis Awst?

....

Beth oedd Anti Mair yn wisgo yn y lluniau?

....

Ble mae Stiwdio Radio Rocio?

....

b) Gwrandewch am:

Ro'ch chi'n sôn... ———————— *You were saying...*
ers y dechrau ———————— *from the start*
gyferbyn â'r llyfrgell ———————— *opposite the library*

c) Cyfieithwch:

I have a present for Anti Mair. ....

Where is the studio? ....

I will be in the studio tomorrow morning. ....

Help llaw

1. *To give a command or instructions, you need to find the stem of the verb, as you do with short form past tense sentences.*

    *On the whole, if the verb finishes with a **consonant**, add the ending* **-wch (chi)** *or* **-a (ti)** *to the whole word:*

    Edrychwch/a, Darllenwch/a, Eisteddwch/a

    *If it finishes with a **vowel**, drop the last vowel before adding* **-wch** *or* **-a**

    **Codi > Codwch/Coda   Bwyta>Bwytwch/Bwyta
    Ffonio>Ffoniwch/Ffonia   Ymlacio>Ymlaciwch/Ymlacia**

However, there are some irregular stems which you need to learn.
*If a verb ends in –**ed** or –**eg**, this ending will be dropped. 'Eds will roll and egs will smash'!*

Cerdded>Cerddwch/Cerdda
Rhedeg>Rhedwch/Rheda

Some verbs have slightly different informal commands:
Troi > Trowch/Tro
Rhoi > Rhowch/Rho

2. *As usual, the verbs* **mynd, dod** *and* **gwneud** *are irregular:*

Mynd > Ewch (*sometimes* **Cerwch)**	**Cer**
Dod > Dewch	**Dere**
Gwneud > Gwnewch	**Gwna**

3. **Peidio â** *– (not to) is followed by the infinitive of the verb and an Aspirate Mutation (an added* **H***) following the letters* **T, C** *and* **P***.*

Peidiwch â mynd.
Peidiwch â thalu.
Paid â chodi.
Paid â phoeni.

4. **Â** *becomes* **ag** *before a vowel:*
Paid ag agor y drws.

Syniad da!

Gwrando ar Radio Cymru

Pan dych chi yn y car, neu pan dych chi yn y gegin yn coginio – gwrandewch ar Radio Cymru!

Mae Radio Cymru ar gael o 5.30am tan 12.00am (hanner nos) bob dydd ar FM, DAB, teledu digidol ac ar-lein. Dych chi'n gallu "gwrando eto" (ac eto!!) ar App BBC Sounds. Mae rhywbeth i bawb - cerddoriaeth, sgwrs, newyddion, chwaraeon, comedi... Mae Radio Cymru 2 yn chwarae adloniant ysgafn (*light entertainment*) bob bore gyda cherddoriaeth yn Gymraeg a Saesneg. Fyddwch chi ddim yn deall popeth, ond mae gwrando ar Radio Cymru yn eich helpu chi i ddatblygu eich sgiliau Cymraeg (*develop your Welsh language skills*). *Let the* Cymraeg *wash over you and the more you listen, the more you'll understand.*

Uned 22 (dau ddeg dau) – Yn y gwaith

Nod: Siarad yn y gwaith ac adolygu unedau 16-21/
Speaking at work and revision of units 16-21
(Pwy sy...? Beth sy..? Faint sy...?)

Geirfa

afon(ydd)	river(s)	**pont(ydd)**	bridge(s)
menyw(od)	woman (women)		

cwpwrdd (cypyrddau)	cupboard(s)	gwerth	worth
cwrs (cyrsiau)	course(s)	parti (partïon)	party (parties)
ffigwr (ffigyrau)	figure(s)	pentref(i)	village(s)
ffôn (ffonau) symudol	mobile phone(s)	sesiwn (sesiynau)	session(s)
		siaradwr (-wyr)	speaker(s)

dangos	to show	**rheoli**	to manage

ail	second	llawn	full
arbennig	special	trydydd	third

dim byd	nothing	**o gwbl**	at all
erioed	never	**rhwng**	between
heb	without	**rhyw (rhai)**	some
neb	nobody		

Geiriau pwysig i fi

....

✕ ✕

....

✕ ✕

....

Gêm o gardiau

	♠	♦	♣	♥
A	Sut bydd y tywydd yfory?	Faint o'r gloch wyt ti'n bwyta dy ginio fel arfer?	Beth o'ch chi'n hoffi wneud pan o'ch chi'n blentyn?	Beth yw enw'r dyn drws nesa?
2	Beth wnaethoch chi ddoe?	Ble byddi di'n mynd yfory?	Oes anifeiliaid anwes gyda chi?	Beth yw enw dy ffrind gorau di?
3	Beth yw/oedd enw dy fòs di?	Sut mae'r tywydd heddiw/heno?	Ble bydd y plant dydd Llun nesa?	Faint o'r gloch dych chi'n codi fel arfer?
4	O ble dych chi'n dod yn wreiddiol?	Dwedwch rywbeth am eich gwaith chi.	Sut roedd y tywydd ddoe?	Beth yw lliw dy gar di?
5	Dwedwch rywbeth am ffrind.	Beth wnaethoch chi neithiwr?	Am faint o'r gloch wyt ti'n bwyta dy frecwast fel arfer?	Beth fyddwch chi'n wneud nos Sul?
6	Am faint o'r gloch mae eich cloc larwm chi'n canu?	Beth yw dy enw di? (enw 1af)	Ble byddwch chi dydd Nadolig?	Beth yw/oedd eich gwaith chi?
7	O'ch chi'n hoffi dringo coed pan o'ch chi'n blentyn?	Faint o'r gloch codoch chi dydd Sadwrn?	Beth yw enw'r fenyw drws nesa?	Beth dych chi'n hoffi ar y teledu?
8	Am faint o'r gloch dych chi'n mynd i gysgu fel arfer?	Ble aethoch chi i'r ysgol?	Beth fyddi di'n wneud y penwythnos nesa?	Faint yw pris peint o gwrw mewn tafarn?
9	Oes teulu gyda chi?	Ble dych chi'n byw?	Beth wnaethoch chi y penwythnos diwetha?	Beth yw lliw dy esgidiau di?
10	Gyda phwy dych chi'n siarad Cymraeg?	Beth yw lliw dy lygaid di?	O ble mae dy deulu di'n dod?	Ble dych chi'n hoffi mynd am dro?
Jac	Ble byddwch chi'n mynd ar wyliau nesa?	Beth yw lliw gwallt y tiwtor?	Sut bydd y tywydd yn Siberia heno?	Pryd dych chi'n siarad Cymraeg?
Brenhines	Beth yw eich enw chi? (enw llawn)	Beth fyddwch chi'n wneud y mis nesa?	Beth wnaethoch chi neithiwr?	Ble dych chi'n siarad Cymraeg?
Brenin	Faint yw pris paned o goffi mewn caffi?	Sut bydd y tywydd yn y Sahara yfory?	Ble aethoch chi ar eich gwyliau diwetha chi?	Beth dych chi'n hoffi wneud yn eich amser sbâr chi?

Sgwrs 1

Gwrandewch ar y sgwrs a llenwch y grid.

Ar goll	Ble?

Ceri: Bore da, Ms Davies-Hughes. Sut roedd y daith yma heddiw?

Ms. D-H: Roedd y traffig yn ofnadwy unwaith eto. Mae'n gas gyda fi yrru ar y ffordd fawr ar fore Llun. A dweud y gwir, mae'n gas gyda fi bob bore Llun.

Ceri: Dych chi eisiau paned?

Ms. D-H: Mewn munud. Ble mae fy mhost i?

Ceri: Ar y ddesg, yn eich swyddfa chi.

Ms. D-H: Ble mae fy mhapurau i?

Ceri: Mae rhai ar y silff wrth y ffenest, ac mae rhai ar y ddesg.

Ms. D-H: Ble mae fy ffeiliau i?

Ceri: Yn y cwpwrdd ffeiliau.

Ms. D-H: Dw i wedi colli fy ffôn symudol i. Wyt ti'n gwybod ble mae e?

Ceri: Ar y bwrdd, dan eich post chi.

Ms. D-H: A ble mae fy nghyfarfod cynta i y bore 'ma?

Ceri: Bydd eich cyfarfod Skype chi yn y swyddfa yma! Ond mae'r ail gyfarfod yn y brif swyddfa.

Ms. D-H: Bendigedig! Oes cyfarfod arall heddiw?

Ceri: Oes. Bydd y trydydd cyfarfod ar Zoom y prynhawn yma. A bydd eich paned chi ar eich desg chi mewn munud.

Ms. D-H: Diolch yn fawr Ceri, rwyt ti'n werth y byd!

....

Gwerth y byd – *"worth the world"* – idiom fel *"worth your weight in gold"*.

Dych chi'n cofio?

- Pwy sy'n siarad?   (RR Uned 2)
- Beth sy'n bod?   (RR Uned 11)
- Beth sy'n digwydd?   (Cymraeg dosbarth Uned 12)
- Pwy sy'n gwneud y rhaglen?   (RR Uned 12)

Pwy sy'n gweithio heddiw? ——— *Who is working today?*
Gareth.

Pwy sy'n dod i'r briodas? ——— *Who's coming to the wedding?*
Pawb.

Pwy sy'n chwarae heno? ——— *Who is playing tonight?*
Wrecsam.

Pwy sy'n dysgu'r dosbarth? ——— *Who is teaching the class?*
Eleri Elis.

Pwy sy'n actio yn y ffilm? ——— *Who is acting in the film?*
Ioan Ifans.

Pwy sy'n agor y bowlio? ——— *Who is opening the bowling?*
Bob Mills.

Beth sy'n bod? ——— *What is the matter?*
Dim byd.

Beth sy'n digwydd? ——— *What is happening?*
Dim byd.

Faint sy'n mynd? ——— *How many are going?*
Neb.

Faint sy'n aros? ——— *How many are staying?*
Neb.

Pa gwestiwn sy'n mynd gyda pha lun?

Pwy sy'n protestio?	**Pwy sy'n rhedeg y marathon?**
Pwy sy'n gwneud y baned?	**Pwy sy'n cael parti?**
Beth sy'n bod?	**Pwy sy'n siarad?**
Pwy sy'n canu yn y cyngerdd?	**Pwy sy'n chwarae'r gêm?**

1

2
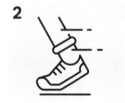

3

4

5

6

7

8
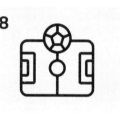

Pwy sy 'na?	*Who is there?*
Pwy sy ar y ffôn?	*Who is on the phone?*
Beth sy ar y teledu heno?	*What is on television tonight?*
Faint sy yn y dosbarth?	*How many are in class?*

Sgwrs 2

A: Fyddi di'n mynd i'r cyfarfod mawr yr wythnos nesa?

B: Dw i ddim yn siŵr. Pwy sy'n mynd?

A: Dw i'n mynd.

B: Pryd mae e?

A: <u>Chwech o'r gloch</u>.

B: Ble mae e?

A: Yn y gwesty mawr drws nesa i'r orsaf yn y dre.

B: Beth sy'n digwydd ar ôl y cyfarfod?

A: Mae swper gyda siaradwr.

B: Gaf i lifft?

A: Cei, wrth gwrs.

B: Grêt. Bydda i'n cofrestru. Gobeithio bydda i'n deall y siaradwr.

Gwrando – Amserau a Phrisiau

Llenwch y grid:

Beth	Amser dechrau * Defnyddiwch rifau * *Use numbers*	Pris
Barbeciw		
Ras Rafftiau		
Sioe Ffasiynau		
Sioe Flodau		
Noson Karaoke		

Siaradwch gyda'ch partner – Ble dych chi eisiau mynd?
Wedyn ysgrifennwch ddeialog fach ar batrwm Sgwrs 2 am y digwyddiad yna.
Choose one event you would like to go to. Write a dialogue on the pattern
of Sgwrs 2 *about that event.*

Sgwrs 3:

Pennaeth: Bore da bawb. Croeso i'r cyfarfod. Croeso arbennig i Twm Tomos o swyddfa Abercastell.

Twm Tomos: Diolch.

Pennaeth: Dych chi wedi bod yn Swyddfa Caerheli o'r blaen Twm?

Twm Tomos: Nac ydw.

Pennaeth: Twm, dyma Rhian, Ryan, Rhys, Rhodri a Rhiannon.

Twm Tomos: Siaradwch yn araf os gwelwch chi'n dda.

Pennaeth: Peidiwch â phoeni. Reit, mae problem fawr gyda ni. Dw i eisiau dechrau gyda'r ffigyrau yma. Edrychwch ar y graff.

Twm Tomos: O diar, dw i ddim yn deall graffiau yn dda iawn.

Pennaeth: Mae'n hawdd – mae'r ffigyrau gwerthu yn mynd lawr bob mis, yn arbennig ym mis Awst yn Abercastell. Beth sy'n bod, Twm?

Twm Tomos: Wel, dw i wedi bod ar fy mhen fy hun yn y swyddfa am ddau fis. Mae Gwyn wedi bod yn gweithio i ffwrdd.

Pennaeth: Ble mae Gwyn wedi bod yn gweithio?

Twm Tomos: Yma!

Pennaeth: Pam?

Twm Tomos: Achos dych chi wedi bod ar y cwrs "Ymlacio gyda Yoga" yn Madeira am fis.

Pennaeth: Dw i'n gweld. Reit, amser paned, dw i'n meddwl. Wedyn 'dyn ni'n mynd i drafod y Parti Nadolig. Pwy sy'n trefnu'r bws?

Beth yw'r ateb?

1.	Fyddi di'n cael picnic ym mis Awst?	Byddwn.
2.	Fydd hi'n wyntog yfory?	Byddan.
3.	Fyddan nhw'n cael gwaith cartre dros y Sul?	Bydd.
4.	Fyddwch chi yma yr wythnos nesa?	Byddan.
5.	Fydd y dosbarth yn edrych ar S4C dydd Sul?	Bydda.

Gwylio

Gwrandewch ar Gwilym Bowen Rhys yn canu 'Tŷ Bach Twt' a llenwch y bylchau.

Mae .... dipyn o .... bach twt,
O .... bach twt, o .... bach twt.
Mae .... dipyn o .... bach twt,
A'r gwynt i'r........................... bob ....
Hei di ho, di hei di hei di ho,
A'r gwynt i'r........................... bob ....

A........................... dipyn o gil y ....
O gil y .... , o gil y ....
A........................... dipyn o gil y .... ,
Cael gweld y .... a'r tonnau.
Hei di ho, di hei di hei di ho,
Cael gweld y .... a'r tonnau.

Ac yna byddaf yn llon .... myd,
Yn llon .... myd, yn llon .... myd.
Ac yna byddaf yn llon .... myd
A'r .... i'r .... bob ....
Hei di ho, di hei di hei di ho,
A'r .... i'r .... bob ....

Llyfrau Amdani

Dych chi nawr yn gallu darllen *Ceffylau* gan Fiona Collins. Dych chi'n gallu prynu'r llyfr mewn siop Gymraeg neu ar gwales.com.
Dyma'r clawr a'r paragraff cynta.

March Arthur

Amser maith yn ôl...

Dyma'r brenin Arthur.
Dyma geffyl y brenin Arthur. Llamrei ydy enw'r ceffyl.
Mae o'n geffyl da. Mae o'n fawr. March ydy o - ceffyl cryf.

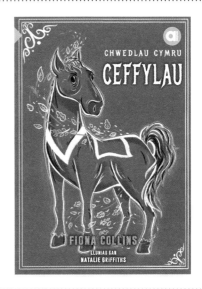

Robin Radio

a) Atebwch:

Pwy yw Mr Richards?

....

Faint fydd oed Anti Mair y mis nesa?

....

Beth mae Mr Richards eisiau drefnu?

....

b) Gwrandewch am:

Mae hi wrth ei bodd. ———— *She is delighted.*
Dyw hi byth yn hwyr. ———— *She is never late.*
yma o hyd ———— *still here*

c) Cyfieithwch:

She isn't here yet. ....

She will be very sad. ....

Here he is now. ....

Help llaw

1. *The use of* **sy** *will be fully explained at the next level (Sylfaen), but for the time being, learn that it follows* **Pwy, Beth** *and* **Faint** *with verbs and prepositions:*

Pwy sy'n siarad?	**Pwy sy wrth y drws?**
Beth sy'n digwydd?	**Beth sy ar y teledu?**
Faint sy'n mynd?	**Faint sy yn y dosbarth?**

2. cynta, ail, trydydd

Cynta *always comes after the noun and mutates after singular feminine nouns:*
y mab cynta   y ferch **g**ynta

Ail *and* **trydydd** *always come before the noun.* **Ail** (*like* dau *and* dwy) *causes a treiglad meddal.*
ail **g**ar
trydydd car

Uned 23 (dau ddeg tri) – Rhaid i fi

Nod: Siarad am orfod gwneud rhywbeth /
Talking about having to do something
(Rhaid i fi, Oes rhaid i fi?, Does dim rhaid i fi)

Geirfa

sigarét(s) —— *cigarette(s)*

angor	*anchor*	**iechyd**	*health*
cloc larwm	*alarm clock*	**lliw haul**	*suntan*
eryr(od)	*eagle(s)*	**nwy**	*gas*
fideo(s)	*video(s)*		

caru	*to love*	**dathlu**	*to celebrate*
cychwyn	*to start*	**dewis**	*to choose*
cytuno	*to agree*		

byr —— *short*

ar lan…	*on the bank of…*	**tu fas (i)**	*outside*
ar unwaith!	*at once!*	**unwaith**	*once*
mewn pryd	*in time*		

Geiriau pwysig i fi

× .... × ....

× .... × ....

Rhaid

Yn Uned 6, dysgoch chi:

Dw i'n **gorfod siopa** yfory.
Dyma ffordd arall o ddweud *I must*:

Rhaid i fi siopa yfory. _____ *I must shop tomorrow.*
Rhaid i fi smwddio yfory. _____ *I must iron tomorrow.*
Rhaid i fi weithio yfory. _____ *I must work tomorrow.*
Rhaid i fi goginio yfory. _____ *I must cook tomorrow.*

Rhaid i fi <u>chwarae rygbi</u> dydd Sadwrn.
Rhaid i fi <u>ymlacio</u> nos Sul.
Rhaid i fi <u>bostio llythyr</u> yr wythnos nesa.
Rhaid i fi <u>brynu car newydd</u> y flwyddyn nesa.
Rhaid i fi gael <u>halen a finegr</u> ar fy mwyd i.

Oes rhaid i ti fynd i gyfarfod heddiw? — *Do you have to go to a meeting today?*
Oes rhaid i ti lenwi'r tanc petrol heno? — *Do you have to fill the petrol tank tonight?*
Oes rhaid i ti weithio yr wythnos nesa? — *Do you have to work next week?*
Oes rhaid i ti dalu'r bil treth y mis nesa? — *Do you have to pay the tax bill next month?*

Oes. ✔   **Nac oes.** ✘

Does dim rhaid i ni dalu bil heddiw. —— *We don't have to pay a bill today.*
Does dim rhaid i ni brynu petrol heddiw. – *We don't have to buy petrol today.*
Does dim rhaid i chi fynd i'r cyfarfod. —— *You don't have to go to the meeting.*
Does dim rhaid i chi weld y deintydd. —— *You don't have to see the dentist.*

Holiadur

Gofynnwch gwestiynau i'ch partner chi am yr wythnos nesa.

Yr wythnos nesa	√	X
gyrru llawer		
cadw'n heini		
glanhau'r tŷ		
trefnu rhywbeth		
archebu rhywbeth		
ysgrifennu ebost		
ffonio rhywun		
ysgrifennu siec		
teithio ar drên		
garddio		

Taith Dosbarth

Siaradwch! Ble dych chi'n gallu mynd fel dosbarth i ymarfer Cymraeg cyn diwedd y flwyddyn? Rhaid i chi feddwl am ddau opsiwn: Defnyddiwch **Rhaid i ni**.
Wedyn byddwch chi'n dewis!

Rhaid i Marc weithio dydd Sadwrn.	*Marc must work on Saturday.*
Rhaid i Mari weithio dydd Sul.	*Mari must work on Sunday.*
Rhaid iddo fe ffonio ffrind.	*He must phone a friend.*
Rhaid iddo fe dalu bil.	*He must pay a bill.*
Rhaid iddi hi brynu car newydd.	*She must buy a new car.*
Rhaid iddi hi fynd at y deintydd.	*She must go to the dentist.*
Rhaid i'r plant fynd i'r ysgol.	*The children must go to school.*
Rhaid iddyn nhw ddarllen.	*They must read.*
Rhaid iddyn nhw chwarae yn yr iard.	*They must play in the yard.*

Gyda'ch partner, dewiswch un peth o bob colofn (*column*) i wneud brawddeg yn dechrau gyda **Rhaid**.

nhw		dydd Sadwrn
Carwyn		nawr
y ffans		yfory
fe		nawr

y babi			bore Llun
y plant			dydd Gwener
hi			nawr
fe			heno

Ymarfer

Taflwch y dis a dwedwch frawddeg yn dechrau gyda **Rhaid**.
Gweithiwch lawr y grid.

smwddio
torri'r lawnt
garddio
siopa
peintio'r tŷ
golchi'r car
mynd â'r plant i barti
golchi dillad
llenwi'r tanc petrol
coginio cinio dydd Sul
dysgu

1 – fi	3 – fe	5 – chi
2 – ti	4 – hi	6 - nhw

Gyda'ch partner, cysylltwch y ddau hanner. *Find the correct solution.*

Mae'r gath yn dost.		Rhaid iddo fe fynd at y barbwr.
Dyw'r car ddim yn cychwyn.		Rhaid iddo fe brynu chili coch.
Dw i eisiau gwneud Tae Kwando.		Rhaid i ti ffonio'r garej nawr.
Collodd y plant y bws eto y bore 'ma.		Rhaid i ti wisgo dillad haf.
Dw i eisiau bwyta tapas.		Rhaid i ni ymarfer siarad bob dydd.
'Dyn ni ar gwrs Cymraeg.		Rhaid iddi hi fynd at y fet.
Dw i'n teimlo'n dwym.		Rhaid i ti symud i Sbaen.
'Dyn ni eisiau mynd ar saffari.		Rhaid i ti wisgo helmed.
Mae Carl eisiau coginio cyrri.		Rhaid iddyn nhw gael cloc larwm.
Mae Bob eisiau gwallt byr.		Rhaid i chi fynd i Affrica.

Rhaid i fi beidio â smocio. —————— *I mustn't smoke.*
Rhaid i fi beidio â siarad Saesneg. —— *I mustn't speak English.*
Rhaid i fi beidio â bwyta gormod. —— *I mustn't eat too much.*
Rhaid i fi beidio â bod yn hwyr. —————— *I mustn't be late.*

Sgwrs

Eryl: Dw i'n caru Tad-cu, ond mae e'n grac iawn heddiw.

Jo: Ydy, mae e wedi bod at y doctor. Mae tipyn bach o beswch arno fe.

Eryl: Beth ddwedodd y doctor?

Jo: Rhaid iddo fe stopio smocio.

Eryl: Dw i'n cytuno, mae sigaréts yn ddrud, ac mae peswch arno fe ers wythnosau.

Jo: Canu gormod yn y clwb ar ôl y gêm rygbi, yn ôl Tad-cu.

Eryl: Rhaid iddo fe stopio mynd i'r clwb i edrych ar y rygbi.

Jo: Dyw e ddim yn edrych ar y gêm, mae e'n chwarae i'r tîm dros wyth deg oed!

Eryl: Chwarae? Ond mae e'n naw deg saith! Rhaid iddo fe stopio chwarae rygbi ar unwaith!

Jo: Roedd y doctor yn cytuno...

Eryl: Wel, iechyd da i Tad-cu, beth bynnag!

Iechyd da – idiom: *Literally "Good health" but idiomatically "Cheers!"*

Ynganu

A: **Prynhawn da, dych chi'n iawn?**

B: Mae tipyn o broblem gyda fi a dweud y gwir. Dw i ddim yn gwybod ble mae fy nghar i.

A: **Ydy e yn y maes parcio mawr?**

B: Nac ydy. Parciais i ar y stryd, tu fas i siop bapurau.

A: **Pa siop bapurau? Mae pedair siop yn yr ardal.**

B: Maen nhw'n adeiladu tai newydd dros y ffordd, os dw i'n cofio'n iawn.

A: **A, Siop Ifan. Mae hi rownd y gornel yma. Ond brysiwch. Dim ond am hanner awr mae'n bosib parcio ar y stryd yna.**

B: Hanner awr? O na! Dw i wedi parcio'r car ers chwarter i naw. Rhaid i fi fynd.

Gwylio – "Os dych chi'n dod i Gaernarfon..."

Edrychwch ar y fideo. Rhowch y brawddegau mewn trefn:

Siarad Cymraeg â phobl newydd
Gweld Lloyd George
Mynd i weld y castell
Gweld yr angor
Cerdded ar lan Afon Menai

Edrych ar yr eryr
Mynd i'r siop lyfrau
Prynu paned neu beint yn Gymraeg

Heb edrych ar y llyfr, gyda'ch partner, triwch gofio beth mae'n rhaid i chi wneud yng Nghaernarfon.

Robin Radio

a) Atebwch:

Pam mae Anti Mair yn hwyr?

....

Pam mae Llinos yn yr ysbyty?

....

Beth mae Llinos yn wneud heno?

....

b) Gwrandewch am:

Dych chi i fod yma. ———————— *You are supposed to be here.*
Mae'n ddrwg gyda fi mod i'n hwyr. —— *I'm sorry I'm late.*
Roedd rhaid i fi fynd. ———————— *I had to go.*

c) Cyfieithwch:

Llinos must work. ....

I don't have to! ....

You must make a cuppa. ....

Help llaw

1. *Here is the pattern for* **Rhaid** *in full:*

Cadarnhaol/ *Affirmative*	Cwestiwn/ *Question*	Negyddol/ *Negative*
Rhaid i fi	Oes rhaid i fi?	Does dim rhaid i fi
Rhaid i ti	Oes rhaid i ti?	Does dim rhaid i ti
Rhaid iddo fe	Oes rhaid iddo fe?	Does dim rhaid iddo fe
Rhaid iddi hi	Oes rhaid iddi hi?	Does dim rhaid iddi hi
Rhaid i ni	Oes rhaid i ni?	Does dim rhaid i ni
Rhaid i chi	Oes rhaid i chi?	Does dim rhaid i chi
Rhaid iddyn nhw	Oes rhaid iddyn nhw?	Does dim rhaid iddyn nhw

2. *The* **treiglad meddal** *following the pattern* **Rhaid i fi** *is caused by the* **i**: **Rhaid i fi fynd.**

3. *There is no* **yn** *in this pattern.*

4. MAE rhaid i fi/ i ti /iddo fe *etc is the full pattern but the word* **MAE** *is mainly dropped in speech. However* **ROEDD rhaid i fi** *(as heard in* **Robin Radio***) is essential to show that you are talking about the past. We will practise this pattern in the next revision unit.*

5. Mynd at y doctor/ mynd i'r ysbyty – *In Welsh there are two forms of "going to":*

Mynd i'r gwaith/i'r swyddfa	**mynd + i + lle**
Mynd at y doctor	**mynd + at + person**

6. *Look at the difference between*

Rhaid i fi beidio. ———————	*I must not.*
Does dim rhaid i fi. ———————	*I don't have to.*

7. *Bôn/Stem:*

cychwyn	**cychwynn-**	**cychwynnais i**

Uned 24 (dau ddeg pedwar) – Cyn ac ar ôl

Nod: Siarad am gyfres o ddigwyddiadau yn eu trefn
Talking about a series of events in sequence
(Cyn i fi, Ar ôl i fi)

Geirfa

Cymraes	menyw o Gymru	**Saesnes**	menyw o Loegr
losin	sweets	**sêl cist car**	car boot sale
oriawr	watch	**stondin(au)**	stall(s)

ambiwlans	ambulance	syched	thirst
Cymro (Cymry)	dyn o Gymru (pobl o Gymru)	tegan(au)	toy(s)
		tegell	kettle
gyrrwr (gyrwyr)	driver(s)	tŷ bach	toilet
paent	paint		
Sais (Saeson)	dyn o Loegr (pobl o Loegr)		

gweddol	so-so	parod	ready

berwi	to boil	**deffro/dihuno**	to wake up
bwydo	to feed	**meindio**	to mind
cuddio	to hide	**methu**	to fail

Geiriau pwysig i fi

....
✗   ✗
....
✗   ✗
....

Ar ôl

Pryd dechreuoch chi
ddysgu Cymraeg? _____ *When did you start learning Welsh?*

Ar ôl i fi ddechrau'r ysgol. _____ *After I started school.*

Ar ôl i fi gael swydd newydd. _____ *After I got a new job.*

Ar ôl i fi symud i Gymru. _____ *After I moved to Wales.*

Ar ôl i fi gwrdd â fy mhartner. _____ *After I met my partner.*

Ar ôl i fi gael plant. _____ *After I had children.*

Ar ôl i fi ymddeol. _____ *After I retired.*

Ar ôl i fi...

	y tiwtor	fi		
codi				
mynd i'r tŷ bach				
cael cawod				
bwyta brecwast				
edrych ar y we/ffôn/cyfrifiadur				
brwsio dannedd				
edrych ar y teledu				
darllen papur				
bwydo'r ci/y gath/y plant				
gwisgo				
codi'r plant				
golchi gwallt				
mynd â'r ci am dro				
yfed paned				
mynd â'r plant i'r ysgol				
mynd i'r dre				
mynd i'r gwaith				

Cyn

Cyn i fi agor y drws, rhaid i fi ffeindio'r allwedd.	*Before I open the door, I must find the key.*
Cyn i fi fynd adre, rhaid i fi orffen y gwaith.	*Before I go home, I must finish the work.*
Cyn i fi fynd i'r parti, rhaid i fi brynu anrheg.	*Before I go to the party, I must buy a gift.*
Cyn i fi yrru car, rhaid i fi basio fy mhrawf i.	*Before I drive a car, I must pass my test.*

Cysylltwch y lluniau a dwedwch frawddegau:

1 marathon

2 stamp

3 swper

4 tegell

5 llythyr

6 llestri

7 paned

8 ymarfer

9 parcio

10 tocyn

Rhaid i Rhys fynd adre. ———— *Rhys must go home.*

Ar ôl iddo fe gyrraedd adre, ———— *After he arrives home,*
rhaid iddo fe smwddio. *he must do the ironing.*

Rhaid i Rhian fynd adre. ———— *Rhian must go home.*

Ar ôl iddi hi gyrraedd adre, ———— *After she arrives home,*
rhaid iddi hi ffonio Mam-gu. *she must phone Granny.*

Rhaid i Rhian a Rhys fynd adre. ——— *Rhian and Rhys must go home.*

Ar ôl iddyn nhw gyrraedd adre, ——— *After they arrive home,*
rhaid iddyn nhw ymlacio. *they must relax.*

Noson Nefyl

Neithiwr gadawodd Nefyl y tŷ am saith o'r gloch.

.... **adael y tŷ, aeth e i'r dafarn.**

.... **gyrraedd y dafarn, cafodd e fwyd.**

.... **, gwelodd e Delyth.**

.... **, edrychodd e ar yr oriawr.**

.... **, aeth e i godi Llinos o'r orsaf.**

Bore Beti

1. Dihunodd Beti.

2.
....

....

3.
....

....

4.
....

....

5.
....

.... ,

gadawodd hi'r tŷ.

Pryd byddi di'n mynd adre?

Ar ôl i'r dosbarth orffen.	*After the class finishes.*
Ar ôl i'r ffilm orffen.	*After the film finishes.*
Ar ôl i'r bws gyrraedd.	*After the bus arrives.*
Ar ôl i'r dafarn gau.	*After the pub shuts.*

Gyda'ch partner, cysylltwch y ddau hanner.

Pryd bydd y plant gartre?		Ar ôl i'r pitsa gyrraedd.
Pryd byddwn ni'n prynu car newydd?		Ar ôl i'r larwm ganu.
Pryd byddi di'n nôl llaeth?		Ar ôl i'r siec loteri gyrraedd.
Pryd bydd y parti'n gorffen?		Ar ôl i'r tegell ferwi.
Pryd byddwch chi'n nôl arian?		Ar ôl i'r ysgol orffen.
Pryd byddwch chi'n bwyta heno?		Cyn i'r banc gau.
Pryd 'dyn ni'n mynd i gael paned?		Ar ôl i'r heddlu gyrraedd.
Pryd byddi di'n codi yfory?		Ar ôl i'r car fethu'r MOT eto.
Pryd byddi di'n ymddeol?		Ar ôl i'r siop agor.

Ynganu

A: Noswaith dda. Sut dych chi heno?

B: Wedi blino. Roedd hi'n brysur iawn yn y gwaith heddiw.
Ar ôl i fi ddod adre, cysgais i am awr ar y soffa.

A: Ble dych chi'n gweithio?

B: Dw i'n gweithio fel gyrrwr ambiwlans yn yr ysbyty.

A: Pryd dechreuoch chi?

B: Tair wythnos a hanner yn ôl, ar ôl i fi orffen fy nghwrs coleg.

A: Dych chi'n mwynhau'r gwaith?

B: Dim llawer. Dw i'n symud i swydd newydd cyn bo hir.
Dw i'n mynd i weithio mewn amgueddfa.

Gwrando

Rhowch lythyren yr ateb cywir yn y bocs:
Put the letter of the correct answer in the box:

1. Ble mae Catrin yn mynd?

a	b	c	ch

2. Pryd mae Catrin yn rhedeg y ras?

a	b	c	ch
 **Rhagfyr**	**yfory**	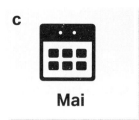 **Mai**	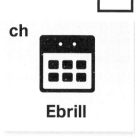 **Ebrill**

3. Beth mae Aled yn hoffi wneud nawr?

a	b	c	ch

4. I bwy mae'r Clwb Seiclo'n codi arian dydd Sadwrn?

a	b	c	ch
NSPCC	**TENOVUS**	**OXFAM**	**RSPCA**

5. Ble mae ras Aled yn gorffen?

a

b
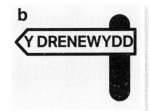

c
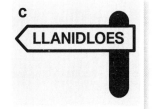

ch

6. Faint o ferched sy yn y Clwb Seiclo?

a
10

b
20

c
30

ch
40

7. Beth mae Catrin yn mynd i wneud am 1.30?

a

b

c

ch

8. Beth mae Aled yn brynu yn siop y garej?

a

b
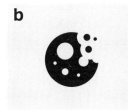

c

ch

Sgwrs – Yn y Sêl Cist Car

Carys: Gaf i barcio fy nghar i yma?

Bill: Cewch, wrth gwrs. Dych chi wedi bod mewn sêl cist car o'r blaen?

Carys: Nac ydw, ond cyn i ni symud tŷ mae'n syniad da i ni werthu tipyn o bethau.

Bill: I ble dych chi'n symud?

Carys: I Aberystwyth.

Bill: Braf iawn. Ro'n i'n arfer byw yn Aberystwyth. Dyna ble dysgais i Gymraeg.

Carys: Dych chi wedi dysgu Cymraeg? Dych chi'n siarad yn wych!

Bill: Diolch! Sais dw i o Chesterfield, ond dysgais i ar ôl i fi gwrdd â fy ngwraig i. Cymraes yw hi, o Grymych.

Carys: O Grymych! Byd bach, mae fy mam-gu i o sir Benfro hefyd.

Bill: Mae'r plant yn hoffi mynd ar wyliau i sir Benfro, mae'r traethau'n fendigedig yna. Gaf i helpu gyda'r bocsys?

Carys: Diolch yn fawr. Carys dw i. Diolch am eich help chi.

Bill: Croeso, Bill dw i. Ar ôl i ni gario'r bocsys o'r car, dych chi eisiau paned o de? Mae fflasg gyda fi yn y car!

Llyfrau Amdani

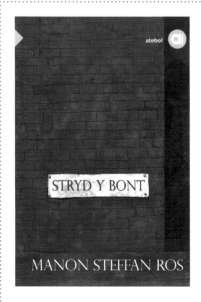

Dych chi nawr yn gallu darllen *Stryd y Bont* gan Manon Steffan Ros. Dych chi'n gallu prynu'r llyfr yn eich siop Gymraeg leol chi neu ar www.gwales.com.

Dyma'r clawr (*cover*) ac un paragraff:

Dydd Gwener, 6.12pm

Mae Sioned yn cerdded drwy'r drws. Mae Rhif 1, Stryd y Bont yn dywyll, ac mae Sioned wedi blino ar ôl diwrnod prysur yn y gwaith. Mae hi'n tynnu ei hesgidiau, ac yn tynnu ei chot.

tywyll – *dark*

Robin Radio

a) Atebwch:

Pam roedd Gwen yn hwyr yn dod adre? ....

Pam aeth gŵr Gwen i'r banc? ....

Pam mae Gwen yn ffonio Radio Rocio? ....

b) Gwrandewch am:

Roedd olwyn fflat gyda fi. ——— *I had a flat tyre.*
Pen-blwydd priodas hapus! ——— *Happy anniversary!*
Mwynhewch y noson! ——— *Enjoy the evening!*

c) Cyfieithwch:

After the mechanic arrived... ....

They didn't take cards. ....

After I saw the flowers... ....

Help llaw

This pattern is very similar to **Rhaid**.

1. *Here is the pattern for* **Cyn/Ar ôl** *in full:*

Cyn/Ar ôl i fi	**Cyn/Ar ôl i ni**
Cyn/Ar ôl i ti	**Cyn/Ar ôl i chi**
Cyn/Ar ôl iddo fe/iddi hi	
Cyn/Ar ôl i Eryl	**Cyn/Ar ôl iddyn nhw**

2. *Again, the* **treiglad meddal** *following the pattern* **Cyn/Ar ôl i fi** *is caused by the* **i**: **Cyn i fi fynd.**

3. *Again, there is no* **yn** *in this pattern. e.g.* **Ar ôl i fi ymddeol.**

4. *There is no difference between past, present and future.*
   Look at the rest of the sentence to work out the tense.
   Before I go/Before I went = **Cyn i fi fynd.**
   After I go/After I'd gone = **Ar ôl i fi fynd.**

Uned 25 (dau ddeg pump) – Mae bwyd yn y caffi

Nod: Gofyn am bethau mewn caffi/
Asking for things in a café
(Mae bwyd, Oes bwyd? Does dim bwyd.
Mae'r bwyd... Ydy'r bwyd...? Dyw'r bwyd ddim...)

Geirfa

bwydlen(ni)	*menu(s)*		**gwraig tŷ**	*housewife*

adeiladwr (-wyr)	*builder(s)*	garddwr (-wyr)	*gardener(s)*
bwletin	*bulletin*	gorllewin	*west*
cerddor(ion)	*musician(s)*	gweithiwr	*worker(s)*
cig eidion	*beef*	(gweithwyr)	
cig moch/bacwn	*bacon*	gwleidydd(ion)	*politician(s)*
cig oen	*lamb* (cig)	gŵr tŷ	*househusband*
cyw iâr	*chicken*	gwynt(oedd)	*wind(s)*
darn(au)	*piece(s)*	Pasg, y	*Easter*
diwrnod(au)	*day(s)*	porc	*pork*
dwyrain	*east*	pryd(au)	*meal(s)*

adeiladu	*to build*		

agos	*close*	gwan	*weak*
cryf	*strong*	hoff	*favourite*

eitha	*fairly, quite*	**unman**	*nowhere*
hyd yn oed	*even*	**ychydig**	*a little, a few*
rheina	*those*		

Geiriau pwysig i fi

....
✕   ✕
....
✕   ✕
....

Yn y caffi

Sut mae'r bwyd yn y caffi?
Mae'r te'n oer. ———————— *The tea is cold.*
Mae'r brechdanau'n ffres. ———— *The sandwiches are fresh.*
Mae'r coffi'n gryf. ————————— *The coffee is strong.*
Mae'r cacennau'n flasus. ———— *The cakes are tasty.*

Ydy'r te'n oer? ————— *Is the tea cold?* **Nac ydy.**
Ydy'r coffi'n dda? ———— *Is the coffee good?* **Ydy.**
Ydy'r cacennau'n flasus? — *Are the cakes tasty?* **Ydyn.**
Ydy'r staff yn dda? ———— *Are the staff good?* **Nac ydyn.**

Siaradwch

Siaradwch am dŷ bwyta yn yr ardal.
Gofynnwch gwestiynau i'ch partner.

Dyw'r bwyd ddim yn barod. ——— *The food isn't ready.*
Dyw'r brechdanau ddim yn barod. – *The sandwiches aren't ready.*
Dyw'r te ddim yn boeth. ———— *The tea isn't hot.*
Dyw'r cyrri ddim yn boeth. ——— *The curry isn't hot.*

Cerdyn post o'r gwyliau

Gyda'ch partner, ysgrifennwch frawddegau am y gwyliau gwych ac am y gwyliau ofnadwy.

tywydd

gwesty

traeth

môr

bwyd

gwin

plant

tywydd

gwesty

traeth

môr

bwyd

gwin

plant

Mae...

Mae siwgr ar y bwrdd. —————— *There is sugar on the table.*

Mae llaeth yn y jwg. —————— *There is milk in the jug.*

Mae cacennau ar y cownter. —————— *There are cakes on the counter.*

Mae brechdanau ar y cownter. —————— *There are sandwiches on the counter.*

Mae llawer o fwyd yma. —————— *There is a lot of food here.*

Mae digon o fwyd yma. —————— *There is enough/plenty of food here.*

Mae gormod o fwyd yma. —————— *There is too much food here.*

Mae ychydig o fwyd yma. —————— *There is a little food here.*

Oes siwgr yn y coffi? —————— *Is there sugar in the coffee?*

Oes siwgr ar y bwrdd? —————— *Is there sugar on the table?*

Oes llaeth ar y bwrdd? —————— *Is there milk on the table?*

Oes digon o laeth yn y te? —————— *Is there enough milk in the tea?*

Does dim brechdanau ar ôl. —————— *There are no sandwiches left.*

Does dim cacennau ar ôl. —————— *There are no cakes left.*

Does dim llaeth ar ôl. —————— *There is no milk left.*

Does dim byd ar ôl. —————— *There is nothing left.*

Edrychwch ar y lluniau gyda'ch partner ac ysgrifennwch dair brawddeg yn dechrau gyda 'Mae...' neu 'Does dim...' wrth bob llun.

Yn eich ardal – Oes...?

pwll nofio	**sinema**	**theatr**
gorsaf heddlu	**gorsaf drenau**	**canolfan siopa**
gwesty	**tafarn**	**swyddfa bost**
ysgol	**garej**	**llyfrgell**
siop ddillad	**siop esgidiau**	**ysbyty**

Sgwrs 1 – Yn y Tŷ Bwyta – Bwyty Bwyd y Byd

A: **Noswaith dda. Croeso i fwyty "Bwyd y Byd". Dych chi ar eich pen eich hun?**

B: Mae'n ddrwg iawn gyda fi, mae fy ffrind i, Jen, yn mynd i fod yn hwyr iawn.

A: **Wel, 'dyn ni'n brysur iawn… bwrdd i un, felly?**

B: Na, dw i eisiau bwrdd i ddau.

A: **Iawn. Mae'r pysgod wedi mynd, ond mae un pryd arbennig ar ôl ar y fwydlen.**

B: Beth yw e?

A: **Ein Paella Poeth. Mae e'n fendigedig.**

B: Paella… Poeth?

A: **Ie, mae llawer o chili a phaprica yn y paella.**

B: Dw i ddim yn siŵr…

A: **Rhaid i chi gael y paella.**

B: O'r gorau.

A: **Ac i yfed? Mae ein gwin coch Bordeaux ni yn mynd yn dda iawn gyda'r paella…**

B: Iawn… Bydd syched arna i ar ôl bwyta chili poeth.

A: **Mwynhewch eich bwyd!**

Sgwrs 2 – Yn y caffi

A: Prynhawn da. On'd yw'r tywydd yn ofnadwy!

B: Ydy wir, mae hi'n stormus iawn, on'd yw hi? Mae'r gwynt yn ofnadwy.

A: Dw i wedi bod yn cerdded am oriau! Oes bwyd poeth ar gael yma?

B: Nac oes, mae'n ddrwg gyda fi, 'dyn ni'n cau mewn <u>hanner awr</u>.

A: Oes brechdanau, 'te?

B: Oes, mae brechdanau <u>cyw iâr</u> gyda ni... O na, mae'n ddrwg gyda fi, maen nhw wedi mynd hefyd.

A: Beth! Dim brechdanau hyd yn oed. Oes unrhyw fwyd o gwbl?

B: Wel, mae cacen <u>lemon</u> a <u>bara brith</u> gyda ni.

A: Reit, dw i eisiau rheina, os gwelwch chi'n dda. Gaf i ddarn o gacen <u>lemon</u> a darn o <u>fara brith</u> – gyda mwg mawr o <u>goffi llaeth</u>, plîs?

B: Dim problem, ar eu ffordd nawr.

Darllenwch y darn eto a newid y geiriau wedi eu tanlinellu i siarad am "Y Dafarn".

Gofyn cwestiwn

Mae

Sut mae'r teulu?	*How is the family?*
Sut mae'r gwaith?	*How is work?*
Sut mae'r tywydd?	*How is the weather?*
Ble mae'r car?	*Where is the car?*
Pryd mae amser paned?	*When is coffee time?*

Yw

Pwy yw'r tiwtor?	*Who is the tutor?*
Beth yw eich enw chi?	*What is your name?*
Faint yw'r bil?	*How much is the bill?*
Faint o'r gloch yw hi?	*What time is it?*

Y cwmpawd

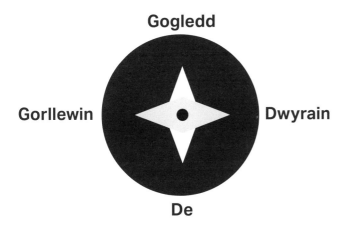

Mae Bangor a Wrecsam yng ngogledd Cymru.

Mae Caerfyrddin a Chasnewydd yn ne Cymru.

Mae Casnewydd a Wrecsam yn nwyrain Cymru.

Mae Caerfyrddin a Bangor yng ngorllewin Cymru.

Mae Bangor yn y gogledd-orllewin.

Mae Wrecsam yn y gogledd-ddwyrain.

Mae Caerfyrddin yn y de-orllewin.

Mae Casnewydd yn y de-ddwyrain.

Ble mae...?

Caerdydd	Tyddewi	Caergybi	Yr Wyddgrug
Nant Gwrtheyrn	Pontypridd	Llangrannog	Y Fflint

Oedran

Beth yw oed y plentyn? ——————— *How old is the child?*

Beth yw oed y plant? ——————— *How old are the children?*

Beth yw oed dy fab di? ——————— *How old is your son?*

Beth yw oed dy ferch di? ——————— *How old is your daughter?*

Mae e'n un oed. ——————— *He is one.*

Mae e'n ddwy oed. ——————— *He is two.*

Mae hi'n dair oed. ——————— *She is three.*

Mae hi'n bedair oed. ——————— *She is four.*

Ynganu

A: Noswaith dda. Croeso i Dŷ Bwyta'r Ddraig.

B: **Diolch yn fawr. Ydy hi'n bosib cael bwrdd i ddau, os gwelwch chi'n dda?**

A: 'Dyn ni'n llawn ar hyn o bryd, mae'n ddrwg gyda fi.

B: **Mae hi'n brysur iawn yma. Fydd rhaid i ni aros yn hir?**

A: Tua awr, fallai.

B: **Mae popeth yn edrych yn hyfryd, ond dw i eisiau bwyd nawr.**

A: Mae siop sglodion rownd y gornel os dych chi eisiau bwyd cyflym.

B: **Syniad da. 'Dyn ni'n gallu cael pysgod a sglodion heno a dod yn ôl nos yfory.**

Ymarfer Arholiad

Nyrs/doctor yw hi.	Mae hi'n gweithio mewn ysbyty.
Athro yw e.	Mae e'n gweithio mewn ysgol.
Gyrrwr bws yw hi.	Mae hi'n gyrru bws.
Tiwtor Cymraeg yw e.	Mae e'n dysgu Cymraeg i bobl.
Ysgrifenyddes yw hi.	Mae hi'n gweithio mewn swyddfa.
Garddwr yw e.	Mae e'n garddio bob dydd.
Actores yw hi.	Mae hi'n actio ar y teledu.
Cogydd yw hi.	Mae hi'n coginio mewn gwesty.
Adeiladwr yw e.	Mae e'n adeiladu tai.

Dyma Tom.

Byw:	Bangor
Teulu:	3 o blant
Hoffi:	darllen
Neithiwr:	i'r dafarn
Gwaith:	(Llun/*Picture*)

Edrychwch ar y llun o Tom. Gyda'ch partner, atebwch y cwestiynau:

Ble mae Tom yn byw? ....

Oes teulu gyda fe? ....

Beth mae e'n hoffi wneud? ....

Beth wnaeth e neithiwr? ....

Beth yw gwaith Tom? ....

Gofyn cwestiwn

Gyda'ch partner, ysgrifennwch o leia *(at least)* **tri chwestiwn gyda'r geiriau yn y blwch:**

Ble	eich	yw	dosbarth	mae
hi	plant	teulu	Sut	car
gwaith	o'r gloch	mae'r	Faint	chi
Beth	Pryd	enw	tywydd	?

....

....

....

Gwrando – Bwletin Tywydd

1. Heddiw, roedd hi'n ....

2. Heno, mae hi'n ....

3. Yfory, bydd hi'n ....

4. Dydd Sul, bydd hi'n ....

Robin Radio

a) Atebwch:

Beth sy'n agor nos Sadwrn?

....

Beth mae Anti Mair yn hoffi fwyta?

....

Beth dyw Llinos ddim yn hoffi fwyta?

....

b) Gwrandewch am:

yn agos at yr afon ————————— *close to the river*
Cymro yw'r cogydd? ————————— *Is the chef a Welshman?*
Sais o Lerpwl yw e. ————————— *He is an Englishman from Liverpool.*

c) Cyfieithwch:

What is the name of the restaurant? ....

The menu is in Welsh and English. ....

Are you a vegetarian? ....

Help llaw

1. **Mae'r coffi ar y bwrdd.** *– The coffee is on the table. (specific)* ond
   Mae coffi ar y bwrdd. *– There is coffee on the table. (non-specific)*

2. **Ydy'r coffi ar y bwrdd? – Ydy.** *Is the coffee on the table? (specific)* ond
   Oes coffi ar y bwrdd? – Oes. *Is there coffee on the table? (non-specific)*

3. *Learn when to use* **yw** *and when to use* **mae** *when there is a definite noun or a pronoun in the question:*
   PWY, BETH, FAINT+ YW
   PRYD, BLE, SUT + MAE
   There is only one word in the corresponding patterns in the past and future, but there is a treiglad meddal *with* pwy, beth *and* faint.

   Sut roedd y tywydd + Faint oedd y bil?
   Sut bydd y tywydd + Faint fydd y bil?

4. *Age is always feminine in Welsh.*
   dwy oed   tair oed   pedair oed

Uned 26 (dau ddeg chwech) – Ei/Ein/Eu

Nod: Siarad am bethau a phobl sy'n perthyn i bobl eraill
Talking about other people's belongings and relatives
(ei dŷ e; ei thŷ hi; ein tŷ ni; eu tŷ nhw)

Geirfa

Siôn Corn ———— *Santa Claus*

aur ———— *gold*   **taclus** ———— *tidy*
pert ———— *pretty*

defnyddio ——— *to use*

Geiriau pwysig i fi

× ....   × ....
× ....   × ....

Adolygu Fy a Dy

Sam yw enw fy <u>mhartner</u> i.   Beth yw enw dy <u>bartner</u> di?

Llenwch o leiaf *(at least)* **5 blwch:**

enw partner	
enw mab	
enw merch	
enw babi	
enw (anifail)	
lliw (anifail)	
mêc car	
lliw car	
enw bòs	
enw tŷ	
enw stryd	
enw mam/tad	
enw brawd/chwaer	
enw ysgol	
mêc ffôn	
enw tiwtor	
lliw gwallt	
lliw llygaid	

Beth yw dy hoff fwyd di?   Pitsa yw fy hoff fwyd i.
Beth yw dy hoff ddiod di?   Coffi yw fy hoff ddiod i.
Beth yw dy hoff lyfr di?   Y cwrs Mynediad yw fy hoff lyfr i.
Beth yw dy hoff ffilm di?   *Batman* yw fy hoff ffilm i.

Enw	Beth? – bwyd	Beth? – diod	Beth? – llyfr	Beth? – ffilm	Pwy? – actor	Pwy? – canwr

Ei _____ e

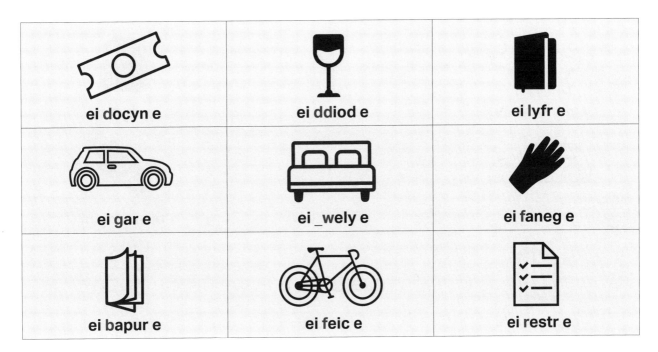

ei docyn e	ei ddiod e	ei lyfr e
ei gar e	ei _wely e	ei faneg e
ei bapur e	ei feic e	ei restr e

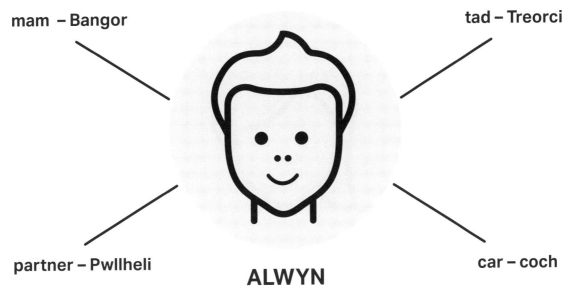

mam – Bangor

tad – Treorci

partner – Pwllheli

car – coch

ALWYN

Dyma fy ffrind i.

Alwyn yw ei enw e.

Mae ei dad e'n dod o Dreorci.

Mae ei bartner e'n dod o Bwllheli.

Mae ei fam e'n dod o Fangor.

Mae ei gar e'n goch.

Mae ei wallt e'n frown.

Mae ei lygaid e'n las.

Ei _____ hi

ei thocyn hi	ei diod hi	ei llyfr hi
ei char hi	ei gwely hi	ei maneg hi
ei phapur hi	ei beic hi	ei rhestr hi

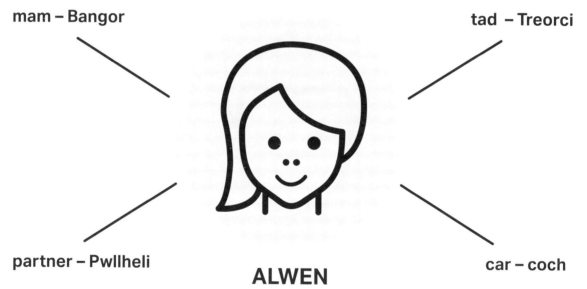

mam – Bangor

tad – Treorci

partner – Pwllheli

car – coch

ALWEN

Dyma fy ffrind i.

Alwen yw ei henw hi.

Mae ei thad hi'n dod o Dreorci.

Mae ei phartner hi'n dod o Bwllheli.

Mae ei mam hi'n dod o Fangor.

Mae ei char hi'n goch.

Mae ei gwallt hi'n frown.

Mae ei llygaid hi'n las.

Gyda'ch partner, gorffennwch y brawddegau gyda un o'r geiriau. Defnyddiwch **ei**.

cân x 2   **llyfr x 2**   **partner x 2**   **gŵr**   **gwraig**

Tom Jones   *Green Green Grass of Home* yw enw ——————— .

Victoria Beckham   David yw enw ————————————— .

Dec   Ant yw enw ——————————————— .

Cerys Matthews   *International Velvet* yw enw ——————— .

Bill Clinton   Hilary yw enw —————————————— .

J K Rowling   *Harry Potter* yw enw ———————————— .

Stephen King   *The Shining* yw enw ————————————— .

Jennifer Saunders   Dawn French yw enw ———————————— .

Mae ein tŷ ni'n hen. ——————— Our house is old.

Mae ein tŷ ni'n fodern. ——————— Our house is modern.

Mae ein car ni'n hen. ——————— Our car is old.

Mae ein car ni'n newydd. ——————— Our car is new.

Mae eu tŷ nhw'n hen. ——————— Their house is old.

Mae eu tŷ nhw'n fodern. ——————— Their house is modern.

Mae eu car nhw'n hen. ——————— Their car is old.

Mae eu car nhw'n newydd. ——————— Their car is new.

Ynganu

Darllenwch y ddeialog yn uchel gyda'ch partner:

Arweinydd:	Tawelwch, os gwelwch chi'n dda. Dyma'r plentyn nesa i ganu yng Nghyngerdd Nadolig Llandudoch.
Mam-gu/Tad-cu:	**On'd yw hi'n edrych yn bert?**
Arweinydd:	Heulwen Huws yw ei henw hi. Mae hi wedi dod â'r pianydd o'i hysgol hi, Ysgol Hafod y Coed.
Mam-gu/Tad-cu:	**Da iawn, Mrs Prydderch.**
Arweinydd:	Mae hi'n saith oed. Mae hi'n mynd i ganu'r gân "Annwyl Siôn Corn".
Mam-gu/Tad-cu:	**O dw i wrth fy modd gyda "Annwyl Siôn Corn".**
Arweinydd:	Felly pawb yn y Neuadd yn dawel a rhowch groeso mawr i Heulwen Huws.

Sgwrs

A.	Dych chi'n nabod Elwyn Evans?	**A.**	Ydyn. Dyna chi.	
B.	Elwyn Evans. Oedd ei dad e'n blismon yn Llanelli ers llawer dydd?	**B.**	Aeth ei frawd e i Awstralia neu rywle.	
A.	Oedd. Dyna chi.	**A.**	Do, i Seland Newydd. Dyna chi.	
B.	Mae ei bartner e'n gweithio yn y Cyngor Sir.	**B.**	Dyw e ddim yn cadw gwesty ym Mhorthcawl gyda ei frawd arall?	
A.	Ydy. Dyna chi.	**A.**	Ydy. Dyna chi. Dych chi'n ei nabod e?	
B.	Mae ei blant e yn ysgol Abercastell.	**B.**	Nac ydw, dim o gwbl.	

Newidiwch y cwestiwn cynta i: Dych chi'n nabod Elwen Evans (hi)?

Dyma Ffion:

Gweithio: mewn ysbyty

Ddoe: darllen llyfr

Teulu: 2 fab

Byw: Caergybi

Hoffi: (llun/*picture*)

Edrychwch ar y llun o Ffion. Gyda'ch partner, atebwch y cwestiynau:

Ble mae Ffion yn gweithio? ....

Beth wnaeth hi ddoe? ....

Oes teulu gyda hi? ....

Ble mae hi'n byw? ....

Beth mae hi'n hoffi wneud? ....

Siaradwch am eich ffrind gorau/bòs/cymdogion chi.

Beth yw ei enw e?   (e.e. Gwyn yw e.)

Beth yw ei waith e?

Beth yw ei ddiddordebau e?

Beth yw ei henw hi?

Beth yw ei gwaith hi?

Beth yw ei diddordebau hi?

Beth yw eu henwau nhw?

Beth yw eu gwaith nhw? .... yw X.

.... yw Y.

Beth yw eu diddordebau nhw?

Robin Radio

a) Atebwch:

Faint o ystafelloedd gwely sy yn nhŷ newydd Siân? ....

Beth arall sy yn nhŷ newydd Siân? ....

Beth mae Siôn wedi ei wneud gyda ei arian? ....

b) Gwrandewch am:

yr un ————————————————— each

stafell ymolchi ————————— bathroom (literally "washing room")

stafell haul ——————————— conservatory (literally "sun room")

c) Cyfieithwch:

her new car ....

in his old caravan ....

his money ....

Help llaw

family 1   family 2

1. Here is a table of all the pronouns covered in this unit.

	ei _____ hi	ei _____ e	ein _____ ni	eu _____ nhw
tŷ	ei **th**ŷ hi	ei **d**ŷ e	ein tŷ ni	eu tŷ nhw
car	ei **ch**ar hi	ei **g**ar e	ein car ni	eu car nhw
plant	ei **ph**lant hi	ei **b**lant e	ein plant ni	eu plant nhw
brawd	ei brawd hi	ei **f**rawd e	ein brawd ni	eu brawd nhw
doctor	ei doctor hi	ei **dd**octor e	ein doctor ni	eu doctor nhw
gwaith	ei gwaith hi	ei __waith e	ein gwaith ni	eu gwaith nhw
mam	ei mam hi	ei **f**am e	ein mam ni	eu mam nhw
lle	ei lle hi	ei **l**e e	ein lle ni	eu lle nhw
rhieni	ei rhieni hi	ei **r**ieni e	ein rhieni ni	eu rhieni nhw
oed	ei **h**oed hi	ei oed e	ein **h**oed ni	eu **h**oed nhw

2. Ei *(his) ... causes the* **soft mutation***, like* **dy** *(your).*

Ei *(her) ... causes the* **aspirate mutation***. This entails adding a* **H** *to any words starting with the consonants* **C***,* **P** *and* **T***. In addition to this,* **ei** *(her) also adds a H to words starting with a vowel (***A, E, I, O, U, W, Y***).*

Plural possessives do not in general take a mutation. However, it is necessary to add a **h** *to any word starting with a vowel following* **ein** *(our) or* **eu** *(their) -* ein **h**enw ni, eu **h**enw nhw.

3. *Adjectives usually follow the noun as in* **car du***,* **cath ddu***. However, a few adjectives go* **before** *the noun. One of the most useful is* **hen** *(old) e.g.* **hen gar***. Notice that placing the adjective before the noun causes a* **soft mutation***.*

Uned 27 (dau ddeg saith) – Pobl y Cwm

Nod: Siarad am eiddo a pherthnasau/*Talking about possessions and relatives*

Geirfa

cyfnither(od)	*cousin(s)*	**prifysgol(ion)**	*university (universities)*
nith(od)	*niece(s)*		
opera (operâu)	*opera(s)*		

canol	*middle, centre*	hanes(ion)	*history (histories)*
cefnder (cefndryd)	*cousin(s)*	hen beth(au)	*antique(s)*
cyfenw(au)	*surname(s)*	nai (neiaint)	*nephew(s)*
cylchgrawn (cylchgronau)	*magazine(s)*	ystyr(on)	*meaning(s)*

llond ceg — *a mouthful*

Geiriau pwysig i fi

....
×   ×
....
×   ×
....

Pris y petrol

Beth yw pris y petrol? ————	*What is the price of the petrol?*
Beth yw rhif y tŷ? ————	*What is the number of the house?*
Beth yw enw'r tŷ? ————	*What is the name of the house?*
Beth yw enw'r dre? ————	*What is the name of the town?*

£1.15 y litr	£1.19 y litr	£1.25 y litr	£1.36 y litr

Cartref	Golwg y Môr	Yr Hafod	Cwm Deri

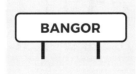

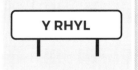

CAERNARFON	BANGOR	LLANBERIS	Y RHYL

Pris petrol

Beth yw pris petrol?	*What is the price of petrol?*
Beth yw pris cwrs Cymraeg?	*What is the price of a Welsh course?*
Beth yw pris cyfrifiadur?	*What is the price of a computer?*
Beth yw pris ffôn symudol?	*What is the price of a mobile phone?*

Mam Siân dw i.	*I'm Siân's mother.*
Brawd Siân dw i.	*I'm Siân's brother.*
Ewythr Siân dw i.	*I'm Siân's uncle.*
Ffrind Siân dw i.	*I'm Siân's friend.*

Coeden deuluol

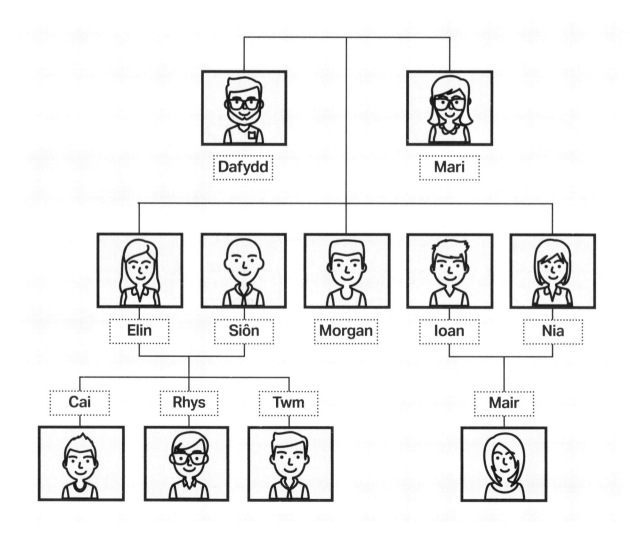

Beth yw enw dy dad di? ——————— *What is your father's name?*
Beth yw enw dy frawd di? ——————— *What is your brother's name?*
Beth yw enw dy fodryb di? ——————— *What is your aunt's name?*
Beth yw enw dy bartner di? ——————— *What is your partner's name?*

Fiesta yw mêc fy nghar i. ——————— *Fiesta is the make of my car.*
Coch yw lliw fy nghar i. ——————— *Red is the colour of my car.*
Dr Jones yw enw fy noctor i. ——————— *Dr Jones is the name of my doctor.*
Banc Bryncastell yw enw fy manc i. —— *Banc Bryncastell is the name of my bank.*

Pwy ddwedodd?
Bart   Simon Cowell   Sali Mali   Juliet   Shakespeare   Batman

Romeo yw enw fy nghariad i.   ....

Batmobile yw enw fy nghar i.   ....

Homer yw enw fy nhad i.   ....

Jac y Jwc yw enw fy ffrind i.   ....

X Factor yw teitl fy rhaglen i.   ....

King Lear yw teitl fy nrama i.   ....

Beth yw mêc eich car chi?——————— *What is the make of your car?*
Beth yw lliw eich car chi? ——————— *What is the colour of your car?*
Beth yw enw eich doctor chi? ——————— *What is the name of your doctor?*
Beth yw enw eich banc chi?——————— *What is the name of your bank?*

Holiadur – Gofynnwch y cwestiynau i bum person yn y dosbarth

Enw	mêc car	lliw car	enw doctor	enw banc

Pwy yw'r capten? ———— *Who is the captain?*
Pwy yw capten y tîm? ———— *Who is the captain of the team?*
Pwy yw capten tîm Cymru? ———— *Who is the captain of the Welsh team?*

Gyda'ch partner, cyfieithwch:

Who is the head? ....

Who is the head of the school? ....

Who is the head of Aberheli School? ....

Who is the teacher? ....

Who is the teacher of the class? ....

Who is the teacher of Year 6? ....

Where is the middle? ....

Where is the city centre? ....

Where is the centre of the city of London? ....

Gyda'ch partner, ysgrifennwch y cwestiwn:

.... JK Rowling yw awdur llyfrau Harry Potter.

.... Bethan Gwanas yw awdur llyfrau Blodwen Jones.

.... Ian Fleming oedd awdur llyfrau James Bond.

.... Shakespeare oedd awdur *Macbeth.*

.... John Davies oedd awdur *Hanes Cymru.*

.... Dylan Thomas oedd awdur *Under Milk Wood.*

Ynganu

Bryn Terfel

Mae Bryn Terfel yn dod o Bant-glas yng Ngogledd Cymru yn wreiddiol ac mae e wedi gweithio'n galed iawn i lwyddo <u>ym myd opera</u>. Erbyn hyn, mae e'n canu dros y byd. Aeth e i'r coleg yn y Guildhall yn Llundain ble enillodd e'r fedal aur. Dechreuodd e weithio i <u>Gwmni Opera Cenedlaethol Cymru</u> yn 1990 pan ganodd e *Cosi Fan Tutte*. Wedyn aeth e i weithio ym Mrwsel cyn canu yn *Figaro* yn Covent Garden yn 1992. Ym mis Medi 2011, canodd e yn Central Park, Efrog Newydd o flaen dros saith deg mil o bobl. Mae e'n helpu <u>Urdd Gobaith Cymru</u>, <u>Shelter Cymru</u> a <u>Chanolfan Therapi Plant Bobath</u> yng Nghaerdydd.

Sgwrs – Yn Siop y Gornel

Gwrandewch ar y Sgwrs a llenwch y tabl am Ann.

Enw llawn	
Cyfeiriad	

A:	**Helô 'na! Esgusodwch fi, ond beth yw pris y cylchgrawn yma?**	**A:**	**Rhydderch. Mae'n dipyn o lond ceg!**
B:	<u>Dwy bunt</u> yw pris y cylchgrawn yna. Bargen!	**B:**	A beth yw'ch cyfeiriad llawn chi, Ann?
A:	**Wel ydy, mae'n dipyn o fargen. Mmm! Ydy hi'n bosib archebu'r cylchgrawn bob mis?**	**A:**	**7 Ffordd y Parc, Aberheli.**
		B:	Na! 7 Ffordd y Parc! Mam Dafydd Rhydderch dych chi?
B:	Ydy, wrth gwrs. Un funud. Beth yw'r enw?	**A:**	**Ie. Pam? Beth mae e wedi wneud nawr?**
A:	<u>**Ann**</u>. <u>**Ann**</u> **Rhydderch.**	**B:**	Dim byd. Ond tad Siân dw i, cariad Dafydd.
B:	Diolch. <u>Ann</u>... Beth oedd y cyfenw eto, plîs?	**A:**	**Chi yw Mr Davies, tad Siân? O, byd bach!**

Gwylio – Croeso i Gaerdydd

Gwyliwch y fideo ac ysgrifennwch y lleoedd dych chi'n gweld – 5 lle.

....

....

Llyfrau Amdani

Dych chi nawr yn gallu darllen *Pass y Sugnydd Llwch, Darling!* gan Rhodri a Lucy Owen. Dych chi'n gallu prynu'r llyfr yn eich siop Gymraeg leol chi neu ar www.gwales.com.

Dyma'r clawr (*cover*) ac un paragraff:

Mae Rhodri a Lucy Owen yn byw yn **y Bont-faen** gyda eu mab Gabriel. Mae'r ddau yn gwneud gwaith **cyflwyno** ar y teledu. Mae Rhodri yn cyflwyno ar y rhaglen deledu *Heno* ac mae Lucy yn darllen y newyddion ar BBC Wales. Mae Gabriel a Rhodri yn siarad Cymraeg yn **rhugl**. Mae Lucy yn dysgu Cymraeg. Hoff beth Gabriel ydy hanes, hoff beth Rhodri ydy **cadw'n heini**. Hoff beth Lucy ydy **hwfro**. Mae hi'n hoffi hwfro'r tŷ.

Y Bont-faen	*Cowbridge*	cyflwyno	*to present*
rhugl	*fluent*	cadw'n heini	*to keep fit*
hwfro	*to hoover*		

Robin Radio

a) Atebwch:

I ba dre/ddinas aeth Catrin dros y penwythnos? ....

Pam doedd hi ddim eisiau mynd i'r Senedd? ....

Faint o gestyll sy yn y sgwrs? ....

b) Gwrandewch am:

Beth yw dy hanes di? ———— *What's your history? (lit.)*
What have you been doing?

Dyfala ble es i. ———— *Guess where I went.*
Dw i newydd fod... ———— *I've just been...*

c) Cyfieithwch:

I don't like antiques. ....

I must have a clue. ....

Is The Millennium Centre the answer? ....

Help llaw

1. *This pattern,* **pris te, pris y te** *can sometimes be difficult because it is so different to English. Think of it as* **Pobl y Cwm** *syndrome. The People of the Valley =* **Pobl y Cwm**.

Un *THE* **yn Saesneg** *(the price of petrol)*
Dim 'Y' yn Gymraeg
(pris petrol)

Dau *THE* **yn Saesneg** *(the price of the petrol)*
Un 'Y' yn Gymraeg
(pris y petrol)

2. *When something belongs to or is associated with a person or place, we have no* **y** *at all:*

The Welsh team	**Tîm Cymru**
The University of South Wales	**Prifysgol De Cymru**
The National Library of Wales	**Llyfrgell Genedlaethol Cymru**

3. *Notice that* **y** *or* **yr** *appears as* **'r** *when following a vowel:*

Beth yw rhif y car?
Beth yw cyfeiriad yr ysgol?
Beth yw enw'r athrawes?

4. *Notice the answer* **Ie** *in the* Sgwrs. *We answer* **Ie** *to an emphatic question. In Welsh, a non-emphatic sentence or question begins with a verb. However, if there is a different part of speech at the beginning, we answer* **Ie** *or* **Na / Nage.** *Look at the examples:*

Mam Dafydd Rhydderch dych chi?	**Ie/Na. (Nage.)**
Coch yw lliw eich gwallt chi?	**Ie/Na. (Nage.)**
Doctor dych chi?	**Ie/Na. (Nage.)**
(Dych chi'n gweithio fel doctor?)	**(Ydw/Nac ydw.)**

Uned 28 (dau ddeg wyth) – Adolygu'r cwrs ac edrych ymlaen

Nod: Adolygu lefel Mynediad

Geirfa

campfa	gym	**rownd**	round (gêm / diod)
ffurflen(ni)	form(s)		
trio	to try	**tynnu**	to pull, to take off, to take out
ola	last	**tal**	tall
perffaith	perfect		

gwir neu gau	true or false	**ymlaen**	forward
llongyfarchiadau	congratulations	**yn barod**	already

Geiriau pwysig i fi

....

× ....   × ....

× ....   × ....

Gêm o gardiau

	♠	♦	♣	♥
A	Sut mae'r tywydd heddiw?	Ble aethoch chi i'r ysgol?	Beth wnaethoch chi cyn dod yma heddiw?	Sut roedd y tywydd ddoe?
2	Beth wnaethoch chi yr wythnos diwetha?	Pryd codoch chi y bore 'ma?	Beth gest ti i frecwast heddiw?	Beth wnaethoch chi ddoe?
3	Ble dych chi wedi bod yng Ngogledd Cymru?	Ble aethoch chi ar eich gwyliau diwetha chi?	Beth mae rhaid i chi wneud yfory?	Dych chi wedi gweld *Pobol y Cwm*?
4	Gofynnwch gwestiwn i fi, os gwelwch chi'n dda!	Dych chi'n mynd i gampfa?	Beth o'ch chi'n hoffi wneud pan o'ch chi'n blentyn?	Beth mae rhaid i chi wneud heno?
5	Oes anifail anwes gyda chi?	Beth yw'ch gwaith chi?	Gyda phwy dych chi'n siarad Cymraeg?	Oes teulu gyda chi?
6	Beth fyddwch chi'n wneud dros y penwythnos?	Sut bydd y tywydd yn Sawdi-Arabia yfory?	Beth dych chi'n hoffi wneud yn eich amser sbâr?	Beth brynoch chi mewn siop ddiwetha?
7	Beth weloch chi ar y teledu ddiwetha?	Beth gest ti i ginio dydd Sul?	Faint o'r gloch dych chi'n mynd i'r gwely fel arfer?	Ble ro'ch chi nos Galan ddiwetha?
8	O ble dych chi'n dod yn wreiddiol?	Dych chi'n hoffi wyau Pasg siocled?	Beth dych chi'n hoffi wneud ar ddydd Sadwrn?	Am faint o'r gloch dych chi'n edrych ar y newyddion?
9	Pwy yw dy hoff actor di?	Beth yw mêc eich car chi?	Beth yw dy hoff air Cymraeg di?	Ble dych chi'n dysgu Cymraeg?
10	Beth wnaethoch chi ar ôl i chi adael yr ysgol?	Faint o'r gloch yw hi nawr?	Pwy yw dy gymdogion di?	Ble dych chi'n byw?
Jac	Beth yw lliw eich llygaid chi?	Beth dych chi'n hoffi yfed mewn caffi?	Beth yw dy hoff ffilm di?	Beth wnaethoch chi neithiwr?
Brenhines	Ble dych chi eisiau mynd ar wyliau?	Beth yw enw eich ffrind gorau chi?	Faint o'r gloch dych chi'n codi fel arfer?	O ble mae eich teulu chi'n dod yn wreiddiol?
Brenin	Ble rwyt ti'n hoffi mynd am dro yng Nghymru?	Sut daethoch chi yma heddiw?	Dych chi wedi bod yn Iwerddon?	Beth dych chi'n hoffi yfed mewn parti?

Gyda'ch partner, parwch hanner o'r grid cynta â hanner o'r grid nesa.

Rhaid	Nyrs	Ydy'r plant yn hapus?	Dw i'n edrych	Beth yw dy	Dw i'n mynd i'r
Mae'r ferch yn (3)	Bydd hi'n	Mae'r babi'n un	Dyma fy	Rhaid i	Mae hi'n chwarter
Mae'r trên am	Mae'r bachgen yn (4)	Mae'r swyddfa'n	Dw i'n gweithio yn	Sut	Aeth e
Aethon nhw ddim	Pwy	Faint	Dw i'n gwrando	Gysgodd y plant	Beth wnest
Roedd hi'n	Beth yw eich	Mae Aled yn gweithio	Mae hi'n hanner awr	Pryd	Ble
***********	***********	***********	***********	***********	***********
bedair oed	i bedwar	dri o'r gloch	i fi brynu bara	oer ddoe	waith di?
brysur iawn heddiw	mae swper?	mae'r teulu?	enw chi?	yw hi	dair oed
ar y teledu	wedi dau	mae'r ysgol?	yw'r pris?	chi fynd	wyntog yfory
yr ysbyty	mewn banc	yw'r actores?	gwaith nawr	nheulu i	ar y radio
Ydyn	yn dda neithiwr?	i'r gêm	i'r parti	oed	ti neithiwr?

Gwrando a darllen – Yn y parc

Enw	Pam maen nhw yn y parc?	Pryd maen nhw'n mynd i'r parc?	Pa anifail anwes sy gyda nhw?
Mair	1	2	3
Gareth	4	5	6
Enw	Pam ro'n nhw yn yr ysbyty?	Ble maen nhw'n mynd ym mis Hydref?	
Mair	7	8	
Gareth	9	10	

Gareth: Helô Mair, sut wyt ti ers llawer dydd?

Mair: Eitha da diolch, Gareth. Rwyt ti'n edrych yn dda. Wyt ti'n rhedeg yn aml?

Gareth: Ydw, dw i'n trio rhedeg bob dydd, ond dim ond ar y penwythnos dw i'n dod yma. Dw i'n mynd i'r gampfa yn y gwaith o ddydd Llun i ddydd Gwener.

Mair: Dw i'n dod yma bob dydd. Mae'n lle braf i fynd â'r ci am dro. Mae e'n mwynhau rhedeg ar ôl y bêl.

Gareth: Ydy wir. Helô, Pero.

Mair: Oes anifail anwes gyda ti?

Gareth: Dim nawr. Roedd cath gyda ni pan oedd y plant yn fach.

Mair: Felly pam rwyt ti'n rhedeg bob dydd, Gareth?

Gareth: Dw i'n ymarfer – dw i'n rhedeg hanner marathon Caerdydd ym mis Hydref.

Mair: Da iawn ti! Wyt ti'n codi arian at rywbeth?

Gareth: Ydw – at ysbyty Abercastell. Maen nhw angen arian drwy'r amser.

Mair: Roedd rhaid i fi fynd i ysbyty Abercastell pan o'n i'n blentyn. Roedd rhaid i fi gael tynnu fy nhonsils. Roedd y bwyd yn ofnadwy ond roedd y nyrsys yn hyfryd iawn – rhoion nhw hufen iâ i fi un diwrnod. Roedd llwnc tost gyda fi ar ôl i fi gael tynnu fy nhonsils!

Gareth: Torrais i fy nghoes yn chwarae rygbi yn yr ysgol. Roedd rhaid i fi gael plastar yn yr ysbyty ond arhosais i ddim dros nos.

Mair: Dyma ti – deg punt, achos dw i'n mynd ar wyliau ym mis Hydref.

Gareth: Diolch yn fawr. Ble rwyt ti'n mynd y tro 'ma?

Mair: I Sbaen, wrth gwrs, fel arfer. A dw i'n mynd yn y car, felly dw i'n gallu mynd â Pero hefyd!

Gareth: Braf iawn. Hwyl i ti, a diolch am yr arian. A hwyl fawr i ti ar dy wyliau, Pero!

Mair: Pob hwyl yn y ras, Gareth.

Disgrifiwch beth sy yn y llun.

Beth dych chi'n wneud i ymlacio?

Dych chi'n cadw'n heini? Sut?

Beth oedd rhaid i ti wneud y bore 'ma? *What did you have to do this morning?*

Roedd rhaid i fi olchi'r llestri. _____ *I had to wash the dishes.*
Roedd rhaid i fi fynd â'r biniau mas. ____ *I had to take the bins out.*
Roedd rhaid i fi fynd â'r ci am dro. _____ *I had to take the dog out for a walk.*
Roedd rhaid i fi fynd â'r plant i'r ysgol. __ *I had to take the children to school.*

Gwrando a darllen – Diwedd y cwrs

Tiwtor:	Reit, dyma'r dosbarth ola. Llongyfarchiadau i bawb! 'Dyn ni wedi gorffen y cwrs!
Dosbarth:	Hwrê!
Tiwtor:	Cyn i ni fynd i'r dafarn i ddathlu, bydd rhaid i ni wneud un peth bach. Rhaid i chi lenwi ffurflen am y cwrs.
Dosbarth:	Oes rhaid i ni?
Tiwtor:	_____! Gawn ni ymarfer bach yn gynta? Cwestiwn un. Dych chi wedi mwynhau'r cwrs?
Dosbarth:	_____, wrth gwrs.
Tiwtor:	Dych chi'n dod yn ôl i wneud y cwrs nesa?
Dosbarth:	_____, wrth gwrs.
Tiwtor:	Oedd y cwrs yn ddiddorol?

Dosbarth: _____, wrth gwrs.

Tiwtor: O'ch chi'n hapus gyda phopeth?

Dosbarth: _____, wrth gwrs

Tiwtor: Ddysgoch chi'r treigladau yn berffaith?

Dosbarth: _____, wrth gwrs

Tiwtor: Fyddwch chi'n gwneud y cwrs Sylfaen nesa?

Dosbarth: _____, wrth gwrs.

Tiwtor: Dych chi'n mynd i ymarfer eich Cymraeg cyn y cwrs nesa?

Dosbarth: _____, wrth gwrs.

Tiwtor: Fyddwch chi'n edrych ar S4C?

Dosbarth: _____, wrth gwrs

Tiwtor: Fydd Radio Cymru yn y car bob dydd?

Dosbarth: _____, wrth gwrs

Tiwtor: Reit – dych chi eisiau i fi ddweud popeth eto?

Dosbarth: _____wir! (x)

Tiwtor: Oes cwestiwn gyda chi?

Dosbarth: _____wir! (x)

Tiwtor: Dych chi eisiau taflen am y cwrs nesa?

Dosbarth: _____, wrth gwrs.

Tiwtor: Da iawn chi – dw i'n mynd i brynu'r rownd gynta i bawb!

Cyn y dosbarth nesa...

Before the next class...

Bydd rhaid i ni edrych ar S4C.

We will have to watch S4C.

Bydd rhaid i ni wrando ar Radio Cymru.

We will have to listen to Radio Cymru.

Bydd rhaid i ni siarad Cymraeg mewn siop.

We will have to speak Welsh in a shop.

Bydd rhaid i ni gwrdd â ffrindiau i siarad Cymraeg.

We will have to meet friends to speak Welsh.

Dyma Siân.

byw:	Prestatyn
teulu:	3 mab
gwaith:	deintydd
ddoe:	i'r pwll nofio
amser sbâr:	(llun/picture)

Gyda'ch partner, atebwch y cwestiynau.

Ble mae Siân yn byw? ....

Oes teulu gyda hi? ....

Beth yw gwaith Siân? ....

Ble aeth Siân ddoe? ....

Beth mae hi'n hoffi wneud yn ei hamser sbâr? ....

....

Gwrando a darllen – Yn y Siop
Gwrandewch ar y sgwrs ac atebwch y cwestiynau.

Gwir neu Gau:

Bydd Anti Sali yn saith deg oed dydd Sadwrn. ....

Bydd Tomos yn saith oed dydd Sadwrn. ....

Mae Carys eisiau prynu cacen i Anti Sali. ....

Mae Aled eisiau prynu trên bach i Tomos. ....

Cyfieithwch:

birthday cake	_____
afternoon tea	_____
birthday present	_____
T-shirt	_____

Dych chi'n gallu meddwl am rywbeth arall?

cacen	_____	te	_____
anrheg	_____	crys	_____

Carys:	Bore da Aled, sut wyt ti?
Aled:	Helô Carys, dw i'n iawn, diolch.
Carys:	Gaf i ofyn cwestiwn i ti? Pa gerdyn wyt ti'n hoffi? Yr un gyda balŵns pinc, neu'r un yma gyda chacen pen-blwydd?
Aled:	Dw i ddim yn siŵr, i bwy mae'r cerdyn?
Carys:	Mae chwaer fy mam, Anti Sali, yn wyth deg oed dydd Sadwrn. 'Dyn ni'n mynd â hi i Westy Dewi Sant i gael te prynhawn.
Aled:	Bendigedig! Rhaid i ti ddewis y cerdyn gyda'r gacen, dych chi'n siŵr o gael cacen arbennig iawn yng Ngwesty Dewi Sant!
Carys:	A dweud y gwir, dw i wedi coginio un yn barod, mae Anti Sali yn hoffi cacen ffrwythau gyda digon o frandi – a dw i'n edrych ymlaen at fwyta'r gacen hefyd!
Aled:	Wel, wyt ti'n gallu helpu gyda dewis anrheg pen-blwydd i Tomos?
Carys:	Dy fab di? Beth mae e'n hoffi wneud?
Aled:	Mae e'n hoffi trenau. Mae'r llyfr yna'n edrych yn dda, ond mae e dipyn bach yn anodd.
Carys:	Beth am y crys T yna? Yr un gyda thrên glas.
Aled:	Perffaith! Glas yw ei hoff liw e. Wyt ti'n gallu gweld un i fachgen saith oed? Mae e'n cael ei ben-blwydd e'n chwech oed dydd Sadwrn, ond mae e'n fachgen tal iawn.
Carys:	Fel ei dad e! Dyma fe, crys T i blentyn saith oed. Ble dych chi'n cael parti?
Aled:	Yn y ganolfan hamdden, gyda chastell neidio. Mae'r dosbarth i gyd yn dod a bydd jeli coch i bawb!
Carys:	Pob lwc gyda'r parti!
Aled:	Diolch.

Siaradwch

Pryd roedd y tro diwetha aethoch chi i barti?
Parti pwy? Ble roedd y parti?

Fyddwch chi'n dathlu rhywbeth yn y
misoedd nesa? Beth? Ble? Sut? Gyda phwy?

Robin Radio

a) Atebwch:

Ble mae Robin yn mynd? ....

Pam? ....

Pam mae Anti Mair yn mynd hefyd? ....

b) Gwrandewch am:

Gaf i air? ————————————— *Can I have a word?*
Paid â bod yn swil. ———————— *Don't be shy.*
Gawn ni weld. ————————————— *We shall see.*

c) Cyfieithwch:

Can you come here? _____

What am I going to do? _____

It will be terribly boring. _____

Syniad da – Mynd i amgueddfa!

Mae Amgueddfa Cymru (*the National Museum of Wales*) yn deulu o saith
amgueddfa – yn Llanberis, Dre-fach, Abertawe, Sain Ffagan, Caerdydd,
Caerleon a Blaenafon. Dych chi wedi bod i un? Siaradoch chi Gymraeg? Mae
llawer o staff Amgueddfa Cymru yn siarad Cymraeg, felly dych chi'n gallu
mwynhau diwrnod mas a siarad Cymraeg. Mae adnoddau (*resources*) i helpu
dysgwyr hefyd: e.e
Llwybrau Llafar Sain Ffagan - https://amgueddfa.cymru/media/45094/
Llwybrau-Llafar.pdf
Pwll Mawr - https://amgueddfa.cymru/geiriauglo/
Yr Amgueddfa Wlân – Gwau Geiriau - https://amgueddfa.cymru/
gwaugeiriau/

Mae mynediad am ddim hefyd!

Yr Arholiad

Paratoi at Arholiad Mynediad
Preparing for the Entry level exam

Geirfa

arholiad(au)	*exam(s)*	manylion	*details*
cyfweliad(au)	*interview(s)*	trip(iau)	*trip(s)*

paratoi ———— *to prepare*

tebyg   *similar; likely*

Geiriau pwysig i fi

....

×   ×

....

×   ×

....

Papur 1 yw'r Papur Darllen a Deall.

Mae hanner awr i wneud tri chwestiwn.

Cwestiwn 1 – Hysbysebion

Mae'r cwestiwn yn codi yn y Gwaith cartref am y tro cynta yn Uned 17.

Cwestiwn 2 – Deialog

Gyda'ch partner, darllenwch y ddeialog, ac yna llenwch y gridiau ar sail yr wybodaeth a roddir.
Read the dialogue, then complete the grids based on the information given.

Mae Dafydd a Bethan yn cwrdd yn noson gofrestru *(registration)* **y dosbarthiadau nos yn y Coleg.**

Dafydd: Helô Bethan. Sut wyt ti? Wyt ti'n mynd i wneud cwrs Sbaeneg eto eleni?

Bethan: Mwynheuais i'r cwrs Sbaeneg yn fawr iawn llynedd, ac ro'n i'n mynd i wneud cwrs Sbaeneg Blwyddyn 2 eleni. Ond dyw'r cwrs ddim yn mynd i redeg achos does dim digon o bobl.

Dafydd: O, mae'n ddrwg gyda fi. Fel rwyt ti'n gwybod, do'n i ddim yn hapus o gwbl gyda'r cwrs Sbaeneg llynedd. Do'n i ddim yn lico'r tiwtor a doedd y tiwtor ddim yn fy lico i!

Bethan: Pa gwrs wyt ti'n mynd i'w wneud eleni, 'te?

Dafydd: Ro'n i'n mynd i wneud cwrs coginio ond mae e'n costio gormod.

Bethan: O wel, dim dosbarth nos i ti na fi eleni!

Dafydd: Trueni!

Bethan: Ddefnyddiaist ti dy Sbaeneg ar dy wyliau?

Dafydd: Naddo, es i ddim i Sbaen. Arhosais i mewn carafán yn Harlech am wythnos. Roedd y tywydd yn wlyb bob dydd. Byth eto!

Bethan: Wel, ces i wyliau bendigedig yn Sbaen. Roedd y bwyd yn dda, roedd y tywydd yn ardderchog a siaradais i dipyn bach o Sbaeneg bob dydd. Mwynheuais i bob munud.

Dafydd: Rhaid i fi fynd i Sbaen ar wyliau y flwyddyn nesa. Dw i'n mynd i ofyn pwy yw tiwtor cwrs Sbaeneg Blwyddyn 1 eleni. Os bydd tiwtor newydd, dw i'n mynd i wneud y cwrs eto!

Does dim rhaid i chi ysgrifennu brawddegau, ond rhaid llenwi'r ddau grid.
You do not need to write sentences, but you must fill in both grids.

Enw	Pa gwrs wnaethon nhw llynedd?	Pa gwrs roedden nhw eisiau wneud eleni?	Pam dyw hynny ddim yn bosib?
Bethan	1.	2.	3.
Dafydd	4.	5.	6.

Enw	Ble aethon nhw ar wyliau llynedd?	Sut roedd y tywydd?
Bethan	7.	8.
Dafydd	9.	10.

Cwestiwn 3 yw Llenwi bylchau *(Gap-filling)*

Llenwch y bylchau yn y brawddegau yma, gan ddefnyddio'r sbardun mewn cromfachau neu'r llun, fel y bo'n briodol:

Fill the gaps in these sentences, using the prompts in brackets or the pictures, as appropriate:

1. Beth .... (gwneud) chi ddoe?

2. .... mae'r bws yn mynd? Am saith o'r gloch.

3. Mae hi'n .... heddiw.

4. Dw i'n hoffi gwrando .... y radio.

5. Ydy'r plant yn mynd? ✔ ....

6. Mae hi'n .... i'r gwaith bob dydd.

7. Mae'r ddrama'n dechrau am hanner .... wedi wyth.

8. Rhaid .... John fynd i'r banc.

9. Maen nhw'n gweithio ym .... (Pontypridd).

10. Roedd hi'n gweithio .... ysgol.

Trïwch eto!

1. Beth .... (gwneud) ti ddoe?

2. .... mae'r cyngerdd? Yn y neuadd.

3. Mae hi'n .... heddiw.

4. Dw i'n hoffi edrych .... y teledu.

5. Wyt ti'n mynd mas heno? ✔ ....

6. Gaf i fynd os .... chi'n dda?

7. Mae'r dosbarth yn dechrau am .... awr wedi saith.

8. Rhaid .... ni weithio heno.

9. Maen nhw'n dod o .... (Bangor).

10. Mae'r plant .... yr ysgol heddiw.

Papur 2 yw'r Papur Ysgrifennu (30 munud)

Cwestiwn 1 – Cerdyn Post
Llenwch y bylchau:

Annwyl .... (enw'r tiwtor)

Dyma fi yn .... Mae'r tywydd yn .... Cyrhaeddais i

.... (ffordd o deithio) neithiwr. Dw i'n aros mewn

.... Neithiwr bwytais i .... ac yfais i ....

Heddiw dw i'n mynd i ....

.... Heno dw i'n mynd i ....

Dw i wedi prynu .... i ti! Dw i .... eisiau

dod adre! Gwela i ti ....

Nesa, ysgrifennwch frawddegau yn defnyddio'r geiriau yma:

Ffrainc ....

Caerdydd ....

tywydd ....

gwesty ....

bwyd ....

nofio ....

ymlacio ....

siopa ....

bwyta ....

ddoe ....

heddiw ....

yfory ....

Gwnewch y cerdyn post o'r papur arholiad yn y Gwaith cartref.

Cwestiwn 2 – Portread *(Portrait)*
Cofiwch:

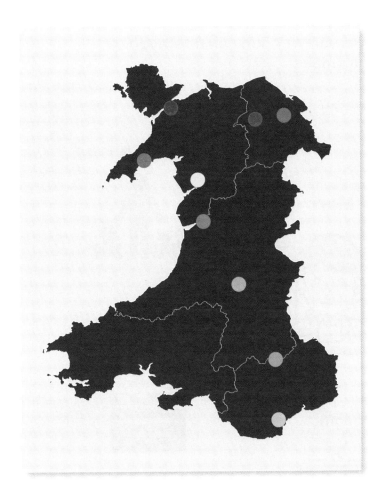

- ym Mangor/o Fangor
- yn Nhreffynnon/o Dreffynnon
  yn Nolgellau/o Ddolgellau
- ym Machynlleth/o Fachynlleth
- yn Rhuthun/o Ruthun
- ym Mhwllheli/o Bwllheli
- yng Nghaerdydd/o Gaerdydd
- yn Llandrindod/o Landrindod
- yng Nglyn Ebwy/o Lyn Ebwy

Mae .... gyda fe/gyda hi:

un plentyn/un bachgen/un ferch (ci/gath)

dau o blant/tri o blant/pedwar o blant

dau fachgen/tri bachgen

dwy ferch/tair merch

dau gi/dwy gath

Does dim plant gyda fe/hi.

Aeth e i'r theatr. Roedd e yn y dafarn.

Aeth hi i nofio. Edrychodd hi ar y teledu.

2. Portread/*Portrait*

Ysgrifennwch 5 brawddeg am y person yn y llun gan ddefnyddio'r wybodaeth yn yr arwyddion o'i chwmpas.

Write 5 sentences about the person in the picture using the information in the surrounding symbols.

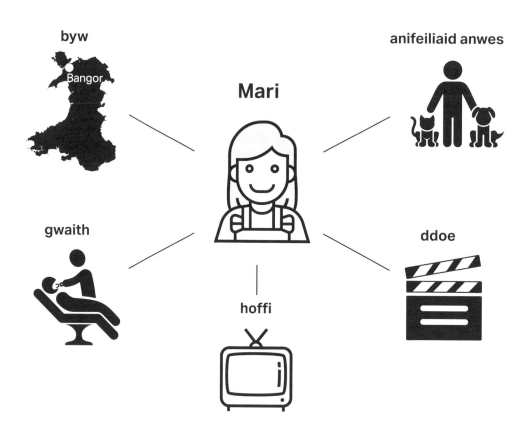

byw

anifeiliaid anwes

Mari

gwaith

ddoe

hoffi

Dyma Mari.

1. ....

2. ....

3. ....

4. ....

5. ....

Papur 3 yw'r Gwrando a Deall.
Rhan 1 – Deialog

Mae Lowri a Geraint yn cwrdd mewn siop.

Rhowch lythyren yr ateb cywir yn y blwch:
Put the letter of the correct answer in the box:

1. Beth sy'n bod ar wraig Geraint?

a  b  c 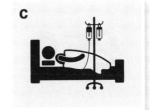 ch

2. Faint fydd oed Siôn yfory?

a **7** b **8** c **9** ch **10**

3. Ble bydd parti Siôn?

a
Canolfan Hamdden

b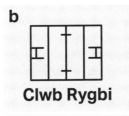
Clwb Rygbi

c
Gartre / Adre

ch
Sinema

4. Pwy sy'n dod i'r parti, ar ôl i'r plant gael bwyd?

a  b  c  ch

5. Beth fydd Siôn yn gael ar ei ben-blwydd? ☐

a   b   c   ch

6. Faint gostiodd yr anrheg? ☐

a **£20**   b **£50**   c **£75**   ch **£100**

7. Beth mae Siôn yn hoffi wneud yn ei amser sbâr nawr? ☐

a   b   c   ch

8. Beth mae Geraint yn mynd i brynu nesa? ☐

a   b   c   ch

Rhan 2 – Bwletin Tywydd

Llenwch y bylchau gyda'ch partner.

Dyma'r bwletin __ y__ y__.

Roedd hi'n g __ m __ lo __ ddoe.

Roedd hi'n __ t __ r __ u __ iawn neithiwr.

Mae hi'n w __ n __ o __ heddiw.

Mae hi'n s __ ch a __ r __ f nawr.

Ond bydd hi'n n __ w __ o __ ac yn troi'n __ l __ b heno.

Bydd hi'n b __ r __ g __ a __ drwy'r nos.

Yn y bore bydd hi'n __ w __ w e __ r __ , ac yn o __ r iawn.

Erbyn y prynhawn bydd hi'n __ y __ a h __ u __ o __ , diolch byth.

Gorffennwch y brawddegau yma, ar sail yr wybodaeth yn y bwletin. Fyddwch chi ddim yn colli marciau am wallau sillafu.
Complete these sentences on the basis of the information in the bulletin. You will not lose marks for spelling mistakes.

1. **Heddiw, roedd hi'n** ....

2. **Heno, mae hi'n** ....

3. **Yfory, bydd hi'n** ....

4. **Yr wythnos nesa, bydd hi'n** ....

Llenwch y bylchau gyda'ch partner.

Dyma'r bwletin tywydd.

.... da i chi i gyd. Wel, roedd hi'n .... iawn dros Gymru neithiwr. Ond .... , mae hi'n .... Amser da i .... dyn eira! Mwynhewch y tywydd .... , achos erbyn bore yfory, bydd hi'n .... ym mhob man. Bydd ....'n cyrraedd y Gogledd ddydd Sul eto ond erbyn dydd Llun bydd y tywydd yn .... iawn ledled Cymru, a drwy'r wythnos wedyn, diolch byth. Os dych chi eisiau mynd .... rhaid i chi wneud hynny ar ôl .... A dyna'r bwletin tywydd.

Rhan 3 – Amserau a phrisiau

punt	ugain punt	chwe phunt	un deg chwech o bunnau	tair punt
am ddim	naw punt	dwy bunt	dwy bunt pum deg	wyth punt
pum punt pum deg	pedair punt	un deg pum punt	saith deg pum ceiniog	pum punt
deg punt	dau ddeg pum punt	pum deg ceiniog	tri deg pum punt	saith punt

Byddwch chi'n clywed 5 hysbysiad am ddigwyddiadau gwahanol. Ysgrifennwch amserau dechrau a phrisau'r digwyddiadau yn y colofnau priodol. Defnyddiwch <u>rifau</u>, e.e. £5.75. Chewch chi ddim marciau am ysgrifennu geiriau.

You will hear 5 announcements about different events.
*Write the start times and the prices of these events in the appropriate columns. Use **numbers**, e.g. £5.75. You will receive no marks*
for using words.

Beth?	Amser dechrau *** Defnyddiwch rifau** ** Use numbers*	Pris *** Defnyddiwch rifau** ** Use numbers*
Noson gomedi		
Taith gerdded		
Trip		
Sioe ffasiwn		
Sadwrn Siarad		

Y Prawf Llafar (siarad)
Rhan 1 yw Darllen deialog

Dych chi wedi bod yn darllen deialogau yn y dosbarth.

Rhan 2 – Ateb Cwestiynau

Yn yr arholiad, byddwch chi'n ateb chwech o'r cwestiynau yma.
Gofynnwch y cwestiynau i'ch partner (bob yn ail/*every other*). Cofiwch
ateb gyda 1 frawddeg lawn *(full sentence)*.

Ble dych chi'n byw?
O ble dych chi'n dod yn wreiddiol?
Oes teulu gyda chi?
Oes anifeiliaid anwes gyda chi?
Sut daethoch chi yma heddiw?
Beth dych chi'n hoffi ar y teledu?
Sut mae'r tywydd heddiw?
Sut roedd y tywydd ddoe?
Am faint o'r gloch dych chi'n codi fel arfer?
Am faint o'r gloch dych chi'n cael swper fel arfer?
Am faint o'r gloch dych chi'n mynd i'r gwely fel arfer?
Ble dych chi'n dysgu Cymraeg?
Ble aethoch chi i'r ysgol?
Beth yw'ch gwaith chi?
Beth dych chi'n hoffi wneud yn eich amser sbâr?
Beth mae'n rhaid i chi wneud yfory?
Beth dych chi'n wneud heno?
Beth dych chi'n wneud y penwythnos nesa?
Beth wnaethoch chi neithiwr?
Beth wnaethoch chi ddoe?
Beth wnaethoch chi y penwythnos diwetha?
Ble aethoch chi ar eich gwyliau diwetha?
Beth o'ch chi'n hoffi wneud pan o'ch chi'n blentyn?

Nawr, edrychwch ar y cwestiynau mewn italig *(italics)*. Gofynnwch
y cwestiynau i'ch partner eto, ond y tro 'ma, rhaid i chi feddwl am
gwestiwn arall. *(Think of a supplementary question.)*
Defnyddiwch Ble? / Pryd? / Gyda phwy? / Sut? / Beth?
Yn yr arholiad, bydd dau gwestiwn atodol *(supplementary)*.

Rhan 3 – Ateb cwestiynau am y llun.
Cofiwch – brawddegau llawn *(full sentences)*

Dyma lun o berson gyda gwybodaeth amdano. Bydd y cyfwelydd yn gofyn cwestiynau i chi a dylech chi ateb gan ddefnyddio'r wybodaeth a roddir, gan ddefnyddio brawddegau llawn.

Here is a picture of a person with some information about him. The interviewer will ask you questions, and you should answer using the information given, using full sentences.

Dyma Dafydd.

Yn wreiddiol:	Porthmadog
Ddoe:	i'r dre
Teulu:	2 o blant
Gwaith:	athro
Amser sbâr:	*(llun/picture)*

Rhan 4 – Gofyn cwestiwn

Yn olaf, gyda'ch partner, meddyliwch am gwestiwn gyda'r geiriau yma yn y cwestiwn. Dych chi'n gallu defnyddio cwestiynau o Ran 2 os dych chi eisiau.

byw	enw	heno
yn wreiddiol	teulu	yfory
gweithio	plant	yr wythnos nesa
gwyliau	car	amser sbâr
mynd	neithiwr	Ble
cerdded	ddoe	Pryd
darllen	y penwythnos diwetha	Sut
gallu	yr wythnos diwetha	Faint
hoffi	i swper	o'r gloch
tywydd	i frecwast	

Gwaith cartref Uned 1 (un)

1. Atebwch/Gofynnwch y cwestiynau/*Answer/Ask the questions***:**

Pwy dych chi? ....

Sut dych chi? ....

.... ? Aberystwyth

.... ? Iawn, diolch.

2. Yr Wyddor

Llenwch y bylchau gyda'r llythyren goll (*Fill in the gaps with the missing letter*):

A	B		Ch	D	
E	F		G		H
	J	L		M	N
O	P		R		S
T		U		Y	

3. Ysgrifennwch y rhifau ffôn mewn geiriau /
Write the telephone numbers in words:

0300 323 4324 Y Ganolfan Dysgu Cymraeg Genedlaethol/
The National Centre for Learning Welsh

....

01758 750334 (Nant Gwrtheyrn)

....

01970 639639 Mudiad Meithrin –
Welsh Early Years Specialists

....

4. *Write the appropriate greetings for the time of day:*

```
08:00        07:00        15:00
```

....

```
09:00        16:00        11:00
```

....

5. Cyfieithwch/*Translate:*

I drive a Corsa.

....

I watch Coronation Street.

....

I read The Times.

....

I'm learning Welsh.

....

6. Tynnwch lun o arwydd Cymraeg neu ddwyieithog ac anfonwch y llun at eich tiwtor cyn y dosbarth./*Take a photo of a Welsh or bilingual sign and send it to your tutor before the lesson.*

Gair gan y tiwtor/*A word from the tutor:*

....

....

....

Gwaith cartref Uned 2 (dau)

1. Sut wyt ti?

a

....

b

....

c

....

ch

....

d

....

2. Atebwch *(with a full sentence)*:

i. Wyt ti'n lico cyrri? ....

....

ii. Wyt ti'n lico smwddio? ....

....

iii. Wyt ti'n hoffi dawnsio? ....

....

iv. Wyt ti'n darllen papur newydd? ....

....

v. Wyt ti'n mynd i'r dosbarth Cymraeg yfory? ....

....

3. Atebwch *(with a full sentence):*

Beth wyt ti'n lico wneud? ....

....

Beth wyt ti'n hoffi ar y teledu? ....

....

4. Cyfieithwch/ *Translate:*
Hello, how are you? I am John. I read (name a newspaper). I don't like (name a TV programme). Bye!

....

....

....

5. Geirfa

Llenwch y bylchau *(Fill in the gaps).*

B_ nd_ g_ d_ g   N_ s_ a_ th

D_ w_ s_ o   Pê _-d_ o_ d

Gair gan y tiwtor/ *A word from the tutor:*

....

....

....

....

....

....

Gwaith cartref Uned 3 (tri)

1. Darllenwch y ddau decst/_Read the two text messages:_

Helô Lowri

**Dydd Gwener – hwrê!
Wyt ti eisiau pitsa i
swper heno?**

Hwyl, Ffion

Haia Ffion

**Ydw, plîs, dw i eisiau
pitsa, a dw i eisiau
hufen iâ!**

Hwyl, Lowri

Llenwch y bylchau/_Fill in the gaps with different words:_

Helô ....   **Haia** ....

Dydd .... **- hwrê!**   **Ydw, plîs, dw i eisiau** ....

Wyt ti eisiau .... **i swper?**   **a dw i eisiau** .... **!**

Hwyl, ...   **Hwyl,** ....

2. Llenwch y bylchau _(Fill in the gaps)_

i. Dw i eisiau .... y _Daily Times_ heddiw.

ii. Dw i .... mynd i'r dosbarth nofio yfory.

iii. Dw i .... eisiau bwyta cyrri Findalŵ.

iv. 'Dyn .... eisiau gweld _Batman_.

3. Cyfieithwch/*Translate:*

I eat ice cream. ....

I want to eat ice cream. ....

I don't want to eat ice cream. ....

4. Newidiwch *(change)* YN i EISIAU

i. Dw i'n chwarae rygbi heno. ....Dw i eisiau chwarae rygbi heno. ....

ii. Dw i'n chwarae cardiau heno. ....

iii. Dw i ddim yn gweithio heddiw. ....

iv. Dw i'n darllen y newyddion ar-lein. ....

v. 'Dyn ni'n cael cyrri heno. ....

vi. 'Dyn ni ddim yn bwyta pitsa. ....

Gair gan y tiwtor/*A word from the tutor:*

....

....

....

....

....

....

Gwaith cartref Uned 4 (pedwar)

1. Llenwch y bylchau

i. 'Dyn ni'n .... i Aberystwyth ar wyliau.

ii. O .... dych chi'n dod?

iii. Ble rwyt ti'n mynd .... Fawrth?

iv. .... rwyt ti'n chwarae golff?

2. Atebwch (mewn brawddegau llawn/in full sentences**):**

i. O ble rwyt ti'n dod yn wreiddiol?

....

ii. Ble rwyt ti'n mynd yfory?

....

iii. Beth wyt ti'n mynd i wneud nos yfory?

....

iv. Beth wyt ti'n mynd i wneud dydd Sul?

....

v. Ble rwyt ti'n lico mynd ar wyliau?

....

vi. Sut wyt ti'n dod i'r dosbarth?

....

3. Cyfieithwch/Translate:

from Wales	the country ....
to England	the town ....
the drink	the cake ....
the ball	to Cardiff ....

4. Helô bawb, dw i ddim yn dod i'r dosbarth yr wythnos nesa…

Ysgrifennwch neges/ebost byr i'r dosbarth – dych chi'n mynd i ffwrdd yr wythnos nesa. Ysgrifennwch ble dych chi'n mynd, beth dych chi'n mynd i wneud, beth dych chi'n mynd i weld.
Write a short note/email to the class to say that you are going away next week. Write where you are going and what you are going to do and see.

....

....

....

....

....

....

....

Gair gan y tiwtor/A word from the tutor:

....

....

....

....

....

Gwaith cartref Uned 5 (pump)

1. Atebwch/*Answer:*

i. Beth wnaethoch chi prynhawn ddoe? ....

ii. Beth wnaethoch chi bore ddoe? ....

iii. Beth wnaethoch chi dydd Sadwrn? ....

iv. Beth wnaethoch chi nos Wener? ....

2. Llenwch y bylchau/*Fill in the gaps:*

i. Bwytais i........................ neithiwr.

ii. .... i yn y tŷ neithiwr.

iii. .... i'r gwaith cartre.

iv. .... i lyfr neithiwr.

v. .... i *Pobol y Cwm* ddoe.

3. Trefnwch y ddeialog/*Make a dialogue. The box on the left hand side is in the correct order.*

Beth wnest ti neithiwr?	Garmon Ifans?
Gwyliais i'r gêm hefyd. Dw i'n hoffi rygbi.	Ydw, dw i'n mynd i redeg gyda Garmon.
Yn y clwb, gyda Garmon.	Gwyliais i'r gêm rygbi. Beth wnest ti?
Ie. Dych chi'n nabod Garmon?	Ble? Arhosais i yn y tŷ.
Byd bach!	

4. Geirfa/*Vocabulary:*

Which places are being referred to below? Can you work them out from the clues?

i. Dych chi'n mynd yma i ddarllen llyfrau. ....

ii. Dych chi'n mynd yma i brynu stamp. ....

iii. Dych chi'n mynd yma i chwarae. ....

iv. Dych chi'n mynd yma i weld ffilm. ....

v. Dych chi'n mynd yma i yfed gyda ffrindiau. ....

5. Cyfieithwch/*Translate:*

i. *I made breakfast yesterday.* ....

ii. *What did you do?* (ti) ....

iii. *What did you do?* (chi) ....

iv. *I ate chocolate yesterday.* ....

v. *I read a book last night.* ....

Gair gan y tiwtor/*A word from the tutor:*

....

....

....

....

....

....

Gwaith cartref Uned 6 (chwech)

1. Ysgrifennwch y rhifau:

37 ....   28 ....

64 ....   59 ....

71 ....   16 ....

42 ....   83 ....

98 ....   100 ....

2. Sut mae'r tywydd yn:

i. Siberia? ....

ii. Y Sahara? ....

iii. Malaga? ....

iv. Skegness? ....

v. Iwerddon? ....

3. Disgrifiwch *(describe)* **Gareth a'r teulu Jones. Dilynwch y patrwm**
   (follow the pattern):

MACHYNLLETH	BRYNAMAN	CAERDYDD

Rhian
Dod o: Machynlleth
Lico: chwarae tennis
Ar wyliau: Wimbledon

Gareth
Dod o: Brynaman
Lico: gwylio rygbi
Ar wyliau: Iwerddon

Teulu Jones
Dod o: Caerdydd
Hoffi: Ffilmiau cartŵn
Ar wyliau: Eurodisney

Dyma Rhian. Mae hi'n dod o Fachynlleth yn wreiddiol. Mae hi'n hoffi chwarae tennis. Mae hi'n mynd i Wimbledon ar wyliau.

Dyma Gareth ....

....

Dyma'r teulu Jones ....

....

4. Atebwch:

i. Sut mae'r tywydd heddiw? ....

ii. Sut mae'r gwaith? ....

iii. Sut mae'r teulu? ....

iv. Sut mae'r dosbarth Cymraeg? ....

5. Cyfieithwch/ *Translate:* **y, yr neu 'r?**

the aeroplane	....	*the bus*	....
the snow	....	*to the beach*	....
the train	....	*the weather*	....
the church	....	*from the hospital*	....

6. Ffeindiwch lun o aelod o'r teulu neu ffrind a byddwch yn barod i ddweud gair yn y dosbarth. Ysgrifennwch nodiadau i helpu. *Find a photo of a family member or friend and be prepared to speak about him/her/them in class. Write notes to help.*

Gair gan y tiwtor/*A word from the tutor:*

....

....

....

....

Gwaith cartref Uned 7 (saith)

---

1. Atebwch y cwestiwn: (gyda brawddeg!)

 Ydy hi'n stormus? ....

 Ydy hi'n wyntog? ....

 Ydy hi'n bwrw glaw? ....

 Ydy hi'n wyntog? ....

 Ydy hi'n bwrw glaw? ....

2. Faint o'r gloch yw hi?

....

....

....

3. Gofynnwch ddau gwestiwn am berson enwog/_Ask two questions about a famous person._

....

....

4. Atebwch y cwestiynau yma/_Answer the questions here._

....

....

5. Ysgrifennwch bum brawddeg am gaffi/tŷ bwyta yn yr ardal/
Write five sentences about a cafe/restaurant in the area.

....

....

....

....

....

Gair gan y tiwtor/_A word from the tutor:_

....

....

....

....

....

Gwaith cartref Uned 8 (wyth)

1. Beth yw gwaith y bobl yma?
Dilynwch y patrwm/*Follow the pattern:*

Dyma Marc. Meddyg yw e. Mae e'n gweithio mewn meddygfa.

Nia ....

....

Siân ....

....

Tomos ....

....

2. Cyfieithwch/*Translate:*

i. *May I pay?* ....

ii. *May I start?* ....

iii. *May I leave?* ....

iv. *May I have tickets?* ....

v. *May I have an ice cream?* ....

3. Atebwch/*Answer:*

i. Gaf i helpu? ✔ ....

ii. Gaf i ffonio heno? ✔ ....

iii. Gaf i fenthyg y car? ✔ ....

iv. Gaf i frecwast yn y gwely? ✘ ....

v. Gaf i swper nawr? ✘ ....

4. Ysgrifennwch baragraff yn cyflwyno eich hun/
Write a paragraph introducing yourself

Gair gan y tiwtor/*A word from the tutor:*

Gwaith cartref Uned 9 (naw)

1. Atebwch:

i. Beth wnaethoch chi neithiwr? ....

ii. Beth wnaethoch chi bore ddoe? ....

iii. Beth fwytoch chi i frecwast heddiw? ....

iv. Beth brynoch chi ddoe? ....

2. Atebwch. Dilynwch yr esiampl/_Follow the example._

i. Beth wnaeth John yn y llyfrgell?

Darllenodd e bapur newydd.

ii. Beth wnaeth y plant yn y pwll nofio?

....

....

iii. Beth wnaethon ni yn y disgo?

....

....

iv. Beth wnaethoch chi yn y sinema?

....

....

v. Beth wnest ti yn y siop ddillad?

....

....

vi. Beth wnaeth y dosbarth yn y wers?

....

....

3.Beth yw'r gair?

lle i goginio ....

♬, ...

Mae'r Beatles yn dod o ....

mynd ar y beic ....

Mae tîm pêl-droed mawr yma.   A __ __ __ __ __ __ e.

4. Cyn y wers nesa:

Anfonwch ebost at eich tiwtor yn dweud beth wnaethoch chi dros y penwythnos/_Send an email to your tutor saying what you did over the weekend._

Gair gan y tiwtor:

....

....

....

....

....

Gwaith cartref Uned 10 (deg)

1. Atebwch mewn brawddegau llawn:

i. Sut est ti i Sbaen? ....

....

ii. Sut aeth y teulu i Lundain? ....

....

iii. Sut aeth Capten Hook i'r Caribî? ....

....

iv. Sut aethon ni adre? ....

....

v. Sut aeth hi ar y trip ysgol? ....

....

2. Atebwch: (Cofiwch: Es i ddim mas...)

i. Ble aethoch chi nos Wener? ....

....

ii. Ble aethoch chi dydd Sadwrn? ....

....

iii. Ble aethoch chi dydd Sul? ....

....

iv. Ble aethoch chi nos Sul? ....

....

3. Llenwch y bylchau gyda'r berfau yn y bocs/
Fill in the gaps. Use the verbs in the box in the past tense..

Dros y penwythnos aeth y teulu i lan y môr. ....

mam yn y môr, ... dad. ....

y plant hufen iâ.

nofio	bwyta	ymlacio

4. Ysgrifennwch y tymor/ *Write the name of the season.*

i. Pryd mae Dydd Gŵyl Dewi? ....

ii. Pryd mae Dydd Nadolig? ....

iii. Pryd mae'r dail yn oren, coch a melyn ar y coed? ....

iv. Pryd mae'r tennis yn Wimbledon? ....

5. Ffeindiwch lun ohonoch chi ar wyliau a byddwch yn barod i ddweud gair yn y dosbarth. Ysgrifennwch nodiadau i helpu. *Find a photograph of you on holiday and be prepared to speak about the photograph in class. Write notes to help.*

....

....

....

Gair gan y tiwtor:

....

....

....

....

....

Gwaith cartref Uned 11 (un ar ddeg)

1. Llenwch y bylchau/_Fill in the gaps:_

i. Ces i / Ges i .... ddoe.

ii. Cest ti / Gest ti .... newydd.

iii. Cafodd Kylie / Gaeth Kylie ....

iv. Cawson ni / Gaethon ni .... newydd.

v. Gawsoch chi / Gaethoch chi............................?

vi. Ches i ddim ....

2. Atebwch

i. Beth gest ti i ginio ddoe?...

....

ii. Beth gawsoch chi / gaethoch chi i swper ddoe?..............................

....

iii. Beth gafodd / gaeth Pierre i frecwast y bore 'ma?..........................

....

iv. Beth gafodd / gaeth y plant i ginio yn yr ysgol? ....

....

3. Aethoch chi i siopa gyda ffrindiau. Dilynwch y patrwm:

i. Es i i'r siop chwaraeon, ...*ces / ges i bêl rygbi*..

ii. Aeth Aled i'r siop lyfrau, ...

iii. Aethon ni i'r siop ffrwythau, ...

iv. Aeth y plant i'r siop siocledi, ...

v. Aeth Mair i'r siop gacennau, ...

vi. Est ti i'r siop ddillad, ...

vii. Aethoch chi i'r farchnad, ...

4. Beth yw'r gair?

'Dyn ni'n bwyta........................... ham, caws a salad i ginio.

pêl-droed, tennis, rygbi, golff = ...

Dw i'n ....'r car yn y garej dros nos.

Bananas, afalau, orennau? = ...

tatws a moron = ...

Gair gan y tiwtor:

....

....

....

....

....

....

....

Gwaith cartref Uned 12 (deuddeg)

1. Trowch i'r negyddol/_Change to the negative:_

i. Mae problem gyda fi. ....

ii. Mae amser gyda fi. ....

iii. Mae gwaith gyda fi. ....

iv. Mae syniad gyda fi. ....

2. Atebwch (brawddegau llawn/_full sentences):_

i. Oes car gyda ti? ....

ii. Oes ffôn symudol gyda ti? ....

iii. Oes gwaith cartref gyda ti? ....

iv. Oes dosbarth gyda ti yr wythnos nesa? ....

v. Oes cyfarfod gyda ti yr wythnos nesa? ....

3. Chwilair: Teulu ac anifeiliaid _(Word search)_

g	ch	a	b	th	c	ch	t
w	d	w	a	r	b	d	a
r	l	c	a	r	i	a	d
a	dd	a	m	e	m	e	f
i	r	e	n	t	r	a	p
g	r	ŵ	g	t	ff	g	m
ch	c	e	ff	y	l	ng	a
c	i	n	u	c	d	a	t
m	a	m	g	u	i	a	t

merch, brawd, cariad, cath, chwaer, ci, tad, mam, gwraig, ceffyl, gŵr, mam-gu, tad-cu, partner.

4. Beth yw'r gair?

cath, ci, pysgodyn ....

Maen nhw'n rhedeg yn y Grand National. ....

brawd a ....

Dych chi'n ....yn y gwely yn y nos. 😒

Dych chi'n gorfod cael un i weld meddyg ....

5. Ysgrifennwch chwe brawddeg am ffrind, e.e.

Mae ffrind gyda fi. Mari yw hi. Mae dau o blant gyda hi. Mae car Volvo gwyrdd gyda hi. Mae ci Labrador gyda hi. Mae gwallt du gyda hi.

....

....

....

....

....

....

Gair gan y tiwtor:

....

....

....

....

....

Gwaith cartref Uned 13 (un deg tri)

1. Newidiwch o heddiw i ddoe. Dilynwch y patrwm:

i. Mae hi'n brysur heddiw. >....*Roedd hi'n brysur ddoe.*...........................

ii. Mae hi'n oer heddiw. >...

iii. Mae problem gyda fi heddiw. >...

iv. Mae gwaith cartref gyda'r plant heddiw. >...................................

v. Mae ateb da gyda nhw heddiw. >...

vi. Mae bola tost gyda fe heddiw. >...

2. Pam doedd pawb ddim yn y dosbarth yr wythnos diwetha?
Ysgrifennwch reswm i bum person/*Write a reason for five people's absence from last week's class. Use their names.*

i. ....

ii. ....

iii. ....

iv. ....

v. ....

3. Sut roedd y tywydd?
Erbyn y wers nesa, ysgrifennwch ddyddiadur tywydd *(write a weather diary)* **am bob diwrnod.**

....

....

....

....

....

....

....

....

....

4. Beth yw'r gair?

Maen nhw'n dda i gario siopa. ....

☹ ....

dau berson neu ddau beth? ....

da iawn, iawn, iawn ....

2020 (........................), 2021 (nawr), 2022 (y flwyddyn nesa)

Gair gan y tiwtor:

....

....

....

....

....

....

Gwaith cartref Uned 14 (un deg pedwar)

1. Atebwch:

i. Ble dych chi'n byw? ....

....

ii. Ble dych chi'n gweithio? ....

....

iii. Ble ro'ch chi'n byw pan o'ch chi'n blentyn? ....

....

iv. Ble ro'ch chi'n arfer gweithio? ....

....

v. Beth o'ch chi'n hoffi wneud pan o'ch chi'n blentyn? ....

....

2. Edrychwch ar y lluniau ac atebwch y cwestiynau.
(Look at the boxes and answer the questions.)

CAERDYDD		Dyma Carwyn. Ble mae e'n byw ac yn gweithio?	
GLYNEBWY		Dyma Gwen. Ble mae hi'n byw ac yn gweithio?	
TALYBONT		Dyma Tomos. Ble roedd e'n byw ac yn gweithio?	
DOLGELLAU		Dyma Delyth. Ble roedd hi'n byw ac yn gweithio?	

PENARTH		Dyma Prys. Ble roedd e'n byw ac yn gweithio?	
BANGOR		Dyma Bryn a Berwyn. Ble ro'n nhw'n byw ac yn gweithio?	

i. ....

ii. ....

iii. ....

iv. ....

v. ....

vi. ....

3. Ysgrifennwch ebost at y tiwtor yn dweud ble ro'ch chi a beth wnaethoch chi dros y penwythnos.

Gair gan y tiwtor:

....

....

....

....

....

....

Gwaith cartref Uned 15 (un deg pump)

1. **Ysgrifennwch bum cwestiwn yn defnyddio'r geiriau yma /**
   Write five questions using these words:

i.   **byw** ....

ii. **teulu** ....

iii. **neithiwr** ....

iv. **swper** ....

v.   **Sut** ....

2. **Ysgrifennwch 5 brawddeg am y person yn y llun gan ddefnyddio'r wybodaeth yn yr arwyddion o'i chwmpas. /** *Write 5 sentences about the person in the picture using the information in the symbols around her.*

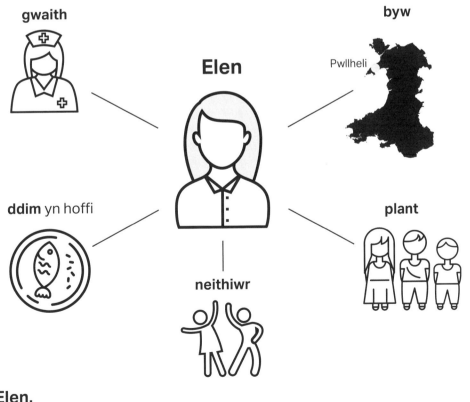

Dyma Elen.

i.   ....

ii. ....

iii. ....

iv. ....

v. ....

3. Ysgrifennwch gerdyn post at y tiwtor:

Annwyl ....

Dyma fi yn .... Roedd y daith yma yn ....

Mae hi'n ....heddiw ond roedd hi'n .... ddoe.

Aethon ni i weld .... ddoe. Heddiw 'dyn ni'n mynd

i ....

'Dyn ni'n aros mewn .... Mae e'n ....

Dw i'n bwyta .... bob dydd ac yn yfed ....

Dw i .... eisiau dod adre!

Gwela i chi ....

Gair gan y tiwtor:

....

....

....

....

....

....

Gwaith cartref Uned 16 (un deg chwech)

1. Ysgrifennwch yn llawn:

£5.50	£4.30	£6.60	£9.85

02:45	14:20	16:25	16:35

2.

i. Faint o'r gloch dych chi'n codi fel arfer?

....

ii. Faint o'r gloch dych chi'n cael cinio fel arfer?

....

iii. Faint o'r gloch dych chi'n cael swper fel arfer?

....

iv. Faint o'r gloch dych chi'n mynd i'r gwely fel arfer?

....

3. Ysgrifennwch bum cwestiwn yn defnyddio'r geiriau yma/
Write 5 questions using these words:

i. yn wreiddiol ·· **?**

ii. gweithio ··· **?**

iii. yfory ··· **?**

iv. tywydd ··· **?**

v. gwyliau ··· **?**

4. Darllenwch yr hysbysebion ac atebwch y cwestiynau/
Read the advertisements and answer the questions:

Trip Rygbi

Mae'r clwb rygbi'n trefnu trip i weld gêm
Cymru yn erbyn Ffrainc
ar 18 Mawrth yn Stadiwm Caerdydd.
Bws yn gadael maes parcio'r eglwys am 8.00 y bore.
Cost: £60 (yn cynnwys tocyn i'r gêm a bws)
£35 i blant ysgol.
Tocynnau ar gael yn y clwb rygbi
neu ffoniwch John ar 01234 987650.
Sieciau: Clwb Rygbi Abercastell.

Cwmni Drama'r Dre

yn perfformio "Castell y Nos"
gan Mari James yn Theatr yr Ysgol.
Chwefror 24-25.
Drysau'n agor am 6.30.
Perfformiad yn dechrau am 7.00.
Pris: £8 (£4 i blant ysgol).
Tocynnau ar gael yn swyddfa'r ysgol
01234 567890.

Bore Coffi

i Ddysgwyr Cymraeg
yn Neuadd y Dre, Abercastell
(drws nesa i'r siop fara).
Dydd Gŵyl Dewi, Mawrth 1af
yn dechrau am 10am tan 1pm.
Mae te, coffi a bisged/bara brith
ar gael am ddim.
Croeso i bawb!

Llenwch y bylchau:

i. Mae .... yn chwarae yn erbyn Cymru yn y gêm.

ii. Mae'r bws yn gadael o ....

iii. Mae'r trip yn costio ....

iv. .... ysgrifennodd y ddrama.

v. Mae'r ddrama'n dechrau am ....

vi. Mae tocyn hanner pris i ....

vii. Mae'n bosib prynu tocyn i'r ddrama ....

viii. Mae neuadd Abercastell ....

ix. Mae'r bore coffi'n gorffen am ....

x. Yn y bore coffi, mae coffi ....

xi. Dych chi ac un plentyn eisiau mynd i'r gêm yng Nghaerdydd.

Faint yw e? ....

Gair gan y tiwtor:

....

....

....

....

....

....

Gwaith cartref Uned 17 (un deg saith)

1. Atebwch:

i. Fydd hi'n braf yfory? ....

ii. Fydd dosbarth yr wythnos nesa? ....

iii. Sut bydd y tywydd yfory? ....

2. Ysgrifennwch bum cwestiwn yn defnyddio'r geiriau yma:

i. ddoe ....

ii. pryd ....

iii. hoffi ....

iv. heno ....

v. plant ....

3. Darllenwch yr hysbysebion ac atebwch y cwestiynau:

Noson Gomedi Gymraeg	**Ffair Haf Melin y Cwm**
Bar Glyndŵr, Gwesty'r Saith Seren, Bryncastell Nos Wener Gorffennaf 16 8.00 i 11.30 Gyda Twm Tomos o "Comedi Cymru" Disgo o'r 70au wedyn Mynediad: £6 yn cynnwys un ddiod Dewch i chwerthin yn Gymraeg!	Maes chwarae Ysgol y Felin. Gorffennaf 24 Bydd seren S4C Llio Llwyd yn agor y Ffair am 10 o'r gloch. Castell Neidio, cystadleuaeth carioci, twrnament pêl-droed 5 bob ochr. Bydd lemonêd melyn, te a choffi ar werth. Mynediad am ddim i blant ysgol, £2 i oedolion. Dewch i gefnogi'r ysgol – a dewch i gael hwyl!

**Dych chi'n hoffi mynd
ar wyliau i Sbaen?**

Mae Gwersi Sbaeneg yn Gymraeg ar
gael yma yn y dre!
Gyda Ricardo Roberts o
Batagonia.
Dim ond £80 am 20 gwers. Hanner
pris i bobl ddi-waith.
Coleg Abercastell, bob nos Fercher
(dim gwyliau ysgol).
Yn dechrau Medi 10, o 7 i 9 o'r gloch.
Croeso i bawb!

i. Pryd mae'r noson gomedi
yn gorffen?

....

ii. Beth fydd yn digwydd ar ôl y
comedi?

....

iii. Beth dych chi'n gael am £6 yn y
noson gomedi?

....

iv. Faint o'r gloch mae'r ffair yn dechrau?

....

v. Beth dych chi'n gallu brynu yn y ffair?

....

vi. Faint yw pris tocyn i'r ffair os dych chi'n 15 oed?

....

vii. O ble mae'r tiwtor Sbaeneg yn dod?

....

viii. Faint dych chi'n dalu am y cwrs os dych chi ddim yn gweithio?

....

ix. Ble mae'r gwersi Sbaeneg?

....

x. Pryd fydd dim gwersi Sbaeneg?

....

4. Portread/*Portrait*

Ysgrifennwch 5 brawddeg am y person yn y llun gan ddefnyddio'r wybodaeth yn yr arwyddion o'i chwmpas.
Write 5 sentences about the person in the picture using the information in the surrounding symbols.

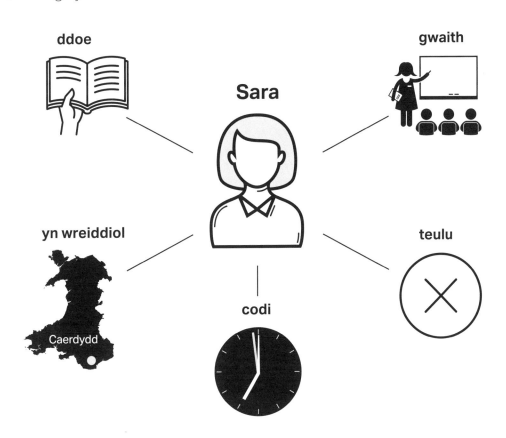

Dyma Sara.

i. ....

ii. ....

iii. ....

iv. ....

v. ....

5. Ysgrifennwch bedair brawddeg yn disgrifio'r tywydd yn yr ardal:
(Write four sentences describing the weather in the area)

Roedd .... neithiwr.

Mae .... heddiw.

Bydd .... heno.

Bydd .... yfory.

6. Cyfieithwch.

i. *I will be in work tomorrow.* ....

ii. *I will be in the bar.* ....

iii. *I will be in the lesson.* ....

iv. *I will be in the competition.* ....

Gair gan y tiwtor:

....

....

....

....

....

....

Gwaith cartref Uned 18 (un deg wyth)

1. Rhowch y brawddegau mewn trefn ac yna atebwch y cwestiwn/
Unscramble the sentences and then answer the question.

chi   wneud   nesa ?   penwythnos   fyddwch   beth   'n   y

....

....

ar   'n   nesa ?   byddwch   ble   mynd   wyliau   chi

....

....

byddi   gyda   mynd   phwy   di ?   wyliau   'n   ar

....

....

di   mynd   'n   gwely   pryd   heno ?   byddi   i'r

....

....

2. Ysgrifennwch bum cwestiwn yn defnyddio'r geiriau yma:

i. y penwythnos diwetha ....

ii. o'r gloch ....

iii. cerdded ....

iv. car ....

v. mynd ....

3. Bydd y tiwtor yn gofyn yr wythnos nesa dych chi wedi bod mewn Eisteddfod erioed. Os dych chi WEDI bod mewn Eisteddfod, ysgrifennwch dipyn bach i ddweud wrth y dosbarth (Pryd, ble, pam!)

....

....

....

4. Ysgrifennwch ebost at y tiwtor yn ymddiheuro eich bod chi'n mynd i golli'r wers nesa. Defnyddiwch "Bydda i/Byddwn ni" i esbonio/
Write an email to your tutor apologising for missing the next lesson. Use **"Bydda i/Byddwn ni"** *to explain.*

....

....

....

....

....

....

....

Gair gan y tiwtor:

....

....

....

....

....

Gwaith cartref Uned 19 (un deg naw)

1. Ailysgrifennwch y paragraff "Ynganu" gyda eich gwybodaeth eich hun/
Rewrite the "Ynganu" paragraph with your own information.

....

....

....

....

....

2. Ysgrifennwch bum cwestiwn yn defnyddio'r geiriau yma:

i. Faint ....

ii. yr wythnos nesa ....

iii. i frecwast ....

iv. darllen ....

v. Ble ....

3. Llenwi bylchau/*Gap-filling*
Llenwch y bylchau yn y brawddegau yma, gan ddefnyddio'r sbardun:
Fill the gaps in these sentences, using the prompts:

i. Dw i ddim yn gwybod ble mae fy .... i.

ii. Beth yw pris y tocyn? .... punt. (£3)

iii. Wyt ti'n mynd i'r dosbarth heddiw? ....

iv. Beth .... (gwneud) ti neithiwr?

v. Mae hi'n .... iawn heddiw.

vi. Mae hi'n gweithio .... siop.

vii. Sut .... 'r tywydd heddiw?

viii. Dw i'n hoffi gwrando .... y radio.

ix. .... y gêm yn dda iawn ddoe.

x. Mae hi'n bump .... gloch.

4. Erbyn yr wythnos nesa, dewch â llun o deulu/ffrindiau i ddisgrifio i'r dosbarth – pwy ydyn nhw, ble maen nhw/ro'n nhw'n byw. Ysgrifennwch nodiadau (notes) **i helpu.**

....

....

....

....

Gair gan y tiwtor:

....

....

....

....

....

Gwaith cartref Uned 20 (dau ddeg)

1. Trowch(*Turn*) **o chi i ti:**

i. Beth yw'ch enw chi? ....

ii. Beth yw lliw eich gwallt chi? ....

iii. Beth yw'ch rhif ffôn chi? ....

iv. Beth yw oed eich plentyn chi? ....

v. Beth yw mêc eich car chi? ....

Trowch o ti i chi:

i. Beth yw lliw dy lygaid di? ....

ii. Beth yw rhif dy dŷ di? ....

iii. Beth yw rhif dy gar di? ....

iv. Beth yw dy gyfeiriad di? ....

v. Beth yw dy waith di? ....

2. Ysgrifennwch bum cwestiwn yn defnyddio'r geiriau yma:

i. y penwythnos nesa ....

ii. gallu ....

iii. enw ....

iv. amser sbâr ....

v. yr wythnos diwetha ....

3. Darllenwch y ddeialog ac atebwch y cwestiynau

Angharad: Helô, Gwyn. Wyt ti'n mynd i'r pwll?

Gwyn: Nac ydw. Dw i ddim yn gallu nofio o gwbl, ond mae'r plant yn y dosbarth nofio.

Angharad: Mae fy mhlant i'n dysgu nofio ar nos Lun, ond maen nhw mewn dosbarth jiwdo heno. Dyna pam dw i'n mynd i'r caffi yma. Wyt ti eisiau dod am goffi?

Gwyn: Dim diolch. Dw i'n mynd i chwarae badminton. Beth yw oed dy blant di, 'te? Tua deg oed?

Angharad: Nage, mae Jac yn ddeuddeg a bydd Siân yn wyth y mis nesa.

Gwyn: Wel, maen nhw'n tyfu'n gyflym! Mae fy mhlant i'n bump ac yn chwech oed erbyn hyn. Wyt ti'n dal i weithio yn y swyddfa?

Angharad: Nac ydw. Dw i'n gweithio'n rhan-amser yn siop y garej. Mae'n braf iawn – dim gwaith papur!

Gwyn: Bendigedig! Mae gwaith papur gyda fi drwy'r amser yn yr ysgol. Ddest ti i weld ein cyngerdd ni yn yr ysgol neithiwr?

Angharad: Naddo. Ro'n i'n gweithio. Est ti?

Gwyn: Do, wrth gwrs. Roedd e'n dda iawn. Roedd y plant wedi ymarfer am wythnosau.

Angharad: Dw i'n siŵr. Wel, pob hwyl gyda'r badminton!

Gwyn: Diolch!

Enw	Beth maen nhw'n mynd i wneud heno?	Ble maen nhw'n gweithio?	Ble aethon nhw neithiwr?
Gwyn			

Angharad		
Enw	**Beth maen nhw'n mynd i wneud heno?**	**Oed nawr?**
Plant Gwyn		
Plant Angharad		

3. Ysgrifennwch bum brawddeg am beth dych chi'n hoffi wneud yn eich amser sbâr.

Gair gan y tiwtor:

Gwaith cartref Uned 21 (dau ddeg un)

1. Newidiwch chi > ti:

i. Golchwch eich car! ....

ii. Ewch adre! ....

iii. Byddwch yn ofalus! ....

iv. Trowch i'r dde. ....

2. Newidiwch ti > chi:

i. Paid â phoeni! ....

ii. Dere 'ma! ....

iii. Cofia dy allweddi! ....

iv. Gwna dy waith! ....

3. Rhowch gyngor i rywun – sut i ddysgu Cymraeg yn dda/_Give someone advice on how to learn Welsh._

i. ....

ii. ....

iii. ....

4. Edrychwch ar yr arwyddion. Dwedwch wrth ffrind beth i wneud/
Look at the signs and tell your friend what they must do.

1. Dim ffordd allan / No exit

2. Allanfa dân / Fire exit

3. [no hands symbol]

4. CERDDWYR / PEDESTRIANS →

5. SLOW / ARAF

i. ....

ii. ....

iii. ....

iv. ....

v. ....

5. Ysgrifennwch nodyn at eich ffrind yn dweud bod chi'n mynd i ffwrdd am wythnos. Gofynnwch i'ch ffrind wneud pedwar peth yn y tŷ/yr ardd/y dre/y gwaith/ *Write a note to your friend saying that you are going away for a week. Ask your friend to do 4 jobs in the house/garden/town/work.*

....

....

....

....

....

....

6. Ysgrifennwch gwestiwn yn defnyddio'r geiriau yma:

i. Sut ....

ii. byw ....

iii. neithiwr ....

iv. teulu ....

v. i swper ....

7. Edrychwch o gwmpas *(around)* **ble dych chi'n byw erbyn yr wythnos nesa a ffeindiwch arwyddion Cymraeg neu ddwyieithog** *(bilingual)* **– tynnwch lun gyda chamera neu ffôn os dych chi'n gallu!**

Gair gan y tiwtor:

....

....

....

....

....

....

Gwaith cartref Uned 22 (dau ddeg dau)

1. **Beth yw'r cwestiwn? Dilynwch y patrwm:**

Mae Wrecsam yn chwarae heno.   Pwy sy'n chwarae heno?

i.   Mae Sam yn gweithio dydd Sadwrn.

....

ii.   Mae Jac yn byw yn y pentref.

....

iii. Mae ugain yn mynd i'r parti.

....

iv. Mae deg o blant ar y cwrs.

....

v.   Mae Mari ar y ffôn.

....

vi. Mae drama newydd ar S4C heno.

....

2. **Llenwch y bylchau.**

i.   Mae hi'n _____ iawn heddiw.

ii. Dw i _____ bod yn Sbaen unwaith o'r blaen.

iii. _____ (gwneud) ti'r gwaith cartre neithiwr?

iv. Mae fy _____ i'n hoffi mynd i'r traeth.

v.   O _____ mae Gwyn yn dod yn wreiddiol?

vi. Mae hi'n byw _____ tre fawr yn Ffrainc.

vii. Wyt ti'n deall? _____ ydw! (**x**)

viii._____ hi ddim yn bwrw glaw ddoe.

3.   Ysgrifennwch gerdyn post yn defnyddio'r 5 gair yma:

neithiwr   heulog   yfory   gwesty   bwyta

9 Mehefin

Annwyl Chris

....

....

....

....

....

....

....

....

....

Pob hwyl,

....

Chris Morris

2 Ffordd y Bryn
Caerddinas
Cymru
SY12 2DL

4. Hysbysebion
Advertisements

Darllenwch yr hysbysebion yma. Yna, atebwch y cwestiynau sy'n dilyn ar sail yr wybodaeth yn yr hysbysebion. Does dim rhaid defnyddio brawddegau.
Read these advertisements. Then, answer the questions which follow on the basis of the information in the advertisements. You do not need to use sentences.

Recordio Carolau Nadolig

Dewch i ganu!

Mae cwmni teledu Arad yn recordio noson o garolau Nadolig nos Wener 8 Mehefin o 7 o'r gloch ymlaen yng Nghapel Moreia (dros y ffordd i'r ysgol gynradd).

Mynediad am ddim, a phaned o de ar hanner amser.

Bydd y rhaglen ar y teledu ar ddydd Nadolig eleni.

Dosbarth nofio

Dych chi eisiau dysgu sut i nofio? Mae dosbarth bob nos Fawrth yn y ganolfan hamdden rhwng 6.00 a 7.00.

Cost: £5 y sesiwn

I bobl sy **ddim** yn gallu nofio.

Tiwtor: Gwyn Jones
Ffoniwch 07797 263514

Bingo!

Dewch i chwarae Bingo yn neuadd y pentre bob nos Iau o 7.00 tan 11pm.

Dych chi'n gallu ennill pum deg punt!

Pris mynediad: £2 y person
Aled Gwyndaf yw'r bingo-feistr.
Llawer o hwyl!

i. Faint o'r gloch maen nhw'n dechrau recordio'r rhaglen?

....

ii. Ble mae'r capel?

....

iii. Faint yw cost mynd i'r noson recordio?

....

iv. Pryd bydd pobl yn gweld y rhaglen?

....

v. Faint o'r gloch mae'r dosbarth nofio'n dechrau?

....

vi. I bwy mae'r dosbarth nofio?

....

vii. Pwy yw Gwyn Jones?

....

viii. Ar ba noson mae'r bingo?

....

ix. Pryd mae'r bingo'n gorffen?

....

x. Faint mae'n bosib ennill yn y bingo?

....

5. Chwilair: Ffeindiwch y geiriau.

byw	yfory	Ble
yn wreiddiol	penwythnos nesa	Pryd
enw	amser sbâr	Sut
teulu	gwyliau	Faint
plant	tywydd	mynd
car	i swper	o'r gloch
gweithio	i frecwast	hoffi
neithiwr	wythnos nesa	cerdded
ddoe	wythnos diwetha	darllen
heno	penwythnos diwetha	gallu

b	i	s	w	p	e	r	u	a	i	l	y	w	g	i
dd	h	e	dd	i	w	p	r	y	d	o	f	c	e	f
l	e	b	ff	o	g	a	ll	u	u	i	o	r	g	r
t	n	a	l	p	e	ng	i	t	o	dd	r	â	h	e
l	o	d	ll	m	i	n	y	i	o	i	y	b	n	c
p	r	ph	i	b	y	w	th	r	rh	e	s	s	e	w
t	a	th	a	w	y	i	u	i	w	r	y	r	l	a
b	c	e	r	dd	e	d	c	ff	e	w	ch	e	b	s
d	p	e	n	w	y	th	n	o	s	n	e	s	a	t
ff	o	r	g	l	o	ch	a	h	u	y	w	m	d	e
dd	d	n	y	m	u	l	u	e	t	n	i	a	f	ch
d	n	e	i	th	i	w	r	s	o	n	th	y	w	a

6. Gofynnwch 5 cwestiwn o'r geiriau.

i.

....

ii.

....

iii.

....

iv.

....

v.

....

7.   **Erbyn y wers nesa, awgrymwch** *(suggest)* **ble byddwch chi'n gallu mynd i ymarfer Cymraeg cyn diwedd y cwrs yn ystod gwers** *(during a lesson)* **– fallai caffi/siop/tafarn/amgueddfa/canolfan…. Byddwch chi'n pleidleisio** *(vote)* **yr wythnos nesa am y syniad gorau!**

Gair gan y tiwtor:

....

....

....

....

....

Gwaith cartref Uned 23 (dau ddeg tri)

1. Llenwch y bylchau:

i. .... rhaid i chi fynd?
ii. Does .... rhaid iddyn nhw dalu.
iii. Rhaid .... fe brynu car newydd.
iv. Rhaid .... hi siarad Cymraeg â'r cymdogion.
v. Rhaid iddyn .... wrando yn y dosbarth.

2. Atebwch. Defnyddiwch 'rhaid' yn eich ateb.

i. Pam dych chi ddim yn dod i'r dosbarth nesa?

....

ii. Pam dyw'r plant ddim yn yr ysgol?

....

iii. Pam maen nhw'n mynd i'r siop?

....

3. Rhowch gyngor/*Give advice* (Rhaid ...):
i. Mae pen tost gyda fi. ....
ii. Mae'r ffliw ar mam-gu. ....
iii. Mae'r plant wedi blino. ....
iv. Does dim arian gyda Tomos. ....
v. Mae Ceri eisiau cadw'n heini. ....

4. Darllen a Deall
Darllenwch y ddeialog, ac yna llenwch y gridiau.

Siân: **Bore da, Dillad Dandi, Llanaber. Siân sy'n siarad. Gaf i helpu?**
Gwyneth: Cewch. Gwyneth Jones dw i. Dw i'n rhedeg y siop flodau yn Llanaber.
Siân: **Dw i'n gwybod. Sut dych chi, Mrs Jones?**
Gwyneth: Iawn, diolch. Dych chi'n gwerthu gwisg ysgol i blant Ysgol y Parc?

Siân: **Ydyn. Maen nhw mewn stoc yma. Pryd dych chi eisiau dod i'r siop i gael y dillad, Mrs Jones?**

Gwyneth: Rhaid i fi ddod i'r dre i siopa dydd Sadwrn, felly gwela i chi dydd Sadwrn...

Siân: **Mae'r siop ar agor o hanner awr wedi naw tan bump o'r gloch bob dydd, ond dw i'n cau'r siop am un o'r gloch ddydd Sadwrn yma, achos rhaid i fi fynd i weld fy mam.**

Gwyneth: Dych chi'n lwcus. Rhaid i fi agor y siop flodau am saith o'r gloch bob bore. Mae fy ngŵr i'n mynd â'r ferch i'r ysgol.

Siân: **Ydy hi yn Ysgol y Parc?**

Gwyneth: Nac ydy, ddim eto, ond bydd hi'n mynd yno ym mis Medi. Mae hi'n un ar ddeg oed.

Siân: **Mae fy merch i yn Ysgol y Parc yn barod. Mae hi'n ddeuddeg oed.**

Gwyneth: Ydy eich merch chi'n hoffi'r ysgol?

Siân: **Ydy. Mae hi'n chwarae llawer o hoci.**

Gwyneth: Dyw fy merch i ddim yn hoffi chwaraeon. Mae hi'n hoff o chwarae'r trwmped.

Siân: **Bydd hi'n hapus iawn yn yr ysgol, dw i'n siŵr. Mae band pres da iawn gyda nhw. Rhaid i fi fynd. Gwela i chi ar iard yr ysgol y flwyddyn nesa!**

Gwyneth: Siŵr o fod. Diolch yn fawr.

Enw	Ble maen nhw'n gweithio?	Beth maen nhw'n mynd i wneud dydd Sadwrn?	Pryd maen nhw'n dechrau gweithio bob bore?
Siân	1.	2.	3.
Gwyneth	4.	5.	6.
Enw	**Faint yw oed...?**	**Beth maen nhw'n hoffi wneud?**	
merch Siân	7.	8.	
merch Gwyneth	9.	10.	

5. Erbyn y wers nesa, ysgrifennwch sgript "Rhaid i chi…" am yr ardal ble dych chi'n byw i helpu ymwelwyr, e.e. Rhaid i chi fynd i'r parc.

By the next lesson, write a script using **Rhaid i chi** *about the area where you live to help visitors, e.g.* **Rhaid i chi fynd i'r parc.**

Gair gan y tiwtor:

Gwaith cartref Uned 24 (dau ddeg pedwar)

1. Atebwch: (Defnyddiwch "Cyn i fi/Ar ôl i fi")

i. Pryd cawsoch chi frecwast heddiw?

....

ii. Pryd byddwch chi'n cael brecwast yfory?

....

iii. Pryd cawsoch chi baned ddiwetha?

....

iv. Pryd byddwch chi'n cael paned nesa?

....

v. Pryd edrychoch chi ar eich ffôn chi ddiwetha?

....

vi. Pryd byddwch chi'n edrych ar eich ffôn chi nesa?

....

vii. Pryd symudoch chi dŷ ddiwetha?

....

viii. Pryd byddwch chi'n symud tŷ nesa?

....

2. Ysgrifennwch bum pwynt am ddoe, a phump am yfory. Defnyddiwch "ar ôl i fi" neu "cyn i fi" bob tro:

DDOE
e.e. "Ar ôl i fi godi, gwnes i baned"

i. ....

ii. ....

iii. ....

iv. ....

v. ....

YFORY
e.e. "Cyn i fi fynd i'r gwely, bydda i'n mynd â'r ci am dro."

vi. ....

vii. ....

viii. ....

ix. ....

x. ....

3. Hysbysebion/*Advertisements*

Darllenwch yr hysbysebion yma. Yna, atebwch y cwestiynau sy'n dilyn ar sail yr wybodaeth yn yr hysbysebion. Does dim rhaid defnyddio brawddegau.
Read these advertisements. Then, answer the questions which follow on the basis of the information in the advertisements. You do not need to use sentences.

Ysgol Roc

Dewch i gwrs gitâr gyda'r gitarydd
enwog Jeff Peck.

Yn Neuadd y Dre, Caellydan.

Dydd Sadwrn, 31 Hydref o 10 y bore tan 5 y prynhawn.

Dewch â'ch gitâr drydan.

Ffoniwch Ffred Ffrimstone ar 01339 44590 am le.

Pris llawn: £30

Dosbarth Dawnsio Bol

Tiwtor: Martha Jones

Yng Nghanolfan Gymunedol, Brodawel.

7.00-9.00 bob nos Fercher.

Dechrau: 5 Medi
£50 am 5 dosbarth.

Rhaid talu yn y dosbarth cynta.
Ffoniwch Martha ar 01678 457492 neu e-bostiwch
martha@dawnscymru.co.uk

**Bydd Megan Evans yn agor ei chaffi newydd
am 8.00 bore Llun, 12 Mehefin!**

Caffi'r Groes

Prynwch un brecwast mawr a chael un arall am ddim!

Bydd y *chef* teledu Chris Evans, brawd Megan,
yno yn y prynhawn.

Dewch i gwrdd â fe!

Cwestiynau

i. Pam mae Jeff Peck yn enwog? ....

ii. Ble mae Neuadd y Dre? ....

iii. Am faint o'r gloch mae'r cwrs gitâr yn dechrau? ....

iv. Beth yw gwaith Martha Jones? ....

v. Ar ba noson mae'r dosbarth dawnsio bol? ....

vi. Faint yw pris pump dosbarth dawnsio? ....

vii. Pryd mae rhaid i chi dalu am y cwrs? ....

viii. Caffi pwy yw Caffi'r Groes? ....

ix. Sut dych chi'n gallu cael brecwast am ddim? ....

x. Pryd bydd brawd Megan yn y caffi? ....

4. Llenwi bylchau/*Gap-filling*

Llenwch y bylchau yn y brawddegau yma, gan ddefnyddio'r sbardun mewn cromfachau neu'r llun, fel y bo'n briodol:
Fill the gaps in these sentences, using the prompts in brackets or the pictures, as appropriate:

i. Dw i'n hoffi .... yn y parc.

ii. Mae John yn gweithio .... swyddfa fawr.

iii. Oes coffi ar y bwrdd? .... (⊔)

iv. Beth .... (gwneud) hi neithiwr?

v. Roedd hi'n .... ddoe.

vi. Faint yw oed Aled? .... (3) oed.

vii. Dw i'n byw ym .... **Bangor**

viii. Dw i'n mynd i'r gwely am hanner............................. wedi deg. **10.30**

ix. Gaf i ofyn cwestiwn, os .... chi'n dda?

x. Rhaid .... ni dalu'r bil.

Gair gan y tiwtor:

....

....

....

....

Gwaith cartref Uned 25 (dau ddeg pump)

1. Cyfieithwch/ *Translate:*

i. *There is a new menu in the cafe.* ....

  The menu is on the table. ....

ii. *Is there a restuarant in the village?* ....

  Is the restaurant expensive? ....

iii. *There's no toilet in the village.* ....

  The toilet isn't working. ....

2. Llenwch y bylchau:

i. Beth .... eich .... chi?

ii. .... o'r gloch .... hi?

iii. Sut mae'r .... ?

iv. Ble .... car?

v. .... mae'r dosbarth?

3. Atebwch y cwestiynau yma gyda brawddeg lawn *(full sentence):*

i. Ble dych chi'n byw?

....

ii. O ble dych chi'n dod yn wreiddiol?

....

iii. Ble aethoch chi i'r ysgol?

....

iv. Beth yw'ch gwaith chi?

....

v. Oes teledu gyda chi?

....

vi. Oes anifeiliaid anwes gyda chi?

....

vii. Ble aethoch chi ar eich gwyliau diwetha?

....

viii. Beth wnaethoch chi ddoe?

....

ix. Beth wnaethoch chi neithiwr?

....

x. Beth wnaethoch chi y penwythnos diwetha?

....

xi. Beth dych chi'n wneud y penwythnos nesa?

....

xii. Beth dych chi'n hoffi wneud yn eich amser sbâr?

....

xiii. Ble dych chi'n dysgu Cymraeg?

....

xiv. Sut daethoch chi yma heddiw (i'r dosbarth)?

....

xv. Beth dych chi'n hoffi ar y teledu?

....

xvi. Beth mae rhaid i chi wneud yfory?

....

xvii. Sut mae'r tywydd heddiw?

....

xviii. Sut roedd y tywydd ddoe?

....

xix. Am faint o'r gloch dych chi'n codi fel arfer?

....

xx. Beth o'ch chi'n hoffi wneud pan o'ch chi'n blentyn?

....

4. Portread/*Portrait*

Ysgrifennwch 5 brawddeg am y person yn y llun yn defnyddio'r wybodaeth yn y symbolau.
Write 5 sentences about the person in the picture using the information in the symbols around him.

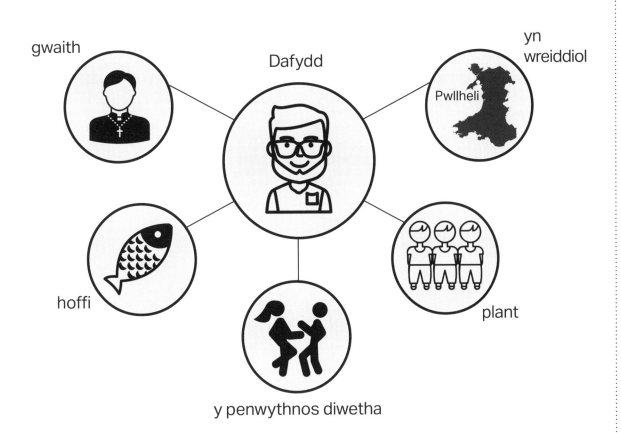

gwaith

Dafydd

yn wreiddiol

Pwllheli

hoffi

plant

y penwythnos diwetha

Dyma Dafydd.

i. ....

ii. ....

iii. ....

iv. ....

v. ....

5. Ysgrifennwch fwletin tywydd i S4C am yr wythnos:

Sut roedd y tywydd yng Nghymru ddoe?

Sut mae'r tywydd heddiw?

Sut bydd y tywydd heno, yfory a dros y penwythnos?

Dyma'r bwletin tywydd. Ddoe ....

....

Heddiw ....

....

Heno ....

....

Yfory ....

....

a dros y penwythnos ....

....

felly ....

....

A dyna'r bwletin tywydd.

Gair gan y tiwtor:

....

....

....

....

....

Gwaith cartref Uned 26 (dau ddeg chwech)

1. Newidiwch: e > hi:

i. Beth yw lliw ei lygaid e?

....

ii. Beth yw ei enw e?

....

iii. Beth yw ei rif ffôn e?

....

iv. Roedd ei wallt e'n ddu.

....

v. Roedd ei dad e'n gyrru lori.

....

vi. Mae e wedi torri ei goes e.

....

2. Newidiwch: hi > e:

i. Beth yw mêc ei char hi?

....

ii. Beth yw ei hoed hi?

....

iii. Beth yw lliw ei gwallt hi?

....

iv. Ydy ei phlant hi yn yr ysgol?

....

v. Mae ei phartner hi wedi ymddeol.

....

vi. Mae ei gwaith hi'n brysur.

....

3. Cymharwch (compare) chi â'r cymdogion, e.e.

Mae ein car ni'n hen, mae eu car nhw'n newydd.

i. ....

ii. ....

iii. ....

4. Darllenwch y ddeialog ac atebwch y cwestiynau:

Mae Lowri a Tracy'n cwrdd yn y parc.

Lowri: Tracy! Sut mae'r hwyl?

Tracy: O, ddim yn ddrwg. Mae pen tost gyda fi ar ôl bod gyda'r ddau fachgen drwy'r dydd.

Lowri: Mae'n anodd, dw i'n gwybod. Dim ond un sy gyda fi, a dw i wedi blino bob dydd, drwy'r dydd!

Tracy: Dw i'n gwybod. Es i i'r gwely neithiwr am wyth o'r gloch.

Lowri: Dw i'n eitha lwcus. Daeth fy mam aton ni neithiwr i edrych ar ôl Gwenllian, felly es i a fy ngŵr am bryd o fwyd.

Tracy: Do? Ble aethoch chi?

Lowri: Aethon ni i'r lle newydd ar y stryd fawr. Rwyt ti'n gwybod… maen nhw'n gwneud pasta da iawn.

Tracy: O ie. Mae fy mam i wedi bod yno. Mae hi'n hoffi coginio bwyd yr Eidal, ac roedd hi'n hapus iawn gyda'r lle.

Lowri: Mae dy fam di'n dda am goginio, on'd yw hi?

Tracy: Ydy.

Lowri: Mae fy mam i'n help mawr hefyd, ond mae hi'n brysur yn chwarae bowls yn yr haf.

Tracy: Ydy hi'n gweithio o gwbl?

Lowri: Nac ydy. Mae hi wedi ymddeol o'r ysbyty. Beth am dy fam di?

Tracy: Mae hi'n gweithio'n rhan-amser yn yr ysgol erbyn hyn. Mae hi'n hoffi dweud fel jôc, 'dw i'n fam-gu amser llawn'!

Lowri: Ha! Mae'r plant yma'n barod i fynd adre.

Tracy: Ydyn. Hwyl, Lowri.

Enw	Beth sy'n bod arnyn nhw?	Faint o blant sy gyda nhw?	Beth wnaethon nhw neithiwr?
Lowri	1.	2.	3.
Tracy	4.	5.	6.

Enw	Beth maen nhw'n hoffi wneud?	Ble maen nhw'n gweithio?
Mam Lowri	7.	8.
Mam Tracy	9.	10.

Nawr, ysgrifennwch bedair brawddeg *(sentences)* **am Lowri, a phedair am Tracy.**

Lowri, e.e. Mae plentyn gyda hi.

i. ....

ii. ....

iii. ....

iv. ....

Tracy, e.e. Aeth hi i'r gwely am wyth o'r gloch neithiwr.

i. ....

ii. ....

iii. ....

iv. ....

Gair gan y tiwtor:

....

....

....

....

....

....

Gwaith cartref Uned 27 (dau ddeg saith)

1.   Beth yw'r cwestiwn?

i. Cartref yw enw'r tŷ. ....

ii. Jac a Craig yw enwau'r cymdogion. ....

iii. CJ19 HHA yw rhif y car. ....

iv. Coch yw lliw fy ngwallt i. ....

2.   Atebwch:

i. Beth yw lliw eich car chi? ....

ii. Beth yw lliw eich llygaid chi? ....

iii. Beth yw enw'ch deintydd chi? ....

iv. Beth yw enw'ch ffrind gorau chi? ....

3.   Ysgrifennwch y paragraff yn y trydydd person/
Rewrite the paragraph in the third person:

Dw i'n byw gyda fy nhad i, Elfed, ym Mhwllheli. Dw i'n gweithio gyda fy nhad hefyd ond dw i ddim yn mwynhau'r gwaith. Does dim plant gyda fi. Dw i'n hoffi darllen a mynd i'r sinema gyda ffrindiau. Es i i'r dosbarth Cymraeg neithiwr a dysgais i lawer. Mae'r tiwtor yn dda iawn.

Mae John yn byw

....

....

....

....

4. **Ysgrifennwch frawddegau/gwestiynau yn dechrau gyda phob un o'r patrymau:**

i. Dw i ....

ii. Does dim ....

iii. Ro'n i ....

iv. Fyddan nhw ....

v. Mae e wedi ....

vi. Ydy hi wedi ....

vii. O't ti ....

viii. Fydda i ddim ....

ix. Dych chi wedi ....

5. **Geirfa Uned 27. Llenwch y bylchau:**

i. Mab eich brawd yw eich ....

ii. Dych chi'n mynd i'r theatr i weld ....

iii. "Mae eich .... yn canu. Atebwch e!"

iv. Mae un ar ddeg o chwaraewyr pêl-droed mewn ....

v. Siân yw fy enw cynta i. Jones yw fy ....

vi. Mae plant yn hoffi chwarae yn y ....

6. Ysgrifennwch gerdyn post yn cynnwys y geiriau isod i gyd.
Does dim rhaid iddyn nhw fod yn y drefn yma.
Dylech chi ysgrifennu rhwng 50 a 60 gair.
Write a postcard including all these words.
They do not have to be in this order.
You should write between 50 and 60 words

ddoe   **bwyd**   **yfory**   **darllen**   **braf**

7 Mehefin

Annwyl

....

....

....

....

....

....

....

....

....

Pob hwyl,

....

Chris Morris

2 Ffordd y Bryn
Caerddinas
Cymru
SY12 2DL

Gair gan y tiwtor:

Gwaith cartref (Arholiad)
1. Ysgrifennu Cerdyn Post

1. **Cerdyn Post**
   Postcard

Ysgrifennwch gerdyn post yn cynnwys y geiriau isod i gyd.
Does dim rhaid iddyn nhw fod yn y drefn yma.
Dylech chi ysgrifennu rhwng 50 a 60 gair.
Write a postcard including all these words.
They do not have to be in this order.
You should write between 50 and 60 words

cerdded   heno   ddoe   ystafell   gwlyb

6 Mehefin

Annwyl Ann,

....

....

....

....

....

....

....

....

....

Pob hwyl,

....

Ann Evans

3 Heol y Môr
Llanaber
Cymru
SA11 2NJ

2. **Edrychwch ar y geiriau 'Gofyn cwestiwn' ar dudalen 262 ac ysgrifennwch gwestiwn i fynd gyda phob gair. Defnyddiwch ddarn o bapur** *(Use a piece of paper.)*

Gair gan y tiwtor:

....

....

....

....

....

....

Geirfa

ben. – *fem.*, **gwr.** – *masc.*, **ll.** – *pl.*, **gw.** – *see*, **bôn** – *stem*

A

a (+ Treiglad Llaes) – *and*
a dweud y gwir – *to be honest*
Abertawe – *Swansea*
ac ati – *et cetera*
actor (gwr.) – *an actor;* actorion – *actors*
actores (ben.) – *an actress;* actoresau
 – *actresses*
achos – *because*
adeilad (gwr.) – *a building;* adeiladau
– *buildings*
adeiladu – *to build* (bôn: adeilad-)
adeiladwr (gwr.) – *a builder;* adeiladwyr
– *builders*
adolygu – *to revise* (bôn: adolyg-)
adre – *home (homeward)*
e.e. 'mynd adre' – *to go home*
afon (ben.) – *a river;* afonydd – *rivers*
afreolaidd – *irregular*
agor – *to open* (bôn: agor-)
agos – *near*
angel (gwr.) – *an angel;* angylion – *angels*
angen – *to need*
angen (gwr.) - *a need;* anghenion –
needs
anghofio – *to forget* (bôn: anghofi-)
anghywir – *incorrect, wrong*
angor (gwr.) – *an anchor;* angorau –
anchors
ail – *second*
allan – *out*
allwedd (ben.) – *a key;*
allweddi – *keys* (De Cymru)
am – *about*
ambiwlans (gwr.) – *an ambulance;*
ambiwlansys – *ambulances*
amgueddfa (ben.) – *a museum;*
amgueddfeydd – *museums*
aml – *often*
amser (gwr.) – *time, a time*
amser sbâr – *spare time*
anifail (gwr.) – *an animal;*
anifeiliaid – *animals*

anifail anwes (gwr.) – *a pet*
annwyd (gwr.) – *a cold;* anwydau – *colds*
annwyl – *dear, beloved*
anodd – *difficult*
anrheg (ben.) – *a gift;* anrhegion – *gifts*
apwyntiad (gwr.) – *an appointment;*
apwyntiadau – *appointments*
ar (+ Treiglad Meddal) – *on*
ar gael – *available*
ar gyfer – *for (for the purpose of)*
ar hyn o bryd – *at the moment*
ar lan… – *on the banks of…, on the shore of*
ar ôl – *after, following*
ar unwaith – *at once*
ar werth – *for sale*
araf – *slow*
arall – *other*
arbennig – *special*
archebu – *to order, to book, to reserve*
(bôn: archeb-)
ardderchog – *excellent*
arholiad (gwr.) – *an exam;* arholiadau –
exams
arian (gwr.) – *money, silver*
aros – *to wait* (bôn: arhos-)
ateb – *to answer* (bôn: ateb-)
ateb (gwr.) – *an answer;* atebion – *answers*
athrawes (ben.) – *a female teacher;*
athrawesau – *female teachers*
athro (gwr.) – *a male teacher;* athrawon –
male teachers
athro cyflenwi (gwr.) – *a supply teacher*
aur (gwr.) – *gold*
awdur (gwr.) – *an author;* awduron – *authors*
awr (ben.) – *an hour;* oriau – *hours*
awyren (ben.) – *an aeroplane;* awyrennau
– *aeroplanes*

B

babi (gwr.) – *baby;* babis – *babies*
bach – *small*
bachgen (gwr.) – *a boy;* bechgyn – *boys*
bag (gwr.) – *a bag;* bagiau – *bags*

banana (gwr.) – *a banana;* bananas – *bananas*

banc (gwr.) – *a bank;* banciau – *banks*

bar (gwr.) – *a bar;* bariau – *bars*

bara (gwr.) – *bread*

bargen (ben.) – *a bargain;* bargeinion – *bargains*

barn (ben.) – *opinion;* barnau – *opinions*

bechgyn – *boys* (gw. bachgen)

bechod! – *what a pity!* (Gogledd Cymru)

beic (gwr.) – *a bike;* beiciau – *bikes*

beic modur (gwr.) – *a motor bike;* beiciau modur – *motor bikes*

beiro (gwr.) – *a biro;* beiros – *biros*

bendigedig – *fantastic*

benthyg – *to borrow, to lend;* (bôn: benthyc-)

berwi – *to boil* (bôn: berw-)

beth? – *what?*

beth bynnag – *anyway, whatever*

bisged (ben.) – *a biscuit;* bisgedi – *biscuits*

ble? – *where?*

blin – *angry* (Gogledd Cymru)

blodyn (gwr.) – *a flower;* blodau – *flowers*

blwyddyn (ben.) – *a year;* blynyddoedd – *years*

blynyddoedd – *years* (gw. blwyddyn)

bod – *to be*

bol / bola (gwr.) – *a stomach;* boliau – *stomachs*

bore (gwr.) – a *morning;* boreau – *mornings*

bowlio – *to bowl* (bôn: bowli-)

braf – *fine*

braich (ben.) – *an arm;* breichiau – *arms*

brawd (gwr.) – *a brother;* brodyr – *brothers*

brecwast (gwr.) – *a breakfast;* brecwastau – *breakfasts*

brechdan (ben.) – *a sandwich;* brechdanau – *sandwiches*

breichiau – *arms* (gw. braich)

bron – *nearly*

brws (gwr.) – *a brush;* brwsys – *brushes*

brwsio – *to brush* (bôn: brwsi-)

brysio – *to hurry* (bôn: brysi-)

buan – *soon*

bugail (gwr.) – *a shepherd;* bugeiliaid – *shepherds*

bwletin (gwr.) – *a bulletin;* bwletinau – *bulletins*

bwrdd (gwr.) – *a table;* byrddau – *tables*

bwrw eira – *to snow*

bwrw glaw – *to rain*

bws (gwr.) – *a bus;* bysiau – *buses*

bwyd (gwr.) – *food;* bwydydd – *foods*

bwydlen (ben.) – *a menu;* bwydlenni – *menus*

bwydo – *to feed* (bôn: bwyd-)

bwyta – *to eat* (bôn: bwyt-)

bwyty (gwr.) – *a restaurant;* bwytai – *restaurants*

byd (gwr.) – *a world;* bydoedd – *worlds*

byr – *short*

bys (gwr.) – *a finger;* bysedd – *fingers*

byth – *ever, never*

byw – *to live*

C

cacen (ben.) – *a cake;* cacennau – *cakes*

cadair (ben.) – *a chair;* cadeiriau – *chairs*

cadw – *to keep, to reserve* (bôn: cadw-)

cadw'n heini – *to keep fit*

cael – *to have, to get*

Caerdydd – *Cardiff*

caffi (gwr.) – *a café;* caffis – *cafés*

Calan Gaeaf – *Halloween*

Calan Mai – *May Day*

camera (gwr.) – *a camera;* camerâu – *cameras*

campfa (ben.) – *a gym;* campfeydd – *gyms*

cân (ben.) – *a song;* caneuon – *songs*

canol (gwr.) – *centre, middle*

canolfan (ben.) – *a centre;* canolfannau – *centres*

cant (gwr.) - *a hundred;* cannoedd - *hundreds*

canu – *to sing* (bôn: can-)

capel (gwr.) – *a chapel;* capeli – *chapels*

capten (gwr.) – *a captain;* capteiniaid – *captains*

car (gwr.) – *a car;* ceir – *cars*

carafán (ben.) – *a caravan;* carafanau – *caravans*

cardiau – *cards* (gw. cerdyn)

cariad (gwr.) - *love, a boyfriend, a girlfriend;* cariadon - *boyfriends, girlfriends*

cario – *to carry* (bôn: cari-)

cartref (gwr.) – *a home;* cartrefi – *homes*

caru – *to love* (bôn: car-)

casglu – *to collect* (bôn: casgl-)

castell (gwr.) – *a castle;* cestyll – *castles*

cath (ben.) – *a cat;* cathod – *cats*

cau – *to close* (bôn: cae-)

cawl (gwr.) – *soup;* cawliau – *soups*

cawod (ben.) – *a shower;* cawodydd – *showers*

caws (gwr.) – *cheese;* cawsiau – *cheeses*

ceir – *cars* (gw. car)

cefn (gwr.) – *a back;* cefnau – *backs*

cefnder (gwr.) – *a (male) cousin;* cefndryd – *(male) cousins*

cefnogi (bôn: cefnog-) -- *to support*

ceffyl (gwr.) – *a horse;* ceffylau – *horses*

ceg (ben.) – *a mouth;* cegau – *mouths*

cegin (ben.) – *a kitchen;* ceginau – *kitchens*

ceiniog (ben.) – *a penny;* ceiniogau – *pennies*

cenedlaethol – *national*

cerdyn (gwr.) – *a card;* cardiau – *cards*

cerdded – *to walk* (bôn: cerdd-)

cerddor (gwr.) – *a musician;* cerddorion – *musicians*

cerddoriaeth (ben.) – *music*

ci (gwr.) – *a dog;* cŵn – *dogs*

cig (gwr.) – *meat;* cigoedd – *meats*

cig eidion (gwr.) – *beef*

cig moch (gwr.) – *bacon*

cig oen (gwr.) – *lamb meat*

cinio (gwr.) – *dinner, lunch;* ciniawau – *dinners, lunches*

clên – *agreeable, nice* (Gogledd Cymru)

cloc larwm (gwr.) – *an alarm clock;* clociau larwm – *alarm clocks*

clust (ben.) – *an ear;* clustiau – *ears*

clwb (gwr.) – *a club;* clybiau – *clubs*

clywed – *to hear* (bôn: clyw-)

coch – *red*

codi – *to get up, to lift, to pick up* (bôn: cod-)

coeden (ben.) – *a tree;* coed – *trees*

coes (ben.) – *a leg;* coesau – *legs*

cofio – *to remember* (bôn: cofi-)

coffi (gwr.) – *coffee*

coginio – *to cook* (bôn: cogini-)

cogydd (gwr.) – *a (male) cook, chef;* cogyddion – *cooks, chefs*

cogyddes (ben.) – *a (female) cook, chef;* cogyddion – *cooks, chefs*

côr (gwr.) – *a choir;* corau – *choirs*

cost (ben.) – *cost;* costau – *costs*

cot (ben.) – *a coat;* cotiau – *coats*

crac – *angry* (De Cymru)

credu – *to believe* (bôn: cred-)

crempog (ben.) – *a pancake;* crempogau – *pancakes*

criced – *cricket*

croeso – *welcome*

cryf - *strong*

cuddio – *to hide* (bôn: cuddi-)

cur pen (gwr.) – *a headache* (Gogledd Cymru)

cwestiwn (gwr.) – *a question;* cwestiynau – *questions*

cwm (gwr.) – *a valley;* cymoedd – *valleys*

cwmni (gwr.) – *a company;* cwmnïau – *companies*

cŵn – *dogs* (gw. ci)

cwrdd (â) – *to meet (someone)*

cwrs (gwr.) – *a course;* cyrsiau – *courses*

cwrw (gwr.) – *beer*

cychwyn – *to begin* (bôn: cychwynn-)

cyfarfod (gwr.) – *a meeting;* cyfarfodydd – *meetings*

cyfarfod – *to meet*

cyfarth – *to bark* (bôn: cyfarth-)

cyfeiriad (gwr.) – *an address;* cyfeiriadau – *addresses*

cyfenw (gwr.) – *a surname;* cyfenwau – *surnames*

cyfieithu – *to translate* (bôn: cyfieith-)

cyflym – *fast, quick*

cyfnither (ben.) – *a (female) cousin;* cyfnitherod – *(female) cousins*

cyfrifiadur (gwr.) – *a computer;* cyrifiaduron – *computers*

cyfweliad (gwr.) – *an interview;* cyfweliadau – *interviews*

cyngerdd (gwr.) – *a concert;*
cyngherddau – *concerts*
cyngor (gwr.) – *a council, advice;*
cynghorau – *councils*
cylchgrawn (gwr.) – *a magazine;*
cylchgronau – *magazines*
cymaint – *so much*
cymdogion – *neighbours* (gw. cymydog)
cymoedd – *valleys* (gw. cwm)
Cymraeg (ben.) – *Welsh*
Cymraes (ben.) – *a Welshwoman*
Cymro (gwr.) – *a Welshman*
Cymru (ben.) – *Wales*
Cymry – *Welsh people*
cymryd – *to take* (bôn: cymer-)
cymydog (gwr.) – *a neighbour;*
cymdogion – *neighbours*
cymylog – *cloudy*
cyn – *before*
cynnar – *early*
cynnes – *warm*
cynnwys – *to include*
cynta(f) – *first*
cyrraedd – *to arrive at, to reach* (bôn:
cyrhaedd-)
cysgu – *to sleep* (bôn: cysg-)
cystadleuaeth (ben.) – *a competition;*
cystadlaethau – *competitions*
cystadlu – *to compete* (bôn: cystadl-)
cytuno – *to agree* (bôn: cytun-)
cyw iâr (gwr.) – *chicken (meat)*

Ch

chi – *you (plural and formal singular)*
chwaer (ben.) – *a sister;* chwiorydd –
sisters
chwaith – *either*
chwarae – *to play* (bôn: chwarae-)
chwaraeon – *sports*
chwarter (gwr.) – *a quarter;* chwarteri –
quarters
chwerthin – *to laugh* (bôn: chwerthin-)
chwiorydd – *sisters* (gw. chwaer)
chwith – *left*

D

da – *good*
da-da – *sweets* (Gogledd Cymru)
dangos – *to show* (bôn: dangos-)
dail – *leaves* (gw. deilen)
dal – *to catch* (bôn: dali-)
dallt – *to understand* (bôn: dallt-)
(Gogledd Cymru)
damwain (ben.) – *an accident;*
damweiniau – *accidents*
dan (+ Treiglad Meddal) – *under*
dannodd (ben.) – *toothache*
dant (gwr.) – *a tooth;* danedd – *teeth*
darllen – *to read* (bôn: darllen-)
darn (gwr.) – *a piece;* darnau – *pieces*
dathlu – *to celebrate* (bôn: dathl-)
dawnsio – *to dance* (bôn: dawnsi-)
de (gwr.) – *south*
de (ben.) – *right*
deall – *to understand* (bôn: deall-)
dechrau – *to begin, to start*
(bôn: dechreu-)
defnyddio – *to use* (bôn: defnyddi-)
deffro – *to wake up* (bôn: deffro-)
deilen (ben.) – *a leaf;* dail – *leaves*
deintydd (gwr.) – *a dentist;* deintyddion –
dentists
del – *pretty* (Gogledd Cymru)
derbynnydd (gwr.) – *receptionist;*
derbynyddion – *receptionists*
dewis (gwr.) – *a choice;* dewisiadau –
choices
dewis – *to choose* (bôn: dewis-)
diddordeb (gwr.) – *an interest;*
diddordebau – *interests*
diddorol – *interesting*
diflas – *miserable, boring*
digon – *enough*
digwydd – *to happen, to occur*
(bôn: digwydd-)
dillad – *clothes* (gw. dilledyn)
dilledyn (gwr.) – *a garment;* dillad –
clothes

dim – *zero*
dim byd – *nothing*
dim ond – *only*
dinas (ben.) – *a city;* dinasoedd – *cities*
diod (ben.) – *a drink;* diodydd – *drinks*
diog – *lazy*
diolch – *thanks*
di-waith – *unemployed*
diwetha – *last (previous)*
diwrnod (gwr.) – *a day;* diwrnodau – *days*
dod – *to come*
dolur gwddw (gwr.) – *sore throat*
(Gogledd Cymru)
dosbarth (gwr.) – *a class;* dosbarthiadau
– *classes*
drama (ben.) – *a play;* dramâu – *plays*
dringo – *to climb* (bôn: dring-)
dros (+ Treiglad Meddal) – *over*
drud – *expensive*
drwg – *bad*
drws (gwr.) – *a door;* drysau – *doors*
Duw (gwr.) – *God*
dŵad – *to come* (Gogledd Cymru)
dweud – *to say* (bôn: dwed-)
dŵr (gwr.) – *water;*
dwyn – *to steal* (bôn: dyg-)
dwyrain (gwr.) – *east*
dydd Calan – *New Year's Day*
dydd Gwener – *Friday*
dydd Gŵyl Dewi – *Saint David's Day*
dydd Iau – *Thursday*
dydd Llun – *Monday*
dydd Mawrth – *Tuesday*
dydd Mercher – *Wednesdasy*
dydd Nadolig – *Christmas Day*
dydd Sadwrn – *Saturday*
dydd Sul – *Sunday*
dydd (gwr.) – *a day;* dyddiau – *days*
dyfalu – *to guess* (bôn: dyfal-)
dyma – *here is, this is*
dymuno – *to wish* (bôn: dymun-)
dyn (gwr.) – *a man;* dynion – *men*
dyna – *there is*
dyna drueni! – *what a pity!* (De Cymru)

dyna pam – *that's why*
dynes (ben.) – *woman* (Gogledd Cymru)
dysgu – *to teach* (bôn: dysg-)

Dd

ddoe – *yesterday*

E

ebost (gwr.) – *email;* ebyst – *emails*
echdoe – *the day before yesterday*
edrych ar – *to watch, to look at*
(bôn: edrych-)
(e)fallai - *perhaps*
efo – *with* (Gogledd Cymru)
eglwys (ben.) – *a church;*
eglwysi – *churches*
eira (gwr.) – *snow*
eisiau – *to want*
eistedd – *to sit* (bôn: eistedd-)
eitha – *fairly, quite*
ennill – *to win* (bôn: enill-)
enw (gwr.) – *a name;* enwau – *names*
enwog – *famous*
er – *although*
erioed – *never*
ers – *since*
ers talwm – *a long time ago*
(Gogledd Cymru)
eryr (gwr.) – *an eagle;* eryrod – *eagles*
esgid (ben.) – *a shoe;* esgidiau / sgidiau –
shoes
esgusodi – *to excuse* (bôn: esgusod-)
eto – *again*
ewythr (gwr.) – *an uncle;* ewythrod –
uncles

F

faint – *how much, how many*
fel – *as, like*
fel arfer – *usually*
felly – *so, thus*
fi – *me*
fideo (gwr.) – *a video;* fideos – *videos*
finegr (gwr.) – *vinegar*

Ff

ffair (ben.) – *a fair;* ffeiriau – *fairs*
ffatri (ben.) – *a factory;* ffatrïoedd – *factories*
ffeindio – *to find* (bôn: ffeindi-)
ffenest (ben.) – *a window;* ffenestri – *windows*
ffermio – *to farm* (bôn: ffermi-)
ffermwr (gwr.) – *a farmer;* ffermwyr – *farmers*
fferyllfa (ben.) – *a pharmacy;* fferyllfeydd – *pharmacies*
ffigwr (gwr.) – *a figure;* ffigyrau – *figures*
ffilm (ben.) – *a film;* ffilmiau – *films*
ffisig (gwr.) – *medicine;* ffisigau – *medicines* (Gogledd Cymru)
fflat (ben.) – *a flat;* fflatiau – *flats*
ffôn (gwr.) – *a phone;* ffonau – *phones*
ffôn symudol – *mobile phone*
ffonio – *to phone* (bôn: ffoni-)
ffordd (ben.) – *a way, a road;* ffyrdd – *ways, roads*
Ffrainc – *France*
ffrind (gwr.) – *a friend;* ffrindiau – *friends*
ffrwyth (gwr.) – *a fruit;* ffrwythau – *fruit(s)*
ffurflen (ben.) – *a form;* ffurflenni – *forms*
ffyrdd – *ways, roads* (gw. ffordd)

G

gadael – *to leave* (bôn: gadaw-)
gaeaf (gwr.) – *winter*
gair (gwr.) – *a word;* geiriau – *words*
galw – *to call* (bôn: galw-)
gallu – *to be able to, can* (bôn: gall-) (De Cymru)

gan – *by, from (a person)*
gardd (ben.) – *a garden;* gerddi – *gardens*
garddio – *to garden* (bôn: garddi-)
garddwr (gwr.) – *a gardener;* garddwyr – *gardeners*
garej (ben.) – *a garage;* garejis – *garages*
geiriadur (gwr.) – *a dictionary;* geiriaduron – *dictionaries*
geiriau – *words* (gw. gair)
gêm (ben.) – *a game;* gemau – *games*
gerddi – *gardens* (gw. gardd)
glanhau – *to clean* (bôn: glanheu-)
glaw (gwr.) – *rain;*
go lew – *pretty good, middling* (Gogledd Cymru, Gorllewin Cymru)
gobaith (gwr.) – *hope;* gobeithion – *hopes*
gobeithio – *to hope*
gofalus – *careful*
gofyn – *to ask* (bôn: gofynn-)
gogledd (gwr.) – *north*
golau (gwr.) – *a light;* goleuadau – *lights*
golchi – *to wash* (bôn: golch-)
goleuadau traffig – *traffic lights*
golff (gwr.) – *golf*
gorau – *best*
gorfod – *to have to*
gorffen – *to finish, to end* (bôn: gorffenn-)
goriad (gwr.) – *a key;* goriadau – *keys* (Gogledd Cymru)
gorllewin (gwr.) – *west*
gormod – *too much*
gorsaf (ben.) – *a station;* gorsafoedd – *stations*
gwaith (gwr.) – *work;* gweithiau – *works*
gwallt (ll.) – *hair*
gwan – *weak*
gwanwyn (gwr.) – *spring*
gwario – *to spend* (bôn: gwari-)
gwasanaeth (gwr.) – *a service;* gwasanaethau – *services*
gweddol – *so-so*
gweithio – *to work* (bôn: gweithi-)
gweithiwr (gwr.) – *a worker;* gweithwyr – *workers*
gweld – *to see* (bôn: gwel-)

gwely (gwr.) – *a bed;* gwelyau – *beds*
gwell – *better*
gwenu – *to smile* (bôn: gwen-)
gwers (ben.) – *a lesson;* gwersi – *lessons*
gwerth (gwr.) – *worth, value*
gwerthu – *to sell* (bôn: gwerth-)
gwesty (gwr.) – *a hotel;* gwestai – *hotels*
gwin (gwr.) – *wine;* gwinoedd – *wines*
gwir (gwr.) – *truth*
gwir neu gau – *true or false*
gwirion – *daft* (Gogledd Cymru)
gwisgo – *to dress, to wear* (bôn: gwisg-)
gwlad (ben.) – *a country;* gwledydd – *countries*
Gwlad yr Iâ – *Iceland*
gwleidydd (gwr.) – *a politician;* gwleidyddion – *politicians*
gwlyb – *wet*
gwneud – *to do, to make*
gwobr (ben.) – *a prize;* gwobrau – *prizes*
gŵr (gwr.) – *a husband, a man;* gwŷr – *husbands, men*
gŵr tŷ (gwr.) – *a house husband*
gwraig (ben.) – *a wife, a woman;* gwragedd – *wives, women*
gwraig tŷ – *housewife*
gwrando ar – *to listen to* (bôn: gwrandaw-)
gwreiddiol – *original*
gwybod – *to know*
gŵyl (ben.) – *a festival, a holiday;* gwyliau – *festivals, holidays*
gwylio – *to watch* (bôn: gwyli-)
gwyn – *white*
gwynt (gwr.) – *wind;* gwyntoedd – *winds*
gwyntog – *windy*
gyda – *with* (De Cymru)
gyda'r nos – *in the evening*
gyferbyn (+ â) – *opposite*
gyrru – *to drive* (bôn: gyrr-)
gyrrwr (gwr.) – *a driver;* gyrwyr – *drivers*

Ng

H

haf (gwr.) – *summer;* hafau – *summers*
halen (gwr.) – *salt*
ham (gwr.) – *ham*
hanes (gwr.) – *history;* hanesion – *histories*
hanner (gwr.) – *a half;* haneri – *halves*
hapus – *happy*
haul (gwr.) – *a sun*
hawdd – *easy*
heb (+ Treiglad Meddal) – *without*
hedfan – *to fly* (bôn: hedfan-)
heddiw (gwr.) – *today*
heddlu (gwr.) – *police*
hefyd – *also, too*
hel – *to collect* (bôn: heli-) (Gogledd Cymru)
help (gwr.) – *help*
helpu – *to help* (bôn: help-)
hen – *old*
hen bethau – *antiques*
heno – *tonight*
het (ben.) – *a hat;* hetiau – *hats*
heulog – *sunny*
hir – *long*
hoci (gwr.) – *hockey*
hoff – *favourite*
hoffi – *to like* (bôn: hoff-)
hogan (ben.) – *a girl, a lass;* genod – *girls, lasses* (Gogledd Cymru)
hogyn (gwr.) – *a boy, a lad;* hogiau – *boys, lads* (Gogledd Cymru)
hufen (gwr.) – *cream*
hufen iâ (gwr.) – *ice cream*
hwyl (ben.) – *fun*
hwyl – *good-bye*
hwyr – *late*
hydref (gwr.) – *autumn;* Hydref (gwr.) – *October*
hyfryd – *nice, pleasant*
hyn – *this*
hynny – *that*
hysbyseb (ben.) – *an advertisement;* hysbysebion – *advertisements*

I

i (+ Treiglad Meddal) – *to*
i fyny – *up, upward*
i ffwrdd – *away*
i gyd – *all*
i lawr – *down, downward*
i mewn – *in*
iâ – *ice*
iawn – *OK, very*
iechyd (gwr.) – *health*
ifanc – *young*
isio – *to want* (Gogledd Cymru)
Iwerddon (ben.) – *Ireland*

J

jam (gwr.) – *jam;* jamiau – *jams*
joio – *to enjoy* (bôn: joi-)

L

ledled – *throughout*
lemon (gwr.) – *a lemon;* lemonau – *lemons*
Lerpwl – *Liverpool*
lico – *to like* (bôn: lic-) (De Cymru)
licio – *to like* (bôn: lici-) (Gogledd Cymru)
lifft (gwr.) – *a lift;* lifftiau – *lifts*
lolfa (ben.) – *a lounge*
lôn (ben.) – *a lane;* lonydd – *lanes*
lwc (ben.) – *luck*
lwcus – *lucky*

Ll

llaeth (gwr.) – *milk* (De Cymru)
llais (gwr.) – *a voice;* lleisiau – *voices*
llawen – *happy, merry*
llawer – *a lot*
llawn – *full*
llawr (gwr.) – *a floor;* lloriau – *floors*
lle (gwr.) – *a place;* lleoedd – *places*
lle? – *where?* (Gogledd Cymru)

lled (gwr.) – *width*
llefrith (gwr.) – *milk* (Gogledd Cymru)
llen (ben.) – *a curtain;* llenni – *curtains*
llenwi – *to fill* (bôn: llenw-)
llestr (gwr.) – *a dish;* llestri – *dishes*
llinell (ben.) – *a line;* llinellau – *lines*
lliw (gwr.) – *a colour;* lliwiau – *colours*
lliw haul (gwr.) – *a suntan*
Lloegr (ben.) – *England*
llong (ben.) – *a ship;* llongau – *ships*
llond ceg (gwr.) – *a mouthful*
llongyfarchiadau – *congratulations*
llun (gwr.) – *a picture;* lluniau – *pictures*
Llundain – *London*
llwnc (gwr.) – *a throat* (De Cymru)
llyfr (gwr.) – *a book;* llyfrau – *books*
llyfrgell (ben.) – *a library;* llyfrgelloedd – *libraries*
llyfrgellydd (gwr.) – *a librarian;* llyfrgellwyr – *librarians*
llygad (gwr.) – *an eye;* llygaid – *eyes*
llynedd – *last year*
llysfab (gwr.) – *a stepson;* llys feibion – *stepsons*
llysferch (ben.) – *a step daughter;* llys ferched – *step daughters*
llysiau – *vegetables;*
llythyr (gwr.) – *a letter;* llythyrau – *letters*

M

mas – *out* (De Cymru)
mab (gwr.) – *a son;* meibion – *sons*
mabwysiadu – *to adopt* (bôn: mabwysiad-)
maes (gwr.) – *a field;* meysydd – *fields*
maes parcio (gwr.) – *car park*
mam (ben.) – *a mother;* mamau – *mothers*
mam faeth (ben.) – *a foster mother;* mamau maeth – *foster mothers*
mam-gu (ben.) – *a grandmother;*

mam-guod – *grandmothers* (De Cymru)
mam-yng-nghyfraith (ben.) – *mother-in-law*
maneg (ben.) – *a glove;* menig – *gloves*
manylion – *details*
marchnad (ben.) – *a market;*
marchnadoedd – *markets*
mawr – *big*
mêc (gwr.) – *a make;* mêcs – *makes*
medru – *to be able to, can* (bôn: medr-)
(Gogledd Cymru)
meddwl – *to think* (bôn: meddyli-)
meddyg (gwr.) – *a doctor;* meddygon –
doctors
meddygfa (ben.) – *a doctor's surgery;*
meddygfeydd – *doctors' surgeries*
mefus – *strawberries* (gw. mefusen)
mefusen (ben.) – *a strawberry;* mefus –
strawberries
meibion – *sons* (gw. mab)
meindio – *to mind* (bôn: meindi-)
mêl (gwr.) – *honey*
melysion – *sweets*
menig – *gloves* (gw. maneg)
menyn (gwr.) – *butter*
menyw (ben.) – *a woman;* menywod –
women (De Cymru)
merch (ben.) – *a girl, a daughter;*
merched – *girls, daughters*
methu – *to fail* (bôn: meth-)
mewn – *in a*
mewn pryd – *in time*
mil (ben.) – *a thousand;* miloedd –
thousands
miliwn (ben.) – *a million;* miliynau – *millions*
mis (gwr.) – *a month;* misoedd – *months*
mis mêl (gwr.) – *a honeymoon;* misoedd
mêl – *honeymoons*
modryb (ben.) – *an aunt;*
modrybedd – *aunts*
moddion – *medicine*
môr (gwr.) – *a sea;* moroedd – *seas*
moron – *carrots* (gw. moronen)
moronen (ben.) – *a carrot;* moron – *carrots*
munud (ben./gwr.) – *a minute;* munudau –
minutes
mwy – *more*
mwynhau – *to enjoy* (bôn: mwynheu-)
mynd – *to go*
mynd â – *to take*
mynd am dro – *to go for a walk*
mynediad (gwr.) – *entry*

N

nabod – *to know (someone), to
recognise*
Nadolig (gwr.) – *Christmas*
nai (gwr.) – *a nephew;* neiaint – *nephews*
nain (ben.) – *a grandmother;* neiniau –
grandmothers (Gogledd Cymru)
nawr – *now* (De Cymru)
neb – *nobody, no one*
neges (ben.) – *a message;* negeseuon –
messages
neis – *nice*
neithiwr – *last night*
nes – *until*
nesa(f) – *next*
neu (+ Treiglad Meddal) – *or*
neuadd (ben.) – *a hall;* neuaddau – *halls*
newydd – *new*
newyddion – *news*
nith (ben.) – *a niece;* nithod – *nieces*
niwlog – *foggy, misty*
nofio – *to swim* (bôn: nofi-)
nôl – *to get, to collect*
nos (ben.) – *a night;* nosau – *nights*
Nos Galan – *New Year's Eve*
noson (ben.) – *an evening*
noswaith (ben.) – *an evening;*
nosweithiau – *evenings*
nunlle – *nowhere* (Gogledd Cymru)
nwy (gwr.) – *a gas;* nwyon – *gasses*
nyrs (ben.) – *a nurse;* nyrsys – *nurses*
nyrsio – *to nurse* (bôn: nyrsi-)

O

o (+ Treiglad Meddal) – *from*
o gwbl – *at all*
o gwmpas – *around*
o 'ma – *from here, away*
o'r gloch – *o'clock*
o'r gorau – *OK, alright*
ochr (ben.) – *a side;* ochrau – *sides*
oed (gwr.) – *age (of a person)*
oer – *cold*
ofnadwy – *terrible*
ola(f) – *last, final*
ond – *but*
opera (ben.) – *an opera;* operâu – *operas*
oren (gwr.) – *orange (ffrwyth a lliw);*
orennau – *oranges*
oriau – *hours* (gw. awr)
oriawr (ben.) – *a watch (timepiece)*
os – *if*
os gwelwch chi'n dda – *please*

P

p'nawn (gwr.) – *an afternoon* (gw. prynhawn)
pa? (+ Treiglad Meddal) – *which?*
pabell (ben.) – *a tent;* pebyll – *tents*
pacio – *to pack* (bôn: paci-)
paent (gwr.) – *paint;* paentiau – *paints*
pam? – *why?*
pan (+ Treiglad Meddal) – *when*
paned (ben.) – *a cuppa;* paneidiau – *cuppas*
papur (gwr.) - *paper;* papurau - *papers*
papur newydd (gwr.) – *a newspaper;* papurau newydd – *newspapers*
pâr (gwr.) – *a pair;* parau – *pairs*
paratoi – *to prepare* (bôn: parato-)
parc (gwr.) – *a park;* parciau – *parks*
parcio – *to park* (bôn: parci-)
parod – *ready*
parti (gwr.) – *a party;* partïon – *parties*
Pasg (gwr.) – *Easter*
pasport (gwr.) – *a passport;* pasportau – *passports*
pasta (gwr.) – *pasta*
pawb – *everyone, everybody*
peidio - *to stop, to cease, to refrain* (bôn: peidi-)
peintio – *to paint* (bôn: peinti-)

peiriant (gwr.) – *a machine;* peiriannau – *machines*
pêl (ben.) – *a ball;* peli – *balls*
pêl-droed (gwr.) – *football*
pell – *far*
pen (gwr.) – *a head;* pennau – *heads*
pen-blwydd (gwr.) – *a birthday;* penblwyddi – *birthdays*
pennaeth (gwr.) – *a head (person), a principal;* penaethiaid – *heads, principals*
pensil (gwr.) – *a pencil;* pensiliau – *pencils*
pensiwn (gwr.) – *a pension;* pensiynau – *pensions*
pensiynwr (gwr.) – *a pensioner;* pensiynwyr – *pensioners*
pentre(f) (gwr.) – *a village;* pentrefi – *villages*
penwythnos (gwr.) – *a weekend;* penwythnosau – *weekends*
perffaith – *perfect*
perfformio – *to perform* (bôn: perfformi-)
person (gwr.) - *a person;* personau - *persons*
pert – *pretty* (De Cymru)
peswch (gwr.) – *a cough*
peswch – *to cough* (bôn: pesych-)
peth (gwr.) - *a thing;* pethau - *things*
pigyn clust (gwr.) – *earache* (Gogledd Cymru)
pinc – *pink*
plant – *children* (gw. plentyn)
pleidleisio – *to vote* (bôn: pleidleisi-)
plentyn (gwr.) – *a child;* plant – *children*
plismon (gwr.) – *a policeman;* plismyn – *policemen*
pob – *each, every*
pobl (ben.) – *people*
poen (ben.) – *a pain;* poenau – *pains*
poeni – *to worry*
poeth – *hot*
pont (ben.) – *a bridge;* pontydd – *bridges*
popeth – *everything*
porc (gwr.) – *pork*
porffor – *purple*
posib – *possible*
post (gwr.) – *post*
postmon (gwr.) – *a postman;* postmyn – *postmen*
prawf (gwr.) – *a test;* profion – *tests*
pres (gwr.) – *money* (Gogledd Cymru), *brass*

prif – *main, first, top, highest*
prifathro (gwr.) – *headmaster;*
prifathrawon – *headteachers*
prifathrawes (ben.) – *headmistress;*
prifathrawesau – *headmistresses*
prifysgol (ben.) – *an university;*
prifysgolion – *universities*
priod – *married*
priodi – *to marry* (bôn: priod-)
problem (ben.) – *a problem;* problemau – *problems*
pryd? – *when?*
prynhawn (gwr.) – *an afternoon;*
prynhawniau – *afternoons*
prynu – *to buy* (bôn: pryn-)
prysur – *busy*
punt (ben.) – *a pound (money);* punnoedd – *pounds*
pwdin (gwr.) – *a pudding;* pwdinau – *puddings*
pwll (gwr.) – *a pool;* pyllau – *pools*
pwll nofio (gwr.) – *a swimming pool*
pwll glo (gwr.) – *a coal mine*
pwy? – *who?*
pwysig – *important*
pys – *peas*
pysgodyn (gwr.) – *a fish;* pysgod – *fish(es)*

Ph

R

radio (gwr.) – *a radio*
ras (ben.) – *a race;* rasys – *races*
rownd (ben.) – *a round;* rowndiau – *rounds;*
rownd – *round, around*
rŵan – *now* (Gogledd Cymru)
rygbi (gwr.) – *rugby*

Rh

rhad – *cheap*
rhaglen (ben.) – *a programme;* rhaglenni – *programmes*
rhai – *some*
rhan (ben.) – *a part;* rhannau – *parts*
rhan-amser – *part-time*
rhedeg – *to run* (bôn: rhed-)
rheina – *those*

rheoli – *to manage, to control* (bôn: rheol-)
rheolwr (gwr.) – *a manager;* rheolwyr – *managers*
rheolwraig (ben) – a manageress
rhestr (ben.) – *a list;* rhestri – *lists*
rhew (gwr.) – *ice*
rhif (gwr.) – *a number;* rhifau – *numbers*
rhwng – *between*
rhy – *too (before an adjective)*
rhyfedd – *strange, funny, odd*
rhyw (+ Treiglad Meddal) – *any, some*
rhywbeth (gwr.) – *something*
rhywle (gwr.) – *somewhere*
rhywun (gwr.) – *someone*

S

Saesnes (ben.) – *an Englishwoman;*
Saeson – *English people*
Saesneg (ben.) – *English (language)*
Sais (gwr.) – *an Englishman;* Saeson – *English people*
sâl – *ill, sick, bad, poor*
salad (gwr.) – *a salad;* saladau – *salads*
Sbaen (ben.) – *Spain*
sbâr – *spare*
sbectol (ben.) – *spectacles (glasses)*
sbwriel (gwr.) – *rubbish* (gw. ysbwriel)
seiclo – *to cycle* (bôn: seicl-)
sêl cist car (ben.) – *a car boot sale;* sêls cist car – *car boot sales*
seren (ben.) – *a star;* sêr – *stars*
sesiwn (gwr./ben.) - *session;* sesiynau - *sessions*
sglodion – *chips;*
sgorio – *to score* (bôn: sgori-)
sgwennu – *to write* (bôn: sgwenn-) (Gogledd Cymru)
siarad – *to talk* (bôn: siarad-)
siaradwr (gwr.) - *speaker;* siaradwyr - *speakers*
siec (ben.) – *a cheque;* sieciau – *cheques*
sigarét (ben.) – *a cigarette;* sigaréts – *cigarettes*
silff (ben.) – *a shelf;* silffoedd – *shelves*
silff ben tân – *mantelpiece*
sillafu – *to spell* (bôn: sillaf-)
sinema (gwr.) – *a cinema;* sinemâu – *cinemas*

siocled (gwr.) – *chocolate;* siocledi – *chocolates*

sioe (ben.) – *a show;* sioeau – *shows*

Siôn Corn – *Santa Claus*

siop (ben.) – *a shop;* siopau – *shops*

siopa – *to shop* (bôn: siop-)

siopwr (gwr.) – *a shopkeeper;* siopwyr – *shopkeepers*

sir (ben.) – *a county;* siroedd – *counties*

siwgr (gwr.) – *sugar*

siŵr – *sure*

siŵr o fod - *probably*

smwddio – *to iron* (bôn: smwddi-)

staff – *staff*

stamp (gwr.) – *a stamp;* stampiau – *stamps*

stondin (ben.) – *a stall, a booth;* stondinau – *stalls, booths*

stopio – *to stop* (bôn: stopi-)

stormus – *stormy*

stryd (ben.) – *a street;* strydoedd – *streets*

sudd (gwr.) – *juice;* suddion – *juices*

sut? – *how?*

swnllyd – *noisy*

swper (gwr.) – *a supper;* swperau – *suppers*

swydd (ben.) – *a job, a post;* swyddi – *jobs, posts*

swyddfa (ben.) – *an office;* swyddfeydd – *offices*

sych – *dry*

syched (gwr.) – *thirst*

symud – *to move* (bôn: symud-)

syniad (gwr.) – *an idea;* syniadau – *ideas*

syth – *straight*

T

tabled (ben.) – *a tablet;* tabledi – *tablets*

taclus – *tidy*

tad (gwr.) – *a father;* tadau – *fathers*

tad-cu (gwr.) – *a grandfather;* tad-cuod – *grandfathers* (De Cymru)

tad maeth (gwr.) – *foster father;* tadau maeth – *foster fathers*

tad-yng-nghyfraith (gwr.) – *father-in-law;* tadau-yng-nghyfraith – *fathers-in-law*

tafarn (ben.) – *a pub;* tafarnau – *pubs*

taflen (ben.) – *a leaflet;* taflenni – *leaflets*

tai – *houses* (gw. tŷ)

taid (gwr.) – *a grandfather;* teidiau – *grandfathers* (Gogledd Cymru)

taith (ben.) – *a journey;* teithiau – *journeys*

talu – *to pay* (bôn: tal-)

tan (+ Treiglad Meddal) – *until*

tân (gwr.) – *a fire;* tanau – *fires*

taro – *to hit, to strike*

taten (ben.) – *a potato;* tatws – *potatoes*

te (gwr.) – *tea*

tebyg – *similar, alike*

tedi (gwr.) – *a teddy bear*

tegan (gwr.) – *a toy;* teganau – *toys*

tegell (gwr.) – *a kettle;* tegelli – *kettles*

tei (gwr.) – *a tie;* teis – *ties*

teimlo – *to feel* (bôn: teiml-)

teithio – *to travel* (bôn: teithi-)

teledu (gwr.) – *a television*

tennis (gwr.) – *tennis*

teulu (gwr.) – *a family;* teuluoedd – *families*

teuluol – *family* (e.e. y cartref teuluol – *the family home*)

ti – *you (informal singular)*

tîm (gwr.) – *a team;* timau – *teams*

tipyn – *a little, a bit*

tocyn (gwr.) – *a ticket;* tocynnau – *tickets*

tomato (gwr.) – *a tomato;* tomatos – *tomatoes*

torri – *to break* (bôn: torr-)

torri lawr – *to break down*

torth (ben.) – *a loaf;* torthau – *loaves*

tost (gwr.) – *toast*

tost (ans.) – *sick, ill* (De Cymru)

traed – *feet* (gw. troed)

traeth (gwr.) – *a beach;* traethau – *beaches*

trafod – *to discuss* (bôn: trafod-)

tref (ben.) – *a town;* trefi – *towns*

trefnu – *to arrange, to organise* (bôn: trefn-)

trên (gwr.) – *a train;* trenau – *trains*

trio – *to try* (bôn: tri-)

trip (gwr.) – *a trip;* tripiau – *trips*

trist – *sad*
tro (gwr.) – *a turn*
troed (ben.) – *a foot;* traed – *feet*
troi – *to turn* (bôn: troi-)
trwy (+ Treiglad Meddal) – *through*
trwyn (gwr.) – *a nose;* trwynau – *noses*
trydan (gwr.) – *electricity, electric*
trydydd – *third*
tu allan i/tu fas i – *outside*
tua (+Treiglad Llaes) – *about*
tudalen (ben.) – *a page;* tudalennau – *pages*
twp – *stupid*
twym – *warm, hot* (De Cymru)
tŷ (gwr.) – *a house;* tai – *houses*
tŷ bach – *a toilet*
tŷ bwyta – *a restaurant;* tai bwyta – *restaurants*
tyfu – *to grow* (bôn: tyf-)
tymor (gwr.) – *a season, a term;* tymhorau – *seasons, terms*
tynnu – *to pull* (bôn: tynn-)
tynnu llun – *to take a picture; to draw a picture*
tywydd (gwr.) – *weather*

Th

U

ugain – *twenty;* ugeiniau – *twenties*
uned (ben.) – *a unit;* unedau – *units*
unman – *nowhere*
unrhyw (+ Treiglad Meddal) – *any*
unwaith – *once*
uwd (gwr.) – *porridge*

W

wal (ben.) – *a wall;* waliau – *walls*
wedi blino – *tired*
wedyn – *after, afterwards*
weithiau – *sometimes*
wir – *indeed*
wrth (+ Treiglad Meddal) – *by*
wrth gwrs – *of course*

wy (gwr.) – *an egg;* wyau – *eggs*
wyneb (gwr.) – *a face;* wynebau – *faces*
wythnos (ben.) – *a week;* wythnosau – *weeks*

Y

y baban Iesu – *the baby Jesus*
y llynedd – *last year*
y we (ben.) – *the web*
ych a fi! – *horrid, yuck!*
ychydig – *a little, a few*
yfed – *to drink* (bôn: yf-)
yfory – *tomorrow*
yma – *here*
ymarfer – *to practise, to rehearse*
ymddeol – *to retire* (bôn: ymddeol-)
ymlacio – *to relax* (bôn: ymlaci-)
ymlaen – *on, ahead, forward*
ymolchi – *to wash (one's self)* (bôn: ymolch-)
ymweld (â) – *to visit* (bôn: ymwel-)
ymweliad (gwr.) – *a visit;* ymweliadau – *visits*
yn (+ Treiglad Trwynol) – *in*
yn barod – *already*
yn erbyn – *against*
yn ôl – *back*
yn unig – *only*
yna – *there, then*
yno – *there*
ynys (ben.) – *an island;* ynysoedd – *islands*
Yr Alban (ben.) – *Scotland*
yr un – *each*
Yr Wyddfa (ben.) – *Snowdon*
ysbyty (gwr.) – *a hospital;* ysbytai – *hospitals*
ysbwriel (gwr.) – *rubbish*
ysgol (ben.) – *a school;* ysgolion – *schools*
ysgrifennu – *to write* (bôn: ysgrifenn-)
ystafell (ben.) – *a room;* ystafelloedd – *rooms*
ystyr (gwr.) – *a meaning;* ystyron – *meanings*

Canllaw gramadeg/*A grammar guideline*

Termau/*Terms*

Berf	*Verb*	(gwelais i, rhedodd e)
Berfenw	*Verb-noun*	(mynd, gyrru, cerdded)
Ansoddair	*Adjective*	(da, gwyntog, prysur)
Enw	*Noun*	(car, tŷ, llyfr)
Rhagenw	*Pronoun*	(ti, ni, nhw)
Bôn	*Stem*	(rhed-, golch-, siarad-)
Gwrywaidd	*Masculine*	
Benywaidd	*Feminine*	
Lluosog	*Plural*	

Berfau/*Verbs*

Mae'r berfenw **bod** yn bwysig iawn. 'Dyn ni'n defnyddio **bod** i wneud yr amser presennol, yr amherffaith, y dyfodol a'r perffaith: **y berfenw bod + yn/wedi + berf (dim treiglad)**.

*The verb-noun **bod** is very important. We use **bod** to create the present, the imperfect, the future and the perfect tenses: **the verb-noun bod + yn/wedi + verb (no mutation)**.*

Yr Amser Presennol/*The present tense*

Dw i'n talu. *I pay/am paying.*	Dw i ddim yn talu. *I don't pay/am not paying.*	Dw i'n talu?/Ydw i'n talu? *Do I pay?/Am I paying?*
Rwyt ti'n talu. *You pay/are paying.*	Dwyt ti ddim yn talu. *You don't pay/are not paying.*	Wyt ti'n talu? *Do you pay?/Are you paying?*
Mae e/hi'n talu. *He/she pays/is paying.*	Dyw e/hi ddim yn talu. *He/she doesn't pay/isn't paying.*	Ydy e/hi'n talu? *Does he/she pay?/Is he/she paying?*
'Dyn ni'n talu. *We pay/are paying.*	'Dyn ni ddim yn talu. *We don't pay/are not paying.*	'Dyn ni'n talu?/Ydyn ni'n talu? *Do we pay?/Are we paying?*
Dych chi'n talu. *You pay/are paying.*	Dych chi ddim yn talu. *You don't pay/are not paying.*	Dych chi'n talu?/Ydych chi'n talu? *Do you pay?/Are you paying?*
Maen nhw'n talu. *They pay/are paying.*	'Dyn nhw ddim yn talu. *They don't pay/are not paying.*	Ydyn nhw'n talu? *Do they pay?/Are they paying?*

Yr Amser Amherffaith/*The imperfect tense*

Ro'n i'n talu. *I was paying/used to pay.*	Do'n i ddim yn talu. *I wasn't paying/didn't used to pay.*	O'n i'n talu? *Was I paying?/Did I used to pay?*
Ro't ti'n talu. *You were paying/used to pay.*	Do't ti ddim yn talu. *You weren't paying/didn't used to pay.*	O't ti'n talu? *Were you paying?/Did you used to pay?*
Roedd e/hi'n talu. *He/she was paying/used to pay.*	Doedd e/hi ddim yn talu. *He/she wasn't paying/didn't used to pay.*	Oedd e/hi'n talu? *Was he/she paying?/Did he/she used to pay?*
Ro'n ni'n talu. *We were paying/used to pay.*	Do'n ni ddim yn talu. *We weren't paying/didn't used to pay.*	O'n ni'n talu? *Were we paying?/Did we used to pay?*
Ro'ch chi'n talu. *You were paying/used to pay.*	Do'ch chi ddim yn talu. *You weren't paying/didn't used to pay.*	O'ch chi'n talu? *Were you paying?/Did you used to pay?*
Ro'n nhw'n talu. *They were paying/used to pay.*	Do'n nhw ddim yn talu. *They weren't paying/didn't used to pay.*	O'n nhw'n talu? *Were they paying?/Did they used to pay?*

Yr Amser Dyfodol/*The future tense*

Bydda i'n talu. *I will be paying.*	Fydda i ddim yn talu. *I won't be paying.*	Fydda i'n talu? *Will I be paying?*
Byddi di'n talu. *You will be paying.*	Fyddi di ddim yn talu. *You won't be paying.*	Fyddi di'n talu? *Will you be paying?*
Bydd e/hi'n talu. *He/she will be paying.*	Fydd e/hi ddim yn talu. *He/she won't be paying.*	Fydd e/hi'n talu? *Will he/she be paying?*
Byddwn ni'n talu. *We will be paying.*	Fyddwn ni ddim yn talu. *We won't be paying.*	Fyddwn ni'n talu? *Will we be paying?*
Byddwch chi'n talu. *You will be paying.*	Fyddwch chi ddim yn talu. *You won't be paying.*	Fyddwch chi'n talu? *Will you be paying?*
Byddan nhw'n talu. *They will be paying.*	Fyddan nhw ddim yn talu. *They won't be paying.*	Fyddan nhw'n talu? *Will they be paying?*

Yr Amser Perffaith/*The perfect tense*

Dw i wedi talu. *I have paid.*	Dw i ddim wedi talu. *I haven't paid.*	Dw i wedi talu?/Ydw i wedi talu? *Have I paid?*
Rwyt ti wedi talu. *You have paid.*	Dwyt ti ddim wedi talu. *You haven't paid.*	Wyt ti wedi talu? *Have you paid?*
Mae e/hi wedi talu. *He/she has paid.*	Dyw e/hi ddim wedi talu. *He/she hasn't paid.*	Ydy e/hi wedi talu? *Has he/she paid?*

'Dyn ni wedi talu. *We have paid.*	'Dyn ni ddim wedi talu. *We haven't paid.*	'Dyn ni wedi talu?/Ydyn ni wedi talu? *Have we paid?*
Dych chi wedi talu. *You have paid.*	Dych chi ddim wedi talu. *You haven't paid.*	Dych chi wedi talu?/Ydych chi wedi talu? *Have you paid?*
Maen nhw wedi talu. *They have paid.*	'Dyn nhw ddim wedi talu. *They haven't paid.*	Ydyn nhw wedi talu? *Have they paid?*

Yr Amser Gorffennol/*The past tense*

Dyw'r amser gorffennol ddim yn defnyddio **bod**. Rhaid i ni redeg y ferf. Rhaid i ni ychwanegu terfyniad at fôn y ferf.

*The past tense does not use **bod**. We have to conjugate the verb itself. We add an ending to the stem of the verb.*

Talais i. *I paid.*	Thalais i ddim. *I didn't pay.*	Dalais i? *Did I pay?*
Talaist ti. *You paid.*	Thalaist ti ddim. *You didn't pay.*	Dalaist ti? *Did you pay?*
Talodd e/hi. *He/she paid.*	Thalodd e/hi ddim. *He/she didn't pay.*	Dalodd e/hi? *Did he/she pay?*
Talon ni. *We paid.*	Thalon ni ddim. *We didn't pay.*	Dalon ni? *Did we pay?*
Taloch chi. *You paid.*	Thaloch chi ddim. *You didn't pay.*	Daloch chi? *Did you pay?*
Talon nhw. *They paid.*	Thalon nhw ddim. *They didn't pay.*	Dalon nhw? *Did they pay?*

Mae **gwneud**, **mynd** a **cael** yn afreolaidd. Mae tabl **gwneud** isod. Dych chi'n gallu gweld **mynd** yn Uned 10 a **cael** yn Uned 11.

Gwneud, **mynd** *and* **cael** *are irregular verbs.* **Gwneud** *is in the table below. You can find* **mynd** *in Uned 10 and* **cael** *in Uned 11.*

Gwnes i. *I did/made.*	Wnes i ddim. *I didn't do/make.*	Wnes i? *Did I?/Did I make?*
Gwnest ti. *You did/made.*	Wnest ti ddim. *You didn't do/make.*	Wnest ti? *Did you?/Did you make?*
Gwnaeth e/hi. *He/she did/made.*	Wnaeth e/hi ddim. *He/she didn't do/make.*	Wnaeth e/hi? *Did he/she?/Did he/she make?*
Gwnaethon ni. *We did/made.*	Wnaethon ni ddim. *We didn't do/make.*	Wnaethon ni? *Did we?/Did we make?*
Gwnaethoch chi. *You did/made.*	Wnaethoch chi ddim. *You didn't do/make.*	Wnaethoch chi? *Did you?/Did you make?*
Gwnaethon nhw. *They did/made.*	Wnaethon nhw ddim. *They didn't do/make.*	Wnaethon nhw? *Did they?/Did they make?*

Atebion/*Answers*

Mae llawer o ffyrdd o ddweud 'yes' a 'no' achos 'dyn ni'n ymateb i'r ferf.

There are many ways of saying 'yes' and 'no' because we respond to the verb.

Yr Amser Presennol/*The present tense*

Ydw. *Yes, I am/do.*	Nac ydw. *No, I'm not/don't.*	Wyt ti'n talu? Ydw. *Are you paying?* *Yes.*
Wyt. *Yes, you are/do.*	Nac wyt. *No, you aren't/don't.*	Dw/Ydw i'n talu? Wyt. *Am I paying?* *Yes.*
Ydy. *Yes, he/she is/does.*	Nac ydy. *No, he/she isn't/ doesn't.*	Ydy e/hi'n talu? Ydy. *Is he/she paying?* *Yes.*
Ydyn. *Yes, we are/do.*	Nac ydyn. *No, we aren't/don't.*	Dych chi'n talu? Nac ydyn. *Are you paying?* *No.*
Ydych. *Yes, you are/do.*	Nac ydych. *No, you aren't/don't.*	'Dyn/Ydyn ni'n talu? Nac ydych. *Are we paying?* *No.*
Ydyn. *Yes, they are/do.*	Nac ydyn. *No, they aren't/don't.*	Ydyn nhw'n talu? Nac ydyn. *Are they paying?* *No.*

Mae'r amser perffaith yr un peth: Wyt ti wedi talu? Ydw.
The perfect tense is the same: Wyt ti wedi talu? Ydw.

'Dyn ni hefyd yn defnyddio **Oes/Nac oes** yn yr amser presennol – pan fyddwn ni'n gofyn am rywbeth amhendant.

*We also use **Oes/Nac oes** in the present tense – when we ask about something indefinite.*

Oes. *Yes, there is/are.*	Nac oes. *No, there isn't/aren't.*	Oes bara yn y cwpwrdd? Oes. *Is there (any) bread in the cupboard? Yes.* Oes llyfrau ar y bwrdd? Nac oes. *Are there (any) books on the table? No.*

Ydy. *Yes, it is.*	Nac ydy. *No, it isn't.*	Ydy'r bara yn y cwpwrdd? Ydy. *Is the bread in the cupboard? Yes.*
Ydyn. *Yes, they are.*	Nac ydyn. *No, they aren't.*	Ydy'r llyfrau ar y bwrdd? Nac ydyn. *Are the books on the table? No.*

Yr Amser Amherffaith/*The imperfect tense*

O'n. *Yes, I was/used to.*	Nac o'n. *No, I wasn't/didn't used to.*	O't ti'n talu? O'n. *Were you paying? Yes.*
O't. *Yes, you were/used to.*	Nac o't. *No, you weren't/didn't used to.*	O'n i'n talu? O't. *Was I paying? Yes.*
Oedd. *Yes, he/she was/used to.*	Nac oedd. *No, he/she wasn't/didn't used to.*	Oedd e/hi'n talu? Oedd. *Was he/she paying? Yes.*
O'n. *Yes, we were/used to.*	Nac o'n. *No, we weren't/didn't used to.*	O'ch chi'n talu? Nac o'n. *Were you paying? No.*
O'ch. *Yes, you were/used to.*	Nac o'ch. *No, you weren't/didn't used to.*	O'n ni'n talu? Nac o'ch. *Were we paying? No.*
O'n. *Yes, they were/used to.*	Nac o'n. *No, they weren't/didn't used to.*	O'n nhw'n talu? Nac o'n. *Were they paying? No.*

Yr Amser Dyfodol/*The future tense*

Bydda. *Yes, I will (be).*	Na fydda. *No, I won't (be).*	Fyddi di'n talu? Bydda. *Will you be paying? Yes.*
Byddi. *Yes, you will (be).*	Na fyddi. *No, you won't (be).*	Fydda i'n talu? Byddi. *Will I be paying? Yes.*

Bydd. *Yes, he/she will (be).*	Na fydd. *No, he/she won't (be).*	Fydd e/hi'n talu? Bydd. *Will he/she be paying? Yes.*
Byddwn. *Yes, we will (be).*	Na fyddwn. *No, we won't (be).*	Fyddwch chi'n talu? Na fyddwn. *Will you be paying? No.*
Byddwch. *Yes, you will (be).*	Na fyddwch. *No, you won't (be).*	Fyddwn ni'n talu? Na fyddwch. *Will we be paying? No.*
Byddan. *Yes, they will (be).*	Na fyddan. *No, they won't (be).*	Fyddan nhw'n talu? Na fyddan. *Will they be paying? No.*

Yn yr amser gorffennol, 'dyn ni'n ateb **Do/Naddo** bob tro.
*In the past tense, we answer **Do/Naddo** every time.*

Dalaist ti?	Do.	Naddo.
Did you pay?	*Yes.*	*No.*
Welodd e?	Do.	Naddo.
Did he see?	*Yes.*	*No.*

Pwyslais/*Emphasis*

Fel arfer, mae brawddegau a chwestiynau yn dechrau gyda berf. Os does dim berf, mae pwyslais. Gyda phwyslais, yr ateb yw **Ie/Nage**. 'Dyn ni hefyd yn defnyddio **Ie/Nage** i ymateb i gwestiwn heb ferf.

*Usually, sentences and questions begin with a verb. If there is no verb, this is an emphatic construction. The answers following an emphatic question are **Ie/Nage**. We also use **Ie/Nage** to respond to a question where there is no verb.*

Mari wyt ti?	Ie.	Nage.
Are you Mari?	*Yes.*	*No.*
Fiesta yw mêc dy gar di?	Ie.	Nage.
Fiesta is the make of you car?	*Yes.*	*No.*
Coffi?	Ie.	Nage.

Treigladau/*Mutations*

Y Treiglad Meddal	Y Treiglad Trwynol	Y Treiglad Llaes
The Soft Mutation	*The Nasal Mutation*	*The Aspirate Mutation*
t > d d> dd m > f	t > nh d > n	t > th
c > g g > / ll > l	c > ngh g > ng	c > ch
p > b b > f rh > r	p > mh b > m	p > ph

Rhai rheolau/*Some rules*

Y Treiglad Meddal/*The Soft Mutation*

Ar ôl **y** gyda enw benywaidd unigol	*After **y** with a singular feminine noun*	(y **f**erch, y **g**adair)
Ansoddair yn dilyn enw benywaidd unigol	*Adjective following singular feminine noun*	(merch **f**ach)
Ansoddair ar ôl **yn**	*Adjective after **yn***	(Mae hi'n **w**yntog.)
Enw ar ôl **yn**	*Noun after **yn***	(Mae hi'n **f**eddyg.)

Ar ôl llawer o arddodiaid: *After many prepositions:*

am   ar   at   gan

dros   drwy   wrth   dan

heb   hyd   i   o

Ar ddechrau cwestiwn uniongyrchol	*At the beginning of a direct question*	(Welaist ti John?, **F**yddi di yn y tŷ?)
Ar ddechrau brawddeg negyddol (dim t, c, p)	*At the beginning of a negative sentence (not t, c, p)*	(Yrrais i ddim. **F**ydda i ddim)
Mewn cwestiwn ar ôl **pwy**, **beth**, **faint**	*In a question following **pwy**, **beth**, **faint***	(Pwy welaist ti?, Beth wnest ti?, Faint dalaist ti?)
Berf neu wrthrych ar ôl ffurf gryno berf	*Verb or object following concise verbs*	(Prynais i **f**ara. Gaf i **f**ynd?)
Enw benywaidd ar ôl *un*	*Feminine noun after **un***	(un **dd**iod, un **g**adair)
Enw ar ôl **dau**, **dwy**, **ail**	*Noun following **dau**, **dwy**, **ail***	(dau **f**unud, dwy **b**unt, ail **f**lwyddyn)
Ar ôl y rhagenwau **dy** ac **ei** (gwrywaidd)	*Following the pronouns **dy** and **ei** (masculine)*	(dy **g**ar di, ei **g**ar o)

Enw ar ôl **dau**, **dwy**, **ail**	*Noun following **dau**, **dwy, ail***	(dau **f**unud, dwy **b**unt, ail **f**lwyddyn)
Ar ôl y rhagenwau **dy** ac **ei** (gwrywaidd)	*Following the pronouns **dy** and **ei** (masculine)*	(dy **g**ar di, ei **g**ar e)
Ar ôl y cysylltair **neu**	*After the conjunction **neu***	(te neu **g**offi?)

Y Treiglad Trwynol/*The Nasal Mutation*

Ar ôl yr arddodiad **yn** yn golygu *in*	*After the preposition **yn** meaning 'in'*	(**yng Ngh**ymru)
Ar ôl y rhagenw **fy**	*After the pronoun **fy***	(fy **nh**ad i)

Y Treiglad Llaes/*The Aspirate Mutation*

Ar ddechrau brawddeg negyddol	*At the beginning of a negative sentence*	(**Ch**es i ddim.)
Ar ôl y cysylltair **a** yn golygu *and*	*After the conjunction **a** meaning 'and'*	(te a **ch**offi)
Ar ôl y cysylltair **gyda**	*After the conjuction **gyda***	(gyda **ph**lant Mari)
Ar ôl yr arddodiad **â**	*After the preposition **â***	(Paid â **ph**oeni.)
Ar ôl yr adferf **tua**	*After the adverb **tua***	(tua **ph**ump o'r gloch)
Ar ôl y rhagenw **ei** (benywaidd)	*After the pronoun **ei** (feminine)*	(ei **th**ad hi)
Ar ôl **tri** a **chwe**	*After **tri** and **chwe***	(tri **ph**lentyn, chwe **ph**unt)

Rhagenwau + treigladau/*Pronouns and mutations*

Dyma'r rhagenwau a'r treigladau sy'n eu dilyn nhw.

Here are the pronouns and the mutations they cause.

Rhagenw/ *Pronoun*		Treiglad/ *Mutation*	Enghreifftiau/ *Examples*		
fy	my	Treiglad trwynol *Nasal mutation*	fy **nh**ad i fy **ngh**ar i fy **mh**en i	fy **n**rws i fy **ng**waith i fy **m**rawd i	
dy	your	Treiglad meddal *Soft mutation*	dy **d**ad di dy **g**ar di dy **b**en di	dy **dd**rws di dy waith di dy **f**rawd di	dy **f**am di dy **l**yfr di dy **r**ieni di
ei	his	Treiglad meddal *Soft mutation*	ei **d**ad e ei **g**ar e ei **b**en e	ei **dd**rws e ei waith e ei **f**rawd e	ei **f**am e ei **l**yfr e ei **r**ieni e
ei	her	Treiglad llaes a '**h**' o flaen llafariad *Aspirate* *mutation and '**h**'* *before a vowel*	ei **th**ad hi ei **ch**ar hi ei **ph**en hi ei **h**enw hi		
ein	our	Dim treiglad ond '**h**' o flaen llafariad *No mutation* *but '**h**' before a* *vowel*	ein **h**enw ni		
eich	your	Dim treiglad	eich tad chi		
eu	their	Dim treiglad ond '**h**' o flaen llafariad *No mutation* *but '**h**' before a* *vowel*	eu **h**enw nhw		

Arddodiaid/*Prepositions*

Mae arddodiaid yn rhedeg. Dych chi wedi dysgu **ar** ac **i**.

*Prepositions inflect (change). You have learned **ar** and **i**.*

Ar	on	Mae annwyd ar Sam.	Sam has a cold.
arna i	on me	Mae annwyd arna i.	I have a cold.
arnat ti	on you	Mae peswch arnat ti.	You have a cough.
arno fe	on him	Mae'r ffliw arno fe.	He has flu.
arni hi	on her	Mae'r ddannodd arni hi.	She has toothache.
arnon ni	on us	Mae annwyd arnon ni.	We have a cold.
arnoch chi	on you	Oes peswch arnoch chi?	Do you have a cough?
arnyn nhw	on them	Oes annwyd arnyn nhw?	Do they have a cold?

I	to/for	Rhaid i Sam fynd.	Sam must go.
i fi	to/for me	Rhaid i fi fynd.	I must go.
i ti	to/for you	Rhaid i ti fynd.	You must go.
iddo fe	to/for him	Rhaid iddo fe fynd.	He must go.
iddi hi	to/for her	Cyn iddi hi fynd.	Before she goes.
i ni	to/for us	Cyn i ni fynd.	Before we go.
i chi	to/for you	Ar ôl i chi fynd.	After you go.
iddyn nhw	to/for them	Ar ôl iddyn nhw fynd.	After they go.

Mae'r ferf yn treiglo ar ôl yr arddodiad **i**.

*The verb mutates after the preposition **i**.*

'Dyn ni'n defnyddio **mynd i** o flaen lleoedd a berfau, ond 'dyn ni'n defnyddio **mynd at** gyda phobl.

*We use **mynd i** before places and verbs, but **mynd at** with people.*

Dw i'n **mynd i Abertawe**.	I'm going to Swansea.	Dw i'n **mynd i'r ysgol**.	I'm going to school.
Dw i'n **mynd i weld**.	I'm going to see.	Dw i'n **mynd i siopa**.	I'm going shopping.
Dw i'n **mynd at y meddyg**.	I'm going to the doctor.		

Rhai rheolau eraill/*Some other rules*

a/ac

a o flaen cytsain	*a before a consonant*	(Aled **a** Siân, te **a** choffi)
ac o flaen llafariad	*ac before a vowel*	(Siân **ac** Aled, afal **ac** oren)

â/ag

â o flaen cytsain	*â before a consonant*	(Paid **â** phoeni. Paid **â** mynd.)
ag o flaen llafariad	*ag before a vowel*	(Paid **ag** ateb. Paid **ag** aros.)

y/yr/'r

y o flaen cytsain	*y before a consonant*	(**y** tŷ, **y** car, **y** plant)
yr o flaen llafariad	*yr before a vowel*	(**yr** ysgol, **yr** ysbyty, **yr** ardd)
'r pan fydd **y** ar ôl llafariad	*'r when y follows a vowel*	(Mae**'r** tywydd yn dda, i**'r** gwaith, o**'r** Alban)

Mae/yw

'Dyn ni'n defnyddio **yw** ar ôl **pwy**, **beth**, **faint**. 'Dyn ni'n defnyddio **mae** ar ôl y geiriau cwestiwn eraill – **ble**, **pryd**, **sut**, **pam**.

*We use **yw** after **pwy**, **beth**, **faint**. We use **mae** after **ble**, **pryd**, **sut**, **pam**.*

Pwy yw e?	*Who is he?*	Ble mae e?	*Where is he?*
Beth yw'r broblem?	*What is the problem?*	Pryd mae'r gêm?	*When is the game?*
Faint yw'r tocyn?	*How much is the ticket?*	Sut mae'r tywydd?	*How is the weather?*

Rhifau/*Numbers*

Mae dwy ffordd o ddefnyddio rhifau: **rhif + enw unigol** neu **rhif + o + enw lluosog** (wedi'i dreiglo'n feddal). Hyd at ddeg, mae'n gyffredin iawn i ddefnyddio'r unigol.

*There are two ways of using numbers: **number + singular noun** or **number + o + plural noun (soft mutation)**. Up to **deg**, it is very common to use the singular noun.*

dau blentyn	dau o blant
saith llyfr	saith o lyfrau
naw car	naw o geir

Mae ffurfiau benywaidd gyda 2, 3, 4 – **dwy**, **tair**, **pedair**. 'Dyn ni'n defnyddio'r rhifau yma o flaen enwau benywaidd. A 'dyn ni'n defnyddio'r ffurfiau yma wrth drafod oedran.

*2, 3, 4 have feminine forms – **dwy**, **tair**, **pedair**. We use these forms with feminine nouns. And we use these forms to express age.*

dwy ferch
tair merch
pedair merch
Mae Siôn yn ddwy oed.

mewn/yn

Ystyr **mewn** yw *in a*. 'Dyn ni hefyd yn defnyddio **mewn** o flaen berfau a rhifau. 'Dyn ni'n defnyddio **yn** o flaen pethau pendant, gan gynnwys enwau lleoedd.

***Mewn** means 'in a'. We also use it before verbs and numbers. We use **yn** when something definite follows, including place names.*

mewn ffatri	*in a factory*
mewn pum munud	*in five minutes*
yn y ffatri	*in the factory*
yn ffatri Ford's	*in Ford's factory*
yn Abertawe	*in Swansea*

Bonau/*Stems*

Rhaid i ni wybod bôn y ferf i greu'r gorffennol cryno ac i greu gorchmynion.

We need to know the stem of verbs to create the past tense and commands.

Dyma rai rheolau. *Here are some rules.*

Berf yn gorffen gyda un llafariad – gollwng y llafariad. *Verb ending with a single vowel – drop the vowel.*

bwyta	bwyt-	bwytais i
canu	can-	canais i

Berf yn goffen gyda **io** – gollwng y llafariad ola. *Verb ending with **io** – drop the final vowel.*

ffonio	ffoni-	ffoniaisi i
gweithio	gweithi-	gweithiais i

Berf yn gorffen gyda chytsain – ychwanegu'r terfyniad. *Verb ending with a consonant – add the ending.*

darllen	darllen-	darllenais i
ateb	ateb-	atebais i

Berf yn gorffen gyda **–ed** – gollwng yr **ed**. *Verb ending with **–ed** – drop the **ed**.*

clywed	clyw-	clywais i
yfed	yf-	yfais

Berf yn gorffen gyda **–eg** – gollwng yr **eg**. *Verb ending with **–eg** – drop the **eg**.*

rhedeg	rhed-	rhedais i

Rhai bonau anodd/*Some more difficult stems:*

aros	arhos-	arhosais i
benthyg	benthyc-	benthycais i
cymryd	cymer-	cymerais i
cyrraedd	cyrhaedd-	cyrhaeddais i
chwarae	chwarae-	chwaraeais i
dechrau	dechreu-	dechreuais i
dweud	dwed-	dwedais i
ennill	enill-	enillais i
gadael	gadaw-	gadawais i
glanhau	glanheu-	glanheuais i
gorffen	gorffenn-	gorffennais i
gweld	gwel-	gwelais i
gwrando	gwrandaw-	gwrandawais i
meddwl	meddyli-	meddyliais i
mwynhau	mwynheu-	mwynheuais i
rhoi	rhoi-	rhoiais i (Weithiau, dych chi'n gweld rhoddais i.)
troi	troi-	troiais i
ymweld	ymwel-	ymwelais i

MALP 30.04.24